Liderança corajosa

BILL HYBELS

Liderança corajosa

Tradução

James Monteiro

Vida
ACADÊMICA

Vida

©2002, de Bill Hybels
Título original *Courageous Leadership*
Edição publicada por
ZONDERVAN PUBLISHING HOUSE
(Grand Rapids, Michigan, EUA)

■

Todos os direitos em língua portuguesa reservados por
Editora Vida

PROIBIDA A REPRODUÇÃO POR QUAISQUER MEIOS,
SALVO EM BREVES CITAÇÕES, COM INDICAÇÃO DA FONTE.

Todas as citações bíblicas foram extraídas da
Nova Versão Internacional (NVI),
©2001, publicada por Editora Vida,
salvo indicação em contrário.

EDITORA VIDA
Rua Júlio de Castilhos, 280
CEP 03059-000   São Paulo, SP
Tel.: 0 xx 11 6618 7000
Fax: 0 xx 11 6618 7050
www.editoravida.com.br
www.vidaacademica.net

■

Coordenação editorial: Aldo Menezes
Revisão: Giovania de Lima e Judson Canto
Diagramação: Letra & Arte
Capa: Souto Design

Dados Internacionais de Catalogação na Publicação (CIP)
(Câmara Brasileira do Livro, SP, Brasil)

Hybels, Bill
    Liderança corajosa / Bill Hybels ; tradução James Monteiro dos Reis — São Paulo :
Editora Vida, 2002.

    Título original: *Courageous Leadership*
    ISBN 85-7367-609-4

    1. Liderança cristã 1. Título.

02-3742   CDD 253

Índices para catálogo sistemático

    1. Liderança cristã : Teologia pastoral : Cristianismo 253

Para Jon Rasmussen,
construtor de edificações para Deus,
o melhor marido e o melhor pai que já conheci;
o melhor amigo que um homem poderia ter.

Sumário

AGRADECIMENTOS

Como qualquer verdadeiro líder poderia esperar, foi necessário reunir uma equipe para que este livro se tornasse realidade. Valerie Bell realizou todo o levantamento mais profundo nos primeiros dias desse desafio. Ela não somente se derramou sobre centenas de páginas de anotações de sermões, mas também escutou, com ouvidos de escritora, a cada palestra sobre liderança que ministrei sob vários enfoques. Ela merece os créditos por ter dado forma ao conteúdo desse material. Minha esposa, Lynne, a melhor editora que já conheci, concordou em fazer a edição final do original em troca de reformas domésticas que devíamos ter realizado tempos atrás. O acordo foi uma pechincha.

Meu assistente, Jean, sempre acaba desempenhando importante papel em tudo o que faço, e este projeto não foi exceção. Jim e Chris Holden nos ofereceram um local para escrever, quando a pressão da data limite para a conclusão desta obra parecia poder levar nossa família a um colapso. Jim Mellado manteve seu braço em torno de meus ombros, lembrando-me que este livro realmente ajudaria líderes de igrejas.

E o que posso dizer sobre a congregação que me permitiu seguir aos trancos e barrancos meu caminho, em direção a algum grau de maturidade na liderança? O que devo a Willow Creek Community Church jamais poderei pagar. Ela experimenta o sonho expresso no capítulo 2 do livro de Atos melhor que qualquer igreja que já tenha conhecido em qualquer parte do mundo. Ser seu pastor por 27 anos tem sido uma honra que agradeço a Deus todos os dias.

INTRODUÇÃO

Esperei trinta anos para escrever este livro. Nesses anos, produzi muitos livros, mas nenhum que me causasse tanto entusiasmo quanto este. As palavras e as idéias que preenchem as páginas que se seguem não são conceitos abstratos para mim; representam a atividade e a paixão da minha vida.

Apresentei parte do material que se encontra aqui em conferências e seminários. Ao longo dos anos, senti-me tentado a reunir essas palestras na forma de livro, mas sempre chegava à conclusão de que não estava completamente pronto para dar uma contribuição à imensa comunidade cristã a respeito da importância do dom espiritual da liderança. Todas as vezes que pensava estar pronto para começar a escrever, enfrentava algum desafio na Willow Creek Community Church, que me mostrava ainda não ser o momento. E repetidamente sentia a confirmação do Espírito Santo: "Tenha paciência, Bill".

A razão pela qual este livro teve de ser adiado por tanto tempo foi a necessidade de que eu me tornasse maduro o suficiente para escrevê-lo. Nos primeiros anos de ministério, minha ousadia e minha determinação não eram dosadas com sabedoria e sensibilidade. Por causa desse desequilibrio, reuni, em pouco tempo, uma lista de erros de liderança digna de uma página no *Guiness*. Mas, pela graça de Deus, estava cercado por pessoas bondosas que estavam dispostas a correr o risco enquanto eu aprendia. Juntos, amadurecemos por meio de um processo que se estendeu por quase três décadas.

Há alguns meses, comemorei meu qüinquagésimo aniversário, fato que proporcionou mais reflexão do que havia previsto. Ao examinar minhas experiências passadas e presentes como líder, concluí que minha graduação de trinta anos em liderança, testada no laboratório da vida real de uma igreja local, havia finalmente me preparado para escrever sobre a importância estratégica do dom espiritual da liderança. Não quero dizer que tenha me "formado". Sempre serei um estudante e sempre estarei me esforçando para crescer no que diz respeito à liderança. Mas sinto o Espírito Santo me dizer que é o momento de partilhar o que venho aprendendo com os outros estudantes. Por isso, nos próximos capítulos, farei o melhor que puder para descrever a função, os instintos e o escopo daquilo que os líderes devem realizar. Não se trata de um livro de teorias sobre liderança, mas da comprovada prática da liderança.

Se as pessoas que exercem liderança nos negócios, na administração pública ou na educação melhorarem seu desempenho por meio da leitura deste livro, tudo bem. Mas não estou escrevendo prioritariamente para esses líderes. Embora exerçam um trabalho de suma importância, a causa à qual dedicaram suas habilidades de liderança é desprovida de uma característica: não possui o poder de mudar o mundo.

Acreditar que a igreja local é a esperança do mundo explica por que meu coração está voltado para os que lideram igrejas locais. Creio, lá no fundo do meu ser, que os líderes das igrejas locais têm o potencial de ser a mais influente força do planeta. Se "captarem" e derem continuidade ao desejo de Jesus, as igrejas podem tornar-se os centros de redenção que ele tencionava que fossem. Ensinamento dinâmico, adoração criativa, comunhão intensa, evangelização eficiente e cultos alegres combinarão para a renovação do coração e da mente tanto de novos convertidos quanto de membros mais experientes, fortalecendo famílias, mudando comunidades e *transformando o mundo*.

Esta é a minha esperança ao escrever este livro: que os homens e mulheres com o dom espiritual da liderança comecem a liderar de forma vigorosa, alegre e eficiente nas igrejas locais por toda parte, e que, sob as bênçãos de Deus e com a liderança desses devotados servos de Cristo, a igreja venha a se tornar aquilo que deve ser: uma força contra a qual os portões do inferno não podem prevalecer.

CAPÍTULO UM

A PARTICIPAÇÃO DA LIDERANÇA

Dez dias após os ataques às torres do World Trade Center, eu me vi em pé sobre os escombros, impressionado com as conseqüências de um dos acontecimentos mais horríveis da história.

Naquela manhã que abalou o mundo, em 11 de setembro de 2001, a vizinhança de Manhattan, Nova York, transformou-se em uma zona de guerra. Os terroristas não fizeram prisioneiros, nem se apossaram de reféns. A morte foi a única opção que eles ofereceram, de modo que três mil civis morreram naquele dia; a maioria sem a oportunidade de um abraço final, ou mesmo de um último adeus.

As autoridades da cidade de Nova York que me convidaram para conhecer o local exato da tragédia conduziram-me através dos postos de checagem para o interior do "Fosso", a área imediatamente em torno das torres derrubadas. Nas macabras sombras dos enormes guindastes, que vagarosamente moviam pedaços de metal retorcido, equipes de resgate cavavam através dos escombros, e brigadas equipadas com baldes passavam recipientes de entulho de mão em mão. Fiquei sabendo que os trabalhadores se moviam silenciosamente, tentando escutar cada som — qualquer som — de sobreviventes.

Aqueles noventa minutos ficarão marcados em mim pelo resto da vida. Palavras não podem transmitir nem a tela da televisão pode captar a imensa devastação que vi durante aquela hora e meia. Nos primeiros trinta minutos, as três únicas palavras que consegui expressar foram: "Não pode ser!". E eu as disse várias e várias vezes.

Na minha imaginação, eu havia visualizado as duas longas torres desabando em uma pilha de ruínas, que caberiam facilmente nos limites de um grande estádio de futebol. A minha imagem mental era grande e trágica o suficiente, mas a realidade era centenas de vezes pior. Uma área inteira em ruínas. Vários quarteirões aniquilados. Um dos *menores* edifícios que veio abaixo tinha mais de quarenta andares. Vários prédios maiores, que ainda estavam de pé quando estive lá, estavam cedendo e teriam que ser demolidos. Alguns estavam com a parte da frente arrancada. Outros, a quarteirões de distância, tinham as janelas estilhaçadas. A simples monstruosidade do que ocorreu naquele dia me deixou sem fôlego.

Quando vi a dedicação das equipes de resgate, com muitos deles ainda cavando após dez dias, disse mais uma vez: "Não pode ser!". Trabalhavam com as mãos sangrando e os pés cobertos de bolhas, pois havia bombeiros, seus companheiros, soterrados sobre pilhas de metal retorcido. Como posso descrever o que era estar com eles, olhar dentro de seus olhos e ver a união profunda da completa exaustão com uma determinação inflexível? Havia centenas e centenas deles. Eu me senti despedaçado, querendo segurá-los pelos ombros e dizer: "Por favor, pare. Você precisa descansar. Você precisa ir para casa"; e ao mesmo tempo queria lhes tocar e dizer: "Não desista! Se eu estivesse debaixo daquela pilha de destruição, ia querer alguém como você cavando por mim".

Eu nunca estive em uma guerra, por isso jamais vi homens e mulheres como aqueles. Jamais havia visto pessoas que estavam quase morrendo em pé retornarem para a carnificina porque simplesmente não podiam reagir de outra forma. Nunca poderei esquecer. Pessoas como aquelas enobrecem o espírito humano. Elas nos lembram que ainda podemos ser heróicos.

Mais tarde, naquele dia, fui levado de táxi a um local, distante várias quadras dos esforços de resgate, onde familiares e amigos dispunham fotos de seus entes queridos em um quadro de avisos toscamente construído, que se estendia por dezenas de metros ao longo da calçada. Quando vi as fotografias comprimidas de cima a baixo, lado a lado, disse novamente:

"Não pode ser!". Não é possível que homens, mulheres e crianças tenham de viver com esse tipo de perda e de dor.

As pessoas que ficaram para trás andavam de um lado para o outro. Vinte e quatro horas por dia, elas perambulavam como zumbis pelas ruas da cidade, esperando, contra toda e qualquer expectativa, que *alguém* pudesse dizer *algo* sobre seus pais, suas filhas, seus amigos. Elas não tinham como continuar com suas vidas. Não podiam comer ou dormir. Não podiam ir para casa sem *alguma* informação, uma pequena notícia, *algum* passo em direção a uma conclusão.

Eu podia compreender a persistência delas. O que mais poderiam fazer? Se minha família — Lynne ou Shauna ou Todd — ou meus amigos, estivessem entre os desaparecidos sob os escombros, eu faria o mesmo. Fixaria suas fotos por todo aquele muro; agarraria pessoas pelo colarinho se pensasse que elas poderiam me oferecer um mínimo fragmento de informação ou esperança.

Enquanto pegava um táxi para me levar de volta ao hotel, tive vontade de gritar meu próximo "Não pode ser!", em uma tentativa de bloquear a mais amarga de todas as verdades: todo aquele sofrimento, aquele holocausto, não fora causado por uma catástrofe natural ou mesmo por algum estranho acidente, mas por cuidadoso planejamento de membros da raça humana. Nenhum terremoto ou deslocamento de placas geológicas causara aquela ruína. Nenhuma inundação, tornado ou furacão fizera aquilo. A morte e a destruição que estavam à minha volta eram o resultado direto de um cuidadoso planejamento, realizado por pessoas que estavam tão dominadas por crenças políticas radicais, e tão cheias de ódio, que ao assistirem na televisão a reportagem sobre o atentado, cumprimentavam-se e pulavam de alegria.

"Não pode ser!" foi novamente o meu clamor. Não era possível que a maldade pudesse ser tão profunda. Mas fora. Não importa quão incompreensível pudesse ser a cena ao meu redor, a atrocidade do mal por trás daquilo não podia ser negada.

Estranhamente, porém, enquanto as cinzas ardiam ao redor, e eu era esmagado pela tristeza, mesmo assim, uma profunda esperança surgia em meu coração. Cortando, através de atormentados "não pode ser", que ecoavam em minha mente, vinham as palavras que havia repetido mais de dez mil vezes anteriormente, mas que agora cortavam com o lampejo da urgência: *A igreja local é a esperança do mundo, a igreja local é a esperança do mundo.* Eu podia ver isso bem claramente.

Não pretendo minimizar o trabalho de tantas e magníficas organizações que realizaram um trabalho amoroso, caridoso e maravilhoso, no meio da angústia do local do atentado. A Cruz Vermelha distribuía luvas de trabalho e máscaras de respiração, meias e botas limpas. Os restaurantes montavam churrasqueiras nas calçadas e cozinhavam gratuitamente para as equipes de resgate. Fabricantes de refrigerantes doavam bebidas. Grupos humanitários e empresas de grande porte arrecadaram centenas de milhões de dólares para as famílias das vítimas. Chovia dinheiro. Todos deviam se orgulhar de tais ações. Eu certamente me orgulho.

Mas trabalho de um tipo mais profundo estava ocorrendo nos bastidores do centro de Manhattan naqueles dias. Enquanto muitos pastores e voluntários das igrejas se juntavam às ações de caridade, ajudando a suprir as necessidades físicas e materiais, eles também iam além disso — muito além. Simples cristãos, como eu e você, sentavam-se em restaurantes, prédios de escritórios e abrigos temporários, dirigindo uma palavra com coragem e sensibilidade às profundas questões da alma. Reunindo-se individualmente e em pequenos grupos, choravam e oravam com as pessoas. Eles ouviam. Eles abraçavam. Eles tranqüilizavam.

Isso aconteceu vinte e quatro horas por dias a fio. Esta foi a história ignorada pela mídia, o clipe que nunca conseguiu chegar a rede de notícias. Enquanto muitas organizações primorosas cuidavam das necessidades externas das pessoas, a igreja estava lá para realizar o que somente ela está equipada para fazer: oferecer cura às almas profundamente feridas.

Aquela experiência teve e ainda tem um profundo impacto sobre mim. Ela enfatizou, uma vez mais, as convicções que se desenvolveram em mim nos últimos trinta anos: de que a igreja possui uma missão absolutamente única para cumprir neste planeta e de que o futuro da sociedade depende largamente de os líderes das igrejas compreenderem ou não essa missão e de mobilizarem suas congregações em função dela. Cremos, com esperança, que os acontecimentos de 11 de setembro de 2001 jamais tornarão a se repetir. Mas ocorrerão outras tragédias, outros atos de violência, outras perdas que trarão pesar ao nosso coração e partirão o coração de Deus. A igreja de Jesus Cristo será uma luz suficientemente brilhante para resplandecer em tais trevas?

Mas espere. Estou me adiantando. Deixe-me voltar o filme e começar do início de minha experiência com a igreja.

A BELEZA DA IGREJA

NO INÍCIO DE 1970, tive uma experiência tão poderosa que dividiu a minha vida em antes e depois. Eu era um estudante universitário fazendo um curso obrigatório de estudos do Novo Testamento, a fim de completar minha especialização. Na minha forma de pensar, essa aula seria, com certeza, chata a ponto de dar sono. Uma aula bíblica obrigatória? Tudo indicava que seria extremamente aborrecedora. Eu tinha certeza de que o único desafio que essa aula poderia me oferecer, seria o de tentar ficar acordado.

Quando fiz minha habitual reclamação por um assento na última fileira e assumi uma posição confortavelmente desleixada — pernas estendidas e braços cruzados — não tinha idéia de que uma emboscada espiritual esperava por mim. Chegando ao fim da aula, quando já pensava em guardar as coisas e sair, o professor, dr. Gilbert Bilezekian, decidiu que ainda não havia terminado por aquele dia. Fechando suas anotações, saiu de trás do leitoril, e então abriu sua alma para uma sala cheia de desatentos alunos na faixa dos vinte anos. Ele disse:

> Houve certa vez uma comunidade de crentes que era tão completamente devotada a Deus, que a sua vida conjunta era cheia do poder do Espírito Santo.
>
> Naquele grupo de seguidores de Cristo, os crentes amavam uns aos outros com uma profunda forma de amor. Tiravam suas máscaras e dividiam a vida uns com os outros. Eles riam, choravam, oravam, cantavam e serviam juntos em um autêntico companheirismo cristão. Aqueles que tinham mais partilhavam voluntariamente com aqueles que tinham menos, até que as barreiras socioeconômicas desaparecessem.

As pessoas se inter-relacionavam de forma que as diferenças sexuais e raciais eram eliminadas, e as diferenças culturais eram celebradas.

O capítulo 2 do livro de Atos nos diz que essa comunidade de crentes, essa igreja, oferecia aos que não eram crentes uma tão linda visão da vida, que os deixava estupefatos. Era tão arrojada, tão criativa, tão dinâmica, que não podiam resistir a ela. O versículo 47 nos diz que "o Senhor lhes acrescentava diariamente os que iam sendo salvos".

As palavras improvisadas do dr. Bilezekian eram mais um lamento que um sonho, um triste anelo pela restauração da igreja do primeiro século. Eu nunca tinha imaginado uma visão tão cativante. Na verdade, naquele dia, não apenas experimentei aquela visão, mas fui agarrado por ela.

De repente, havia lágrimas em meus olhos, e em minha alma vinha surgindo uma inquietação.

Eu imaginava: "Para onde teria ido aquela beleza? Por que aquele poder não se manifestava na igreja contemporânea? As comunidades cristãs poderiam voltar a ver aquela possibilidade se concretizar?".

Desde aquele dia, fui feito prisioneiro daquele poderoso quadro da visão de Atos 2, naquela sala de aula da faculdade. Nas semanas e meses após aquela primeira aula, fui perseguido por perguntas. E se uma verdadeira comunidade de Deus pudesse ser estabelecida no século XX? E se aquilo que aconteceu em Jerusalém pudesse acontecer em Chicago? Tal ação divina transformaria este mundo e conduziria as pessoas para o próximo.

Estava perdido, completamente prisioneiro da visão singular da potencial beleza de uma igreja local. Em 1975, aquela visão me levou, com um punhado de colegas, a abrir a Willow Creek Community Church. Agora, quase trinta anos depois, aquela visão ainda prende minha atenção, acende minha paixão e traz à tona o melhor de mim.

O PODER DA IGREJA

O PRINCIPAL ASPECTO da beleza de uma igreja local é o poder de transformar o coração humano. Eu me lembro com exatidão onde estava quando vi claramente a necessidade que o mundo tem desse poder transformador. Você poderia dizer que fui "induzido" a essa compreensão.

Eram meados da década de 1980. Eu havia estado fora do país por algumas semanas, realizando algumas palestras e voltava para os Estados Unidos via San Juan, em Porto Rico. Tendo estado fora do alcance da CNN a maior parte da viagem, estava ansioso para me religar ao mundo e descobrir o que havia acontecido enquanto estive fora. Então comprei um USA Today, coloquei meu copo de isopor cheio de café na área "à prova de derramamento" sob a minha cadeira, abri o jornal e passei a consumir as notícias avidamente.

Foi então que a confusão começou. Dois garotos (irmãos, creio) começaram a brigar entre si. O mais velho aparentava ter sete ou oito anos, e o mais novo em torno de cinco. Observei durante algum tempo por cima do jornal, meio irritado pela confusão que causavam. Mas em comparação com as informações de importância mundial com as quais estava ocupado e assimilando, uma briga entre irmãos dificilmente valeria a minha atenção. "Garotos são assim mesmo", eu pensei enquanto retornava à leitura.

Então eu ouvi: *Plaft!* Abaixei meu jornal. Era óbvio que o garoto mais velho tinha acabado de dar um tapa bem no meio do rosto do garoto mais novo. O mais novo estava chorando, e um feio vergão surgia na sua bochecha.

Nervosamente, examinei a multidão, procurando pelo adulto responsável por aquelas crianças; o adulto que poderia impedir aquela violência.

Então, toda a área de embarque foi paralisada por um som que nenhum de nós esquecerá por um longo tempo. Era o som de um punho fechado batendo em um rosto. Enquanto o garoto menor ainda chorava pelo primeiro tapa, o garoto mais velho se preparou e bateu novamente, praticamente arrancando-o do chão com um soco.

Aquilo era mais do que eu podia suportar. "Onde estão os pais dessas crianças?", perguntei na movimentada área de embarque. Não houve resposta.

Corri em direção aos garotos. O valentão havia pegado o menor pelos cabelos e começado a bater com o seu rosto no chão de ladrilhos. *Pou! Pou! Pou!*

Ouvi o anúncio final de embarque para o meu vôo, mas eu estava por demais enojado com aquela violência para abandonar meu propósito. Agarrei o garoto mais velho pelo braço e o arrastei para longe do mais novo, mantendo-o o mais longe possível. Com um braço estendido para auxiliar o garoto com o rosto ensangüentado, e o outro esticado para impedir o garoto com um olhar assassino, sabia que tinha uma tragédia humana em minhas mãos.

Justamente naquele momento, o agente de embarque veio a mim e disse: "Se você é o sr. Hybels, terá de embarcar nesse avião imediatamente. Ele está partindo agora!".

Relutantemente, tirei minhas mãos dos garotos, agarrei as minhas coisas, e voltei-me apressadamente para descer pela passarela, gritando para o agente de embarque: "Mantenha esses dois garotos afastados! Por favor! E ache seus pais!".

Entrei rapidamente no avião e procurei meu assento, mas estava muito chocado com o que acabara de acontecer. Eu não conseguia apagar da minha mente as imagens e os sons da violência que havia testemunhado. Peguei uma revista de esportes e tentei ler um artigo, mas não conseguia me concentrar. Tentei a revista de lazer, para ver qual filme seria exibido, esperando que fosse algo suficientemente interessante para me distrair.

Mas enquanto esperava, senti o Espírito Santo me dizendo para não tentar limpar minha mente tão rapidamente. "Pense sobre o que você viu. Avalie as implicações. Deixe seu coração ser dominado por essa realidade."

Quando conscientemente decidi meditar sobre o que tinha visto, fui inundado por pensamentos sobre a vida do garoto mais velho. Tentei imaginar onde estariam seus pais. Refletia sobre que tipo de experiência ele estava tendo na escola. Imaginava se havia alguém em sua vida que lhe oferecesse amor, orientação e esperança. Pensava sobre o que o futuro estaria lhe reservando. Se ele utilizava os punhos com oito anos, o que estaria utilizando quando chegasse aos dezoito? Facas? Balas? No que ele se transformaria? Teria uma boa casa, uma boa esposa e um emprego gratificante? Ou uma cela de cadeia? Ou uma cova precose?

Então, fui impelido pelo Espírito Santo a imaginar o que poderia mudar a trajetória da vida daquele garoto. Fui examinando as opções.

"Talvez", pensei, "se elegêssemos alguns governantes realmente bons, que aprovassem novas leis, estas poderiam ajudar um garoto como esse."

Mas poderiam? Não me compreenda mal. Eu sei que o que os governantes fazem é muito importante. Legislar para o bem de uma sociedade é uma tarefa nobre e válida. O serviço público é uma honrada vocação. Mas os políticos, por mais sinceros que sejam seus motivos, podem ir somente até certo ponto.

Por oito anos na década de 1990, eu comparecia a Washington DC todos os meses, a fim de encontrar-me com as mais importantes autoridades eleitas dos Estados Unidos. O que descobri não foi quão poderosas são essas pessoas, mas quão limitado seu poder realmente é. O que eles realmente podem fazer é modificar as regras do jogo da vida. Eles não podem mudar o coração humano. Não podem curar a alma ferida. Não podem transformar o ódio em amor. Não podem produzir arrependimento, perdão, reconciliação e paz. Eles não podem alcançar a essência do problema do garoto que vi no aeroporto e de milhões de outros como ele.

Examinei toda e qualquer opinião da qual pudesse me lembrar, considerando o que tinham a oferecer. Empresários podem fornecer empregos, que são urgentemente necessários. Sábios educadores podem ensinar proveitosos conhecimentos do mundo. Programas de auto-ajuda podem oferecer eficientes métodos de mudança de comportamento. Avançadas técnicas de psicologia podem trazer autoconhecimento. E tudo isso é bom. Mas algo do que já foi descrito pode realmente transformar o coração humano?

Creio que existe somente um poder neste planeta que possa fazê-lo. É o poder do amor de Jesus Cristo; o poder que subjuga o pecado e elimina a vergonha, cura as feridas, reconcilia inimigos e repara sonhos perdidos, e em última análise transforma o mundo, uma vida por vez. E o que fascina meu coração a cada dia é o conhecimento de que a mensagem fundamental desse amor transformador tem sido dada à igreja.

Isso significa que, de forma bastante realista, o futuro do mundo repousa nas mãos de congregações locais como a minha e a sua. Ou é a igreja ou estamos acabados. Sem igrejas que estejam tão cheias do poder de Deus, a ponto de não poder evitar derramar sobre o mundo bondade, paz, amor e alegria, a corrupção alcançará a vitória e o mal inundará o mundo. Mas não tem de ser dessa forma. Comunidades de fé, fortes e em crescimento podem mudar a maré da história. Elas podem!

Não perca tempo buscando em outros lugares. A solução está na igreja.

O POTENCIAL DA IGREJA

AQUELA HORRIPILANTE CENA NO aeroporto de San Juan ilustrava os problemas que acossam nosso mundo. O estímulo do Espírito Santo que senti ao sentar naquele avião fez-me lembrar que o poder transformador de Deus é a solução para aquele problema. Algum tempo após aquela viagem, tive uma visão real do imenso potencial desse poder transformador.

Eu havia terminado de apresentar minha mensagem de fim de semana na Willow e estava em pé, na frente do púlpito, falando com as pessoas. Um jovem casal me abordou, colocou em meus braços um bebê embrulhado com um cobertor e me pediu que orasse por ele.

Quando perguntei qual era o nome do bebê, a mãe puxou o cobertor que cobria o rosto do recém-nascido. Senti meus joelhos cederem e pensei que fosse desmaiar. Se o pai não tivesse me apoiado, eu teria tombado. Em meus braços estava o bebê mais horrivelmente deformado que jamais havia visto. Todo o centro de sua pequena face era escavado. Como ela se mantinha respirando, eu jamais saberei.

Tudo que eu podia dizer era: "Ó meu... ó meu... ó meu".

"Seu nome é Emily", disse a mãe. "Disseram-nos que ela terá em torno de seis semanas de vida", completou o pai. "Nós gostaríamos que você orasse para que, antes da sua morte, ela conhecesse e sentisse nosso amor".

Mal conseguindo balbuciar, sussurrei: "Vamos orar". Juntos, oramos pela Emily. Ah, se oramos. Ao devolvê-la aos pais, perguntei: "Há algo que possamos fazer por vocês; alguma forma de nós, como igreja, podermos ajudá-los durante esse tempo?".

O pai respondeu com palavras que ainda hoje me maravilham. Ele disse: "Bill, nós estamos bem. Realmente estamos. Há anos fazemos parte de um pequeno e amoroso grupo. Os membros do nosso grupo sabiam que haveria complicações nessa gravidez. Eles estavam em nossa casa quando soubemos da notícia e estavam no hospital quando nos entregaram a Emily. Eles nos ajudaram a absorver a realidade de todo o problema. Até limparam nossa casa e prepararam nossas refeições quando a trouxemos para casa. Eles oram constantemente por nós e nos telefonam várias vezes todos os dias. Eles estão até mesmo nos ajudando a planejar o funeral da Emily".

Somente então, três outros casais se adiantaram e cercaram Emily e seus pais. "Sempre viemos juntos para igreja como um grupo", disse um dos membros do grupo.

Foi uma imagem que levarei comigo para o túmulo: um grupo firmemente coeso de irmãos e irmãs que se amavam, dando o melhor de si para aliviar uma das mais cruéis desgraças que a vida pode nos servir. Após uma oração em grupo, todos seguiram pelo corredor lateral em direção à saída.

Enquanto saíam, eu pensava: "Onde estaria essa família, onde iria, como lidaria com essa mágoa, sem a igreja?".

Não há nada como a igreja local, quando ela funciona corretamente. Sua beleza é indescritível. Seu poder é assombroso. Seu potencial é ilimitado. Ela conforta o pesar e cura o que é rompido no contexto da comunidade. Ela constrói pontes para os que buscam e oferece a verdade aos que estão confusos. Ela traz recursos aos que têm necessidade e abre seus braços para os esquecidos, humilhados e desiludidos. Ela quebra as cadeias do vício, liberta os oprimidos e oferece integração aos marginalizados deste mundo. Por maior que seja o sofrimento humano, a igreja terá capacidade ainda maior de curar e de unir.

Ainda hoje, o potencial da igreja é maior do que posso compreender. Nenhuma outra instituição sobre a terra é como a igreja. Nada se compara a ela.

A VITALIDADE DA IGREJA

NADA SE COMPARA... se a igreja funciona corretamente. Mas esse é um grande *se*. Em meados de 1980, quando comecei a viajar mais, não pude ignorar a diferença entre igrejas que estavam vivendo seus propósitos e prosperando — evangelizando, preparando crentes firmes, pondo seus braços ao redor dos pobres, reedificando vidas destruídas — e aquelas que pareciam estar à beira da falência, experimentando ações vazias que parecem não fazer diferença.

Crescendo ou falindo? A todo lugar que ia, ficava me perguntando: "O que faz a diferença? Qual a chave da vitalidade das igrejas prósperas?" Eu sei que em última análise a beleza e o poder da igreja vêm diretamente da mente de Deus e depende das bênçãos de Deus. Mas, em um nível mais humano, o que as igrejas vencedoras possuem em comum?

É a localização? Especialistas no crescimento de igrejas declaram que a localização é crucial e, intelectualmente falando, concordo, mas tenho por diversas vezes descoberto igrejas prósperas nos lugares mais improváveis.

Visitei igrejas desenvolvidas e vitais na Irlanda do Norte, localizadas no meio de comunidades penosamente afetadas pelo que os habitantes locais chamam "Troubles" (escaramuças e atos terroristas pela libertação do país). Recentemente, preguei em uma próspera igreja localizada no coração de Soweto, o empobrecido distrito sul-africano que fervia em ímpetos revolucionários antes do fim do *apartheid*. No outro extremo, em lugares como Newport Beach, na Califórnia, onde todos são tão abastados que você poderia pensar que eles jamais sentiriam necessidade de Deus, eu vi igrejas abarrotadas de pessoas com os corações ardendo em adoração a Cristo.

Sejam em bairros pobres ou opulentos, tranqüilos ou devastados por guerras, nos trópicos ou em regiões montanhosas, em congestionadas áreas urbanas ou em bucólicas áreas rurais, nos Estados Unidos ou em qualquer outro lugar, a localização da igreja parece afetar seu vigor muito menos do que a maioria pensa.

"Talvez a denominação seja o fator determinante", pensei. Talvez possa descobrir uma denominação específica que possua o monopólio do sucesso.

Mas minhas viagens não confirmaram isso. Conheci uma igreja anglicana milenar no Reino Unido, que batizava um número recorde de pessoas a cada ano; uma igreja episcopal em Kansas City que havia recentemente comprado cem acres para acomodar seu crescimento e uma congregação luterana em Phoenix que utiliza seus recursos para suprir as necessidades de cidadãos idosos e desempregados de uma forma notavelmente criativa e eficiente. Batistas, metodistas, evangélicos livres, quacres, adenominacionais, interdenominacionais, não importa. Em todas as denominações, e além delas, tenho descoberto igrejas vencedoras.

Se não se trata da localização ou da denominação, talvez as instalações ideais sejam a chave do sucesso. Mas não. Certamente que não. Em celeiros e teatros, hotéis e *trailers* — nas mais inconcebíveis e inadequadas instalações — descobri igrejas maravilhosamente bem-sucedidas.

Pode ser que eu tenha negligenciado algum fator óbvio. Talvez a chave para igrejas bem-sucedidas seja uma magnífica pregação. Mas, não tive de ir além dos Estados Unidos para derrubar essa teoria. Embora várias igrejas, que têm seu enfoque principal na pregação, consigam atrair grandes multidões, seu impacto na comunidade é freqüentemente insignificante. A igreja fica lotada por uma hora aos domingos, mas vazia durante a semana. Viciados em sermões tendem a ficar em seus confortáveis assentos, crescendo cada vez mais em conhecimento enquanto se envolvem cada vez menos com a comunidade que os cerca. As conversões são raras porque há pouca ajuda aos necessitados. A experiência comunitária é superficial porque não há infra-estrutura para grupos menores. O corpo é alimentado e saciado em um ambiente de ensino coletivo, mas isso é tudo o que acontece.

Eu não pretendo minimizar a importância da pregação e do ensino eficientes; a igreja fica debilitada sem eles. Mas um bom ensino e uma boa pregação não asseguram o vigor do ministério.

Existem provavelmente outras supostas chaves para a vitalidade da igreja, das quais também poderia desacreditar, mas sendo a pessoa impaciente que sou, vou direto ao assunto. Então, aqui está: o que igrejas que frutificam possuem em comum é que são lideradas por pessoas que possuem e desenvolvem o dom espiritual da liderança. Sempre e em todos os lugares onde encontrava igrejas estimulantes e vencedoras, a exemplo de Atos 2, também descobria um pequeno grupo de irmãos e irmãs que, de forma humilde e devotada, forneciam a visão, a estratégia e a inspiração que possibilitavam que toda a congregação frutificasse abundantemente. Por favor, compreenda, não é que eu acredite que o dom da liderança seja mais importante que os outros dons. É que, simplesmente, aquelas pessoas com o dom da liderança são excepcionalmente equipadas para criar estratégias e estruturas, que propiciarão oportunidades para que outras pessoas usem seus dons com a máxima eficiência. Líderes possuem uma visão global e compreendem como ajudar os outros a encontrar sua utilidade nesse contexto.

Ao longo dos anos, conheci uma ampla diversidade de líderes. Alguns estavam em idade avançada, enquanto outros eram surpreendentemente jovens. Alguns possuíam nível universitário, enquanto outros careciam completamente de educação formal. Alguns possuíam formação em teologia, enquanto outros haviam saído do mercado. Eu sei de uma igreja bem-sucedida em Tijuana, no México, que é liderada por um médico. Em Rockford, Illinois, um corretor de ações formou uma equipe que deu à luz uma igreja. Um dentista em Nova Jersey fez o mesmo. O ponto comum a todos esses líderes foi o fato de que reconheceram e desenvolveram seus dons de liderança, sujeitaram-nos a Deus e os utilizaram da melhor forma que puderam. O resultado? Igrejas vencedoras.

HISTÓRIA DE LIDERANÇA NOTA 10

EU NÃO TERIA ME surpreendido se, por trás dos bastidores de todo ministério bem-sucedido, tivesse descoberto líderes corajosos e dedicados a servir. Por toda a história, sempre que Deus estava pronto a começar um novo trabalho, ele dava um tapinha no ombro de um líder em potencial e dava a ele ou a ela uma função de liderança. No Antigo Testamento, escolheu líderes como Moisés, Davi, Neemias e Ester. No Novo Testamento, escolheu pessoas como Pedro e Paulo. Em épocas mais recentes, quando uma igreja rebelde precisou ser chamada de volta para seu verdadeiro espírito e missão, Deus usou líderes como Martinho Lutero, João Calvino e John Wesley, para serem os primeiros catalisadores de mudanças.

Há dez anos, num pequeno restaurante, enquanto desfrutava minhas férias de verão, escrevi estas palavras: "A igreja local é a esperança do mundo, e seu futuro está principalmente nas mãos de seus líderes". Pela primeira vez, percebi, de uma perspectiva humana, que o resultado do teatro redentor representado no planeta Terra seria decidido pelo quão satisfatoriamente os líderes exercessem sua função. Muitas igrejas são cheias de pessoas sinceras, talentosas e devotas, que adorariam aproveitar seus dons espirituais para ganhar o mundo para Cristo. A questão é esta: os homens e as mulheres aos quais foi confiado o dom de liderança tomarão seu dom a sério, desenvolvendo-o completamente e aplicando-o corajosamente, de modo que os talentosos e dispostos fiéis de suas igrejas trabalhem em conjunto para mudar o mundo?

Romanos 12.8 avisa aos que possuem o dom da liderança que liderem "com zelo". Por quê? Porque a igreja, a noiva de Cristo, de quem depende o destino eterno do mundo, progredirá ou falhará, em grande medida, dependendo de como a liderarmos. Se você é um líder, por favor, releia essa frase e deixe-a penetrar na sua consciência. Também entenda, por favor, que não escrevo sobre liderança apenas para destacar esse dom em particular. Minha preocupação fundamental não é a liderança. Para mim, o primordial é a igreja representada em Atos 2. Mas estou absolutamente convencido de que a igreja jamais alcançará seu pleno potencial para a redenção até que homens e mulheres com o dom da liderança se adiantem para liderar.

Pessoas admiravelmente dotadas para liderar devem se render totalmente a Deus e idealizar objetivos poderosos, bíblicos e que honrem a Ele. Devem formar equipes eficientes, amorosas e orientadas de forma clara, além de animar os fiéis para dar o melhor de si para Deus. E devem insistir, com forte determinação, para que:

> o evangelho seja pregado,
> os perdidos sejam alcançados,
> os fiéis sejam equipados,
> os pobres sejam servidos,
> os solitários sejam envolvidos pela comunidade,
> e para que Deus leve o crédito por tudo isso.

As Escrituras dizem exatamente o que acontecerá se os líderes atenderem ao chamado que Deus lhes fez, dotando-os para tal. As forças das trevas serão obrigadas a recuar. O Diabo, que fez o que quis neste mundo por bastante tempo, será obrigado a ceder terreno. E a Igreja cumprirá a finalidade redentora, para a qual Cristo a chamou.

Eu não sei sobre você, mas quando penso a respeito do mundo em que vivemos — um mundo onde o mal se manifesta de variadas formas que desafiam a imaginação, onde garotos em aeroportos esmurram a cara uns dos outros e onde homens loucos dominam inocentes pelo terror — não posso evitar de me comprometer, com fervor ainda maior, com a bela, poderosa e vital Igreja de Jesus Cristo. Onde mais poderia querer empregar os dons de liderança, que Deus graciosamente me concedeu? A Igreja é a esperança do mundo!

CAPÍTULO DOIS

A MAIS PODEROSA ARMA DO LÍDER

O poder da visão

VOCÊ NÃO TEM DE SER CÍNICO PARA SE SENTIR UM POUCO CÉTICO quando alguém começa a falar sobre mudar o mundo. Mesmo que você concorde que o mundo merece ser restaurado em alguns pontos essenciais, provavelmente considera insignificantes as possibilidades de tais mudanças. Mas quando Deus alimenta um sonho, e um líder se torna motivado — bem, quem sabe o que pode acontecer?

Por exemplo, em 1774, um líder chamado John Adams audaciosamente anunciou sua visão de uma nova nação; uma união de treze estados, independentes do parlamento e do rei da Inglaterra. Contra todas as probabilidades, suas palavras se tornaram realidade. Em menos de dois anos após a declaração profética, nasciam os Estados Unidos da América.

Em 1789, William Wilberforce posicionou-se perante o parlamento britânico e eloqüentemente clamou pelo dia em que homens, mulheres e crianças não fossem mais comprados e vendidos como animais de carga. A cada ano, nos dezoito anos seguintes, seu projeto de lei foi derrotado, mas ele não desistia da incansável campanha contra a escravidão. Até que, finalmente, em 1833, quatro dias antes da sua morte, o parlamento aprovou um projeto de lei abolindo completamente a escravidão.

No fim do século XVIII, dois irmãos, Wilbur e Orville Wright, anunciaram que "a era das máquinas voadoras" havia chegado. Seguiram-se dez anos de experiências decepcionantes. Mas em 17 de dezembro de 1903, os irmãos Wright fizeram história, quando seu pequeno biplano decolou em uma praia em Kitty Hawk, na Carolina do Norte. A era das viagens aéreas havia nascido.[1]

No início do século XX, um dinâmico industrial chamado Henry Ford pôs-se à frente de seu reduzido grupo de empregados e jurou que tornaria o transporte automobilístico acessível à típica família americana. A nação riu em alta voz. Mas apenas cinqüenta anos depois, milhões de automóveis Ford modelo T haviam sido adquiridos e vendidos a um preço de 290 dólares cada.

Na década de 1940, um jovem evangelista chamado Billy Graham teve um sonho revolucionário. Ele e alguns companheiros imaginaram estádios lotados, onde pessoas distantes de Deus poderiam ouvir a proclamação do evangelho. Desde aquele ano, 210 milhões de pessoas ouviram Billy Graham pregar ao vivo, enquanto mais de um bilhão ouviram o dr. Graham apresentar o evangelho pela televisão ou pelo rádio.

E quem pode esquecer de 1963? O dr. Martin Luther King Jr., em pé nos degraus do Memorial de Lincoln, em Washington, DC, descreveu um mundo sem preconceito, ódio ou racismo. "Eu tenho o sonho de que meus quatro filhos vão um dia viver em uma nação onde não serão julgados pela cor da pele, mas pelo teor do seu caráter." Embora o dr. King tenha sido cruelmente assassinado, seu sonho permanece vivo. Quase quarenta anos depois, a sua paixão guia os Estados Unidos, enquanto caem as barreiras raciais. (Ainda que não tão rapidamente quanto a maioria gostaria.)

Dez anos mais tarde, o dr. Gilbert Bilzekian posicionou-se diante de uma classe universitária e sonhou com a edificação de uma igreja vencedora. "Houve certa vez uma igreja..." Vinte e sete anos depois, os poucos de nós que iniciaram a Willow Creek ainda choram como crianças quando relembram o poder daquelas palavras. Não é exagero dizer que tudo o que vemos hoje na Willow Creek e em milhares de outras igrejas da Willow Creek Association (WCA) ao redor do mundo, foi inspirado por suas palavras apaixonadas.

Examine uma lista como essa, e mesmo um cético enxergará que líderes inspirados realmente podem mudar seus mundos. Então, não

[1]Os americanos atribuem aos irmãos Wright o nascimento da aviação. Os brasileiros, porém, atribuem tal feito a Alberto Santos Dumont (1873-1932), conhecido por "Pai da aviação", pois em 1901 (dois anos antes dos irmãos Wright), ele contornou a torre Eiffel, em Paris, num vôo a 200 m de altura. (N. do R.)

perca tempo questionando a viabilidade de mudar o mundo. Em vez disso, faça uma pergunta muito mais relevante: "O que todos esses líderes tinham em comum?".

VISÃO: A MAIS PODEROSA ARMA PARA A TRANSFORMAÇÃO DO MUNDO

O QUE ELES TINHAM EM comum era um ideal irresistível. Visualizar é a própria essência da liderança. Tire de um líder a capacidade de visualizar seu ideal, e ele morrerá. A visão é o combustível que faz o líder continuar. É a energia que cria a ação. É o fogo que acende a paixão dos fiéis. É o chamado nítido, que mantém os esforços concentrados ano após ano, década após década, com as pessoas servindo a Deus de modo perseverante e abnegado.

Provérbios 29.18 diz: "Quando não há visão, o povo não tem freio" (*Bíblia de Jerusalém*). Ele não pode se concentrar, não pode alcançar qualquer objetivo, não pode seguir seu sonho. Uma tradução mais antiga diz: "Não havendo profecia, o povo se corrompe" (ARC). Já vi isso acontecer. Sem visão, o povo perde a vitalidade que o faz se sentir vivo.

Não estou dizendo que tudo o que uma igreja precisa seja de um líder visionário. Quando uma igreja local perde seu alento ou sofre uma baixa no seu moral, apela para seus pastores, seus artistas e para os membros dela que possuem o dom da misericórdia, em busca de uma nova onda de ânimo. Quando a igreja precisa de organização e ordem, vira-se para as pessoas com o dom da administração e diz: "Dê um jeito nessa confusão". Quando precisa ser edificada, apela para pessoas com o dom do ensino.

Mas quando uma igreja precisa de uma visão confiável, que a faça avançar em direção ao Reino de Deus e honrá-lo, ela se vira para seus líderes. Isto ocorre porque Deus põe no arsenal do líder a poderosa arma ofensiva chamada visão. O objetivo deste capítulo é desvelar as complexidades da visão, de forma que nós, líderes, possamos aprender a desencadear esse poder em nossas igrejas. É nesse ponto que o mundo começa a mudar.

COMO UM LÍDER RECEBE UMA VISÃO

PRIMEIRO, VAMOS DEFINIR VISÃO. Assim como você, já ouvi dezenas de definições. A melhor definição, contudo, é esta: visão é uma imagem do futuro que produz paixão.

Para Henry Ford, esta era uma imagem em que havia um modelo T estacionado na garagem particular de cada açougueiro, padeiro ou fabricante de candelabros. Para o dr. Martin Luther King Jr., a imagem do futuro era uma onde duas crianças, uma branca e uma negra, brincassem em um balanço, sem se darem conta da cor da pele uma da outra. O dr. Billy Graham imaginou milhares de pessoas decididas a aceitar a Cristo, enquanto o coro cantava *Tal como sou.*

Para cada uma dessas pessoas, sua imagem do futuro fez seu coração bater mais rápido e sua mente disparar. Qual imagem produz esse efeito em você?

É a imagem de crianças famintas sendo alimentadas e protegidas em um ambiente seguro? É a imagem de desabrigados que acham refúgio ou de mulheres violentadas que acham um lugar seguro? Pessoas confusas achando a fé? Orientar pessoas na busca de significativas oportunidades no ministério? O pensamento de pessoas solitárias integrando-se socialmente em pequenos grupos ou artistas finalmente usando seus dons divinos no ministério na igreja dão um nó na sua garganta? Creio que existem imagens apaixonantes tanto quanto existem líderes.

EU NASCI PARA ISSO!

QUANDO DEUS FINALMENTE TRAZ objetividade de visão para a vida de um líder, tudo muda. Os dominós começam a cair. Eis a seqüência típica dos acontecimentos:

Primeiro, o líder recebe a visão, vê aquela imagem de um futuro transformado, que faz seu pulso acelerar. Receber a visão será conseqüência da leitura da Bíblia ou de ouvir uma interessante história de transformação de vida. Será o resultado de encarar-se; a necessidade de conquistar o coração de alguém. Deve chegar como se tivesse vindo diretamente de Deus. Entretanto, é mais provável que se tenha essa visão ao testemunhar ou experimentar uma obra de Deus que já esteja sendo realizada por outra pessoa. Observar essa forma de ministério dispara uma resposta interna que simplesmente não pode ser ignorada.

Sem hesitação, o líder diz: "Creio que poderia dar a minha vida por isso. Acho que talvez tenha nascido para isso!". Às vezes, uma visão vem como uma epifania, toda de uma vez — *Bangue!* — está lá. Algumas vezes vai se revelando pouco a pouco, em um longo período, como um confuso quebra-cabeça, até que um dia faz sentido. Mas, em algum momento específico, um líder passa a compreender claramente a visão que Deus tem para ele ou ela.

Então, quase que imediatamente, vem o *sentimento* da visão. Lembre-se de nossa definição inicial: visão é uma imagem do futuro que produz paixão. O que torna uma visão tão poderosa? Não é somente uma imagem do futuro. É a energia e a paixão que ela provoca no fundo do coração de alguém. Esse nível de energia, ou paixão, deve ser experimentada para ser completamente compreendida.

Há quase trinta anos, enquanto o dr. Bilzekian difundia sua visão de vida sobre uma comunidade que funcionasse segundo preceitos bíblicos, experimentei uma emoção de tal intensidade, como nunca antes em minha vida. Algumas vezes sentia vontade de aplaudir desvairadamente e outras vezes sentia vontade de chorar inconsolavelmente. Às vezes, sentia vontade de me levantar em frente dos meus colegas e gritar: "Ei, todo mundo, é isso aí! Vocês não vêem? Vocês não conseguem sentir? A igreja local é a esperança do mundo. É a entidade redentora ordenada por Deus, da qual depende o destino de todo o mundo. Então cancelem os planos que fizeram para suas carreiras. Façam algo de importante com sua única vida. Renunciem a ela por Cristo e por sua igreja!". Passaram-se décadas, mas os sentimentos por trás daquelas palavras são tão vívidos para mim hoje, como eram naquela classe da universidade.

E ainda hoje, se você puser um monitor cardíaco em meu peito, quando alguém estiver falando sobre a beleza, o poder, ou o potencial da igreja, ele fará barulhos, estalará até sair fumaça, sinalizará PERIGO. Após todos esses anos, a paixão não desvaneceu. Pelo contrário, vem crescendo intensamente. Aprendi em primeira mão, que as visões dadas por Deus trazem uma poderosa energia e causam um impacto duradouro.

BASTA DEIXAR-ME IR À IGREJA LOCAL

RECENTEMENTE, UM PASTOR DA WILLOW CREEK ASSOCIATION, no Canadá, convidou-me para falar no décimo aniversário da sua igreja. Eu me senti honrado e aceitei o convite. Na noite do evento, logo antes da minha vez de falar, uma mulher subiu ao púlpito para contar sua história. Ela contou que havia passado a maior parte dos seus anos longe de Deus. A jornada da sua vida havia sido marcada pela desilusão, pela imoralidade e pela destruição. Então ela disse: "Mas alguém convidou-me para vir a esta igreja, e eu me senti aceita aqui, de forma que continuei vindo. Os cultos eram tão criativos e os sermões tão envolventes, que eu não podia deixar de escutá-los. Então eu ouvi o evangelho, e aprendi que era amada apesar da minha rebeldia e do meu pecado". Daí ela nos contou sobre sua experiência de salvação, seu crescimento espiritual e o desenvolvimento de seu dom.

Quando ela se sentou, eu estava transtornado. Sua experiência de uma radical transformação de vida era um reflexo perfeito da retumbante imagem que eu carregava em meu coração há tantos anos.

Procurei por ela logo após o culto. Eu não estava apenas com os olhos rasos de lágrimas, enquanto agradecia por aquelas palavras. Meu coração bradava: "Você representa o objetivo de toda a minha vida. Eu teria dado tudo o que sou e tudo o que tenho para ouvir uma história como a sua".

Algumas semanas mais tarde, recebi uma ligação de uma congregação que sonhava em comprar um terreno. Eles já haviam escolhido; só precisavam de dinheiro para pagar por ele. Inspirado por sua visão e entusiasmo, aceitei discursar em um jantar de arrecadação de fundos. Durante a primeira parte do programa, membros da igreja pegavam o microfone e falavam sobre o que sua igreja significava para eles. Depois disso, a congregação se reuniu para cantar e orar, louvando a Deus e pedindo sua bênção e orientação para o prosseguimento de seu projeto de construção.

Conforme ouvia, ia me lembrando das aventuras que vivíamos nos primeiros dias da Willow, quando sonhávamos em comprar um terreno e construir nossa primeira igreja. Quando chegou minha hora de falar, senti o Espírito Santo me dizendo para "esquecer meu roteiro"; então, desfiz-me das anotações e passei os vinte minutos seguintes tão-somente desafiando as pessoas. "Dê sua vida a isso", implorei a eles. "Dê todo o dinheiro que você puder. Dê toda a ajuda que você puder. Ore o máximo que você puder. Dê tudo o que você tiver para dar, porque, por toda a eternidade, você olhará para trás e ficará feliz por tê-lo feito".

Não sei como explicar a profundidade do sentimento despertado em mim pelo milagre contínuo das igrejas que funcionam conforme o exemplo de Atos 2. Perdi a conta de quantas vezes caí de joelhos após um evento na Willow ou em qualquer outra parte e disse a Deus: "Nada mais tem esse efeito sobre mim; com certeza nasci para isso".

Você pode ver como a visão e a paixão são indissoluvelmente acopladas à vida de um líder? Quando Deus lhe der uma visão, você saberá. Verá claramente e sentirá profundamente.

A PAIXÃO DE UM LÍDER É CONTAGIANTE

OS LÍDERES NÃO SÃO os únicos estimulados pela paixão de suas visões. Os fiéis se alimentam disso. Sempre que ouço um líder comunicar uma visão sincera, apaixonada e para a honra de Deus, sou revitalizado, quer queira, quer não. Recentemente, no encerramento de um congresso de artes da Willow Creek, Nancy Beach, nossa diretora de programação criativa, apresentou sua visão para um público de artistas que estava reunido. Ela os incitou apaixonadamente a usar seus dons e a desenvolver suas habilidades para promover a causa do Reino de Deus. "Lancem-se com seus talentos artísticos na igreja local", ela disse. "Não esconda nada."

Não sendo possível comparecer àquela reunião, assisti ao vídeo em meu escritório uma semana mais tarde. A clareza da visão da Nancy e a profundidade da sua paixão fizeram com que eu quisesse me juntar a eles! Precisei me segurar para não correr para casa e desencavar do sótão minha guitarra de doze cordas. Felizmente prevaleceu o bom senso (nenhuma igreja se beneficiaria de minha contribuição musical). O poder da visão é apaixonante e enorme.

Os líderes jamais devem se defender da força dos sentimentos que acompanham as visões dadas por Deus. Deus concebeu líderes para experimentarem anseios, desejos e esforços profundamente, e para expressá-los amplamente. E quando o fazem, incentivam os outros.

ASSUMINDO A RESPONSABILIDADE

COMO FOI DITO, OS LÍDERES, EM PRIMEIRO LUGAR, recebem a visão. Depois a sentem tão intensamente que motivam os outros. O próximo passo a ser dado é: os líderes devem assumir a responsabilidade pela visão. Devem tomar posse dela.

Em Atos 20.24, o apóstolo Paulo diz: "Todavia, não me importo, nem considero a minha vida de valor algum para mim mesmo, se tão-somente puder terminar a corrida e completar o ministério que o Senhor Jesus me confiou". O que Paulo está dizendo? Acho que ele está dizendo: "A partir do momento que recebi a visão de Deus, cumpri-la tornou-se a mais urgente prioridade da minha vida. Quaisquer que fossem meus compromissos pessoais, foram postos de lado em prol das ordens recebidas de Deus". Paulo dedicou-se àquela visão tanto quanto qualquer líder o faria até sua morte. Quando Deus pede para os líderes colocarem de lado seus compromissos pessoais a fim de cumprir as visões que lhes foram dadas, ele sabe que jamais se arrependerão. Entretanto, algumas das mais apaixonantes visões oferecidas por Deus aos homens acabaram por enfraquecer, encolher e morrer. Por quê? Porque alguns líderes, de alguma forma, viram-na e a sentiram, mas não tiveram coragem necessária para tomar posse ou realizá-la. Ele ou ela falhou em perseverar. Por isso a visão nunca se tornou realidade.

Posso imaginar o que isso faz ao coração de Deus. Visões não têm preço. São incumbências santas de Deus que devem ser levadas a sério. Desperdiçar uma visão é um pecado impensável.

Pense no que seria nosso mundo se Billy Graham tivesse dito: "Não, obrigado, Deus. A visão parece muito custosa. Eu gostaria de uma tarefa mais fácil".

Imagine as vidas que jamais teriam sido transformadas se Charles Colson, que iniciou o ministério Prison Fellowship, tivesse dito: "Por que deveria perder meu tempo com um bando de desajustados sociais e criminosos comuns que não têm nada a me oferecer? Prefiro me aplicar à prática da advocacia".

Pense no que teria se perdido se Bob Pearce, o fundador da Visão Mundial, tivesse dito: "Deixe as crianças famintas morrerem de fome. O que pode um homem fazer, afinal de contas?".

Estremeço ao pensar no que minha vida teria sido se o dr. Bilzekian tivesse ignorado a visão que lhe foi dada por Deus, de transformar a mente e o coração de estudantes universitários, ao desafiá-los a construir igrejas locais.

Por favor, não se esqueça disso. Se Deus lhe deu uma visão do Reino, se você a vê claramente e a sente profundamente, é melhor tomá-la sob sua responsabilidade. É melhor que você dê sua vida por ela. É por isso que Deus fez de você um líder. Esse é seu único chamado. É disso que eu e você, um dia, teremos de prestar contas.

MAXIMIZANDO A RECEPTIVIDADE DO LÍDER

TENHO FALADO FREQÜENTEMENTE com líderes que são frustrados, em virtude da sua incapacidade para compreender claramente as visões que lhes foram dadas por Deus. Tenho comparado suas histórias com as histórias de líderes que têm recebido claras visões de Deus e descobri uma série de "condições do coração" que parecem maximizar sua capacidade de ouvir e receber uma visão de Deus. Por essa razão, quando falo com um líder que é hesitante ou pouco claro a respeito da sua visão, faço as seguintes perguntas:

- Você tem se rendido suficientemente a Deus?
- Você tem pedido a Deus a revelação da visão que ele tem para você, ou você tem pedido que ele abençoe um plano que já existe em seu coração? Devemos ir a Deus de mãos vazias e com um coração aberto, e perguntar: "Qual é sua visão para minha vida?".
- Você tem jejuado?
- Você tem orado?
- Você tem se aquietado e esperado por Deus em solidão?
- Você tem eliminado a prática do pecado em sua vida?
- Você tem expurgado as distrações e o barulho ambiental que o impediriam de ouvir o que Deus tenta lhe dizer?
- Você tem lido avidamente? Tem viajado extensamente? Tem visitado diversos ministérios ao redor do mundo? Você tem se exposto a uma chuva de visões dadas por Deus a outras pessoas a ponto de ficar inspirado pela variedade de opções? Se não, vá logo! Veja o que Deus está fazendo!

Receber uma visão de Deus é algo tão profundamente espiritual quanto profundamente prático. Envolve o trabalho interno e silencioso de preparar seu coração, e também o trabalho externo e vivaz de explorar e experimentar. Os líderes devem se dedicar totalmente, confiando que sua disciplina espiritual e seu trabalho árduo serão recompensados com uma visão pela qual se apaixonarão, e que inspirará outros.

Incorporando uma visão para comunicá-la

Após um líder ter recebido uma visão, o próximo desafio é comunicá-la aos outros. Que diferença fará uma visão, se um líder não ajudar outras pessoas a compreendê-la? Mas como? Qual a melhor forma de um líder comunicar uma visão?

Por incorporá-la, personificá-la e vivê-la.

O ex-presidente Jimmy Carter fazia isso tão bem como qualquer líder que já tenha tido uma visão. Após seu mandato como presidente dos Estados Unidos, ele buscou desesperadamente americanos que incorporassem sua visão de fornecer moradias de qualidade para pessoas de baixa renda. Mais que imediatamente, chocando o circuito de conferências, ele e sua esposa, Rosalyn, abraçaram a causa e começaram a lutar pelo movimento Habitat for Humanity [Hábitat para a Humanidade].

Após incorporar sua visão por meses, durante os quais toda a nação o via defendendo sua causa no noticiário noturno — *só então* começou a dar palestras sobre isso. E as pessoas o ouviram. Como poderiam deixar de ouvir um homem que tinha calos nas mãos por viver a imagem que Deus havia posto em sua mente?

Ao incorporar sua visão, Jimmy Carter também deixava claro que mesmo que ninguém se juntasse a ele, ele tornaria sua visão realidade. Todos podemos comunicar nossa visão mais eficientemente quando olhamos nos olhos dos amigos, familiares e outros seguidores em potencial e dizemos: "Estou dando minha vida pelo cumprimento dessa visão. Adoraria ter você para me ajudar. Mas, mesmo sem você, vou fazer aquilo para o qual Deus me chamou. De um jeito ou de outro, farei essa visão se tornar realidade". É provavelmente por isso que amo aquela canção chamada "Decidi seguir Jesus". O segundo verso diz: "Ainda que ninguém venha comigo, eu ainda o seguirei". Quando canto essas palavras, canto de modo bastante intenso. Quero expressá-las com todo o meu ser.

Nos 27 anos desde o início da Willow, funcionários, diretores, pastores, importantes líderes, leigos e contribuidores vêm e vão. Muitos se foram por causa de uma transição triste, mas inevitável, ditada por uma sociedade móvel. Outras partidas foram dolorosas e me tocaram fundo. Mas, de qualquer forma, essas saídas me levaram aos momentos mais solitários de minha vida. Por quê? Porque perder grandes pessoas que partilhavam da minha visão sempre foi frustrante e desapontador — e algumas vezes pura e simplesmente aterrorizante. "Como posso ir adiante com esse objetivo sem essa pessoa?", eu me perguntava.

Mas já não faço essa pergunta. Após muitas noites de apreensão, voltei a uma posição lúcida a respeito desse assunto: pela graça de Deus, estou absolutamente decidido a perseverar na visão que Deus me confiou. Aconteça o que acontecer, não importa quem chegue ou vá embora. Não deixarei a opinião dos outros afetar meu compromisso com o chamado de Deus para minha vida. Se a Willow estiver estabelecendo recordes e eu estiver desfrutando de um entusiasmado apoio, ou se a Willow estiver indo aos trancos e barrancos e eu acabar sozinho, ainda persistirei em alcançar minha visão. "Ainda que ninguém venha comigo, eu ainda o seguirei." Fui chamado para essa visão. Devo incorporá-la. Eu *devo*. Trata-se de uma questão particular entre mim e Deus.

Toda igreja, equipe ou organização, necessita e merece uma "encarnação da visão", alguém cujos valores e compromissos pessoais personificam a visão. Corte-os e a visão se esvairá. Madre Teresa de Calcutá fez isso por sua ordem de freiras. Viveu em favelas e embalou moribundos em seus braços até morrer. Se as pessoas quisessem saber do que tratava sua visão, teriam apenas de observá-la por um dia.

Seu pessoal necessita que você exerça esse tipo de liderança. As pessoas da Willow precisam de mim para isso. Precisam me ver encarnar a visão, precisam me ver vivê-la todos os dias.

COMUNICANDO A VISÃO PESSOALMENTE

A SEGUNDA FORMA de transmitir uma visão (por ordem de importância) é a individual. Jesus freqüentemente usava essa abordagem. Ele convidava seus discípulos a se unir a ele na visão do Reino, falava com eles individualmente, então olhava-os diretamente nos olhos e perguntava: "Você deixará tudo para trás e se juntará a mim?".

Quando alguém que encarnou uma visão se põe de pé em um estacionamento, ou olha por cima da mesa de um restaurante, ou se senta na traseira de um caminhão e transmite uma visão a outra pessoa — individualmente — cuidado. Há um tremendo poder nisso. Os mais eficientes líderes que já conheci se fixam nisso. Verifique suas agendas, e verá registros de reuniões particulares no horário do café da manhã, almoço e jantar. Em tais encontros, líderes maduros explicam pessoalmente suas visões, de forma cuidadosa e apaixonada; e então, corajosamente, convidam as pessoas a se juntar a eles.

E é preciso ter coragem. Não é fácil fazer aquela que denomino "grande pergunta". Todo líder conhece a dor de ver um respeitado amigo ou colega desprezar seu sonho, ou questionar a validade da sua visão. Isso às vezes acontece até mesmo aos melhores líderes e, cada vez que acontece, eles se sentem rejeitados. Mas os líderes não podem deixar de perguntar. "Fred, você vai nos ajudar? Sally, podemos usar sua especialidade? Frank, precisamos de uma peça de equipamento que você poderia fornecer. Dan, adoraríamos que você se juntasse a nossa diretoria. Mary, preciso preencher uma importante posição administrativa e acho que você poderia assumi-la".

Algumas vezes, nossa "grande pergunta" exige que uma pessoa troque uma lucrativa posição no mercado de trabalho, por uma mal-remunerada função ministerial, ou que se mude de uma cidade que ama, ou que aceite um desafio que põe à prova seus talentos muito além do que imaginam alcançar. Líderes precisam reconhecer o sacrifício envolvido. "Sei que não estou pedindo pouco. Você poderia ao menos orar a respeito disso? Eu também orarei." Desse ponto em diante a decisão está nas mãos de Deus e o líder deve estar disposto a confiar o resultado a Deus. Mas não devemos permitir que o medo de ouvir uma recusa nos impeça de perguntar.

COMUNICANDO A VISÃO EM PÚBLICO

O ÚLTIMO PASSO NA transmissão de uma visão é difundi-la publicamente, falar para a igreja toda, todo o ministério, ou a toda a equipe. É um desafio desanimador, pois força os líderes a expressar sua paixão de forma precisa. Pode também ser angustiante, porque todo líder sabe que as palavras utilizadas podem ser recebidas negativamente. Ainda que seja bastante árduo enfrentar oposição em uma circunstância individual, é muito mais difícil quando se trata de um grupo, havendo até mesmo uma real possibilidade de cisão.

É por isso que alguns líderes engasgam e decidem não assumir esse risco. Eles não emprestam suas palavras à visão. Eles não descrevem a imagem produzida pela paixão. Eles tomam a decisão de não correr qualquer risco e se submetem ao *status quo* — tudo para evitar uma possível mágoa. Como é trágico (e covarde, devo adicionar)! Todos perdem quando uma visão da igreja fica imprecisa. Todos pagam pela falta de coragem do líder.

A IMPORTÂNCIA DO QUE ACONTECE POR TRÁS DOS BASTIDORES

Deixe-me sugerir uma forma de reforçar a coragem de um líder e ainda trazer consenso antes de tornar pública uma visão. Primeiro, o líder reúne todos os que fazem parte da equipe que forma a liderança da igreja: os funcionários mais antigos, líderes leigos, pastores, diáconos e assim por diante. Então ele ou ela diz ao grupo:

> Nosso povo merece ser esclarecido a respeito da visão que Deus nos tem dado. Eles precisam conhecer o que vamos fazer e quais nossas intenções. Então vamos nos reunir pela manhã durante os próximos oito sábados, para buscarmos, unidos, sob a direção do Espírito Santo, compreender para onde Deus quer que esta igreja seja conduzida.
>
> Começaremos pelo estudo de Atos 2, pedindo a Deus que nos mostre as imagens, idéias e palavras que traduzam sua visão para esta igreja. Então, quando a apresentarmos publicamente, teremos um só coração e uma só mente e, com esperança, o resto da congregação comprará a idéia. Se algumas pessoas não corresponderem, podemos falar-lhes individualmente, dando-lhes tempo para pensar sobre as possíveis mudanças. Se após isso decidirem não se juntar a nós, confiaremos que existem outras igrejas onde poderão se sentir mais em casa. Mas vamos chegar a um consenso da liderança, de forma que possamos apresentar uma visão mais clara e firme possível.

Vi centenas de igrejas ao redor do mundo trabalharem por meio desse processo. Embora exija maior investimento de tempo e energia, podendo haver alguma confusão ao longo do caminho, o benefício é enorme. Inevitavelmente, chegará o dia em que todo o núcleo da liderança estará unido e esclarecido a respeito de sua visão. Naquele momento, o líder indicado poderá comunicar a visão para toda a congregação com paixão e poder. E se Deus verdadeiramente guiou o processo, a visão inflamará a igreja. As pessoas dirão: "Finalmente, não estamos apenas dando voltas. Temos um curso, um objetivo, e estamos livres para ir unidos em direção a um futuro que honrará a Deus".

LEMBRE-SE DO QUE IMPORTA: "QUEM" E "QUANDO"

DEIXE-ME OFERECER mais algumas dicas sobre a comunicação pública de uma visão. O "quem" importa. Quero dizer com isso que a escolha da pessoa certa para o discurso é muito importante. Na Willow Creek somos totalmente comprometidos tanto com a equipe de liderança quanto com a de ensino. Mas quando temos de decidir quem ficará em frente a congregação da Willow Creek na Noite da Visão para anunciar o que faremos e quais nossas intenções, não tiramos a sorte entre nós. Acreditamos que essa tarefa é de responsabilidade daquele que é reconhecidamente o líder principal, a pessoa responsável pela supervisão da equipe, congregação ou organização.

Na Willow, esse papel é meu. Muitas vezes sugeri aos pastores e à equipe administrativa, que deveríamos deixar que outra pessoa arcasse com essa responsabilidade, mas não me deixam nem terminar de falar. Eles rapidamente me lembram: "Esse trabalho é seu, Bill. Você é a pessoa que encarnou a visão desde o início. Você possui a paixão que precisamos ver e ouvir e experimentar diversas vezes. A congregação precisa saber que você ainda está comprometido com esse sonho e ainda disposto a arriscar seu tempo e energia por isso". O "quem" importa. A igreja deve refletir sobre isso e compreender completamente.

O "quando" também importa. Segundo minha experiência, existem pontos de partida, pontos a meio caminho e pontos finais na temporada de um ministério que quase exigem uma palestra sobre a visão da igreja. Nos Estados Unidos, e particularmente no meio-oeste, a temporada do nosso ministério tende a ir de setembro até o Natal. Há um breve intervalo no Natal, quando as pessoas se concentram em suas famílias, viagens e atividades de férias, mas então normalmente voltam a se avivar de janeiro ao fim de junho. Os meses de julho e agosto, principais meses de férias para os americanos, forçam um abrandamento natural do ímpeto ministerial.

Então, com a nova temporada em mente, começo o ano ministerial com uma palestra sobre visão no início de setembro. Em janeiro, então, faço outra palestra sobre visão. Houve um janeiro em que fiz uma palestra sobre visão intitulada: "A alma da Willow Creek". Ministrei-a em nossos cultos de fim de semana, porque queria que todos, incluindo os visitantes, soubessem quem somos e para onde Deus está nos levando. Queria que tivessem um vislumbre da alma da Willow.

As pessoas amaram.

Duas semanas depois, em nossos cultos de meio de semana da Nova Comunidade, tivemos nossa habitual Noite da Visão, quando repassei a visão em mais detalhes. Quando me perguntam sobre a freqüência com que devemos partilhar a visão publicamente, seja na igreja ou em uma organização, normalmente lembro aos líderes que visão se perde. A maioria dos líderes imagina que uma vez que tenham suprido as pessoas com a visão elas permanecerão conscientes para sempre. Mas isso simplesmente não é verdade. A visão pode ser perdida mesmo entre os melhores do nosso povo. As exigências da vida no dia-a-dia fazem com que, aos poucos, a mente do povo se torne confusa, o empenho se esvaneça e o coração esfrie.

Líderes eficientes estão sempre vigiando a perda da visão. Eles estão sempre prontos a repor a visão sempre que necessário. A maioria dos líderes, francamente, não difunde suficientemente a visão. Eles culpam os seguidores por um comprometimento falho, sem perceber que eles falharam em seu papel de divulgadores da visão.

AS PESSOAS PRECISAM SABER DO PRINCIPAL

MAIS UM PEQUENO CONSELHO sobre levar a visão a público: mantenha-a simples. O que estou dizendo poderá ser um pouco controvertido, mas tenho pensado muito a respeito disso. Tem-se escrito tanto nesses últimos tempos sobre as diferenças técnicas entre visão, missão e propósito, que alguns líderes se sentem obrigados a ter enunciados separados para cada um. Durante anos, também tentamos fazer essas distinções. Mas, no fim, creio que isto produziu mais confusão do que clareza em nossa congregação. As pessoas diriam: "Qual a nossa visão? Ora, pensei que esse fosse o nosso propósito. Nossa missão não era essa. Eu desisto!".

Para evitar esse tipo de bagunça, os líderes devem se lembrar desta simples regra: Quando um líder está pregando publicamente sobre a visão, o objetivo é ajudar as pessoas a conhecer, compreender e relembrar o "principal".

Chame "visão", "propósito", "missão", ou o que quer que seja. Mas é melhor que as pessoas possam ir embora dizendo: "Eu sei o principal". Na Willow Creek o principal tem sempre sido "transformar pessoas que não conhecem a Cristo em devotados seguidores". E não quero que ninguém na Willow venha a ficar confuso a respeito disso.

Peter Druker diz que o principal deve caber na frente de uma camiseta. Isto significa que é melhor ser direto. É melhor que possa ser repetido. É melhor que seja o tipo de expressão que um leigo comum possa recitar de trás para frente sem problemas. Se for um parágrafo longo, provavelmente não poderá ser repetido. Tem de ser sucinto e de fácil memorização. É por esse motivo que temos nos firmado nestas palavras proferidas na metade da década de 1970: *Transformar pessoas que não conhecem a Cristo em devotados seguidores.*

A VISÃO AUMENTA A VITALIDADE E LEVA AS PESSOAS A AGIR

SINTETIZAR UM LEMA parece muito trabalhoso, não é mesmo? Talvez você esteja lendo este livro e pensando consigo mesmo se, depois de todo este esforço, algo seria realmente diferente. É uma pergunta justa. "O que irá melhorar se eu for mais claro a respeito da nossa visão, passando a divulgá-la de forma mais convincente ao meu povo?"

Deixe-me pôr as coisas da seguinte forma. A maioria das igrejas está cheia de pessoas maravilhosas e de bom coração (certamente melhores do que alguns de nós, líderes). Mas a vida tem uma forma de sugar-lhes o pique. Carreiras, filhos, responsabilidades e pressões financeiras combinam para sobrecarregá-las física e emocionalmente. Com o tempo, passam a considerar a vida cansativa. A última coisa que querem é acrescentar tarefas da igreja à sua lista de afazeres. Mas uma visão estimulante, que honre a Deus, pode mudar tudo isso. Vi tal coisa acontecer muitas vezes na Willow. Vi acontecer novamente há pouco tempo.

Conheci um rapaz de vinte e poucos anos, que me contou como sua vida havia se tornado monótona. Ele vinha nos visitar na Willow, mas nada havia prendido sua atenção. Então ele ouviu a nossa diretora do ministério infantil, Sue Miller, expressar sua visão sobre o ministério para crianças. Ele ouviu seu discurso sobre a nobreza de servir e amar as crianças, levá-las a Cristo, e então criá-las na fé. Ela desafiou as pessoas a dedicarem suas vidas à educação e ao desenvolvimento das crianças. A visão que ela expôs sobre o valor das crianças fez esse jovem agir. Agora, ele é um dedicado voluntário na "Terra Prometida", nosso ministério dirigido às crianças.

Deparei com ele um mês depois de nosso primeiro encontro, e ele estava aceso como uma árvore-de-natal. Ele descreveu as oito crianças de seu pequeno grupo da Terra Prometida. Conhecia o nome, as famílias e a história delas. Sua vida agora estava longe de ser enfadonha.

A mesma coisa aconteceu recentemente, quando deparei com um casal no corredor do lado de fora do meu escritório. Eles disseram: "Temos vindo à Willow durante anos, assistido, mas sem fazer algo mais. Então ouvimos o diretor de Pequenos Grupos expor sua visão sobre o valor da comunidade e sobre o que significaria investir nossa vida em apascentar um pequeno grupo de pessoas".

Eles ficaram tão motivados por aquela visão que passaram pelo treinamento para líderes de pequenos grupos. Extremamente animados, disseram: "Nossa vida agora gira em torno da liderança de nosso pequeno grupo. É a coisa mais importante e estimulante que fazemos".

Esse é o poder da visão. Ela cria a energia que leva as pessoas a agir. Ela acende um fósforo no combustível que a maioria das pessoas possui no coração, ansiando para que seja aceso. Mas nós, líderes, devemos manter essa chama acesa em seu coração por meio da descrição de estimulantes idéias do Reino. Mais uma vez, a liderança é o único dom que traz essa faísca revigorante para a igreja. Precisamos, portanto, entender isso muito bem.

A VISÃO INTENSIFICA O SENTIMENTO DE POSSE

O SEGUNDO BENEFÍCIO de uma eficiente exposição da visão é o aumento do sentimento de posse. Um de meus medos quanto à visão é o de que algum dia um de nossos líderes mais experientes — diretores, pastores, e líderes leigos — ao ouvir sobre uma próxima Noite da Visão, boceje e diga: "Quem foi a uma, foi a todas".

Mas a verdade é que sempre que repasso a visão na Willow, além de novas vidas compreenderem, responderem e tomarem posse dela, o leal núcleo de pessoas sobre cujos ombros a Willow vem sendo carregada há tanto tempo, inevitavelmente será entusiasticamente renovado. Veteranos freqüentemente descem ao lugar onde fico após os cultos e dizem: "Inscreva-me para mais um ano. Pode contar comigo. Estou mais motivado pelo que fazemos juntos como igreja, como jamais estive antes. Nem quero pensar em perder qualquer parte da ação". Visualizar claramente, uma vez mais, aprofunda seu sentimento de posse.

Recentemente, após uma palestra sobre a visão, um dos fundadores da Willow, um homem que tem visto e ouvido tudo, abordou-me e, com seu dedo em meu peito, avisou: "Bill, eles terão de me tirar daqui em um caixão". Traduzindo: "Vou dedicar o restante da minha vida à visão desta igreja; não vou a parte alguma, não vou desanimar, não vou desistir. Ficarei aqui até o fim. Você pode contar comigo". Um engajamento como esse é um dos resultados de uma eficiente exposição da visão.

A VISÃO TRAZ OBJETIVIDADE

O TERCEIRO BENEFÍCIO da exposição da visão é que ela traz objetividade. Um claro anúncio do que é tratado em uma determinada igreja também oferece, conseqüentemente, uma clara exposição do que ela *não* trata. Em outras palavras, toda visão que é pregada envolve certas atividades essenciais, mas também exclui registros de outras atividades divergentes. Tais atividades excluídas podem ser intrinsecamente boas, mas se não forem relacionadas à visão específica de uma determinada igreja, continuar com elas será mais danoso que vantajoso. Nada neutraliza o potencial redentor de uma igreja mais rapidamente do que tentar ser tudo para todos. É impossível para qualquer igreja fazer tudo.

Os líderes na Willow já foram interrogados inúmeras vezes sobre os motivos de jamais terem aberto uma escola cristã diurna. Nossa resposta tem sido a mesma desde o início: nunca sentimos um estímulo de Deus para seguir por esse caminho. E se fosse o caso, teríamos sido capazes de nos concentrar intensamente na evangelização e no discipulado. Entretanto, sentimos claramente que esse não é o objetivo central da visão de Deus para nós.

Uma visão nítida nos dá uma imagem tão irresistível do futuro, que nos possibilita dizer: "Conhecemos nosso destino. Nada nos seduzirá para longe do caminho que nos leva até lá. Não seremos distraídos".

Os líderes que percebem a importância de realizar a visão coletiva da sua igreja não pedirão desculpas ao dizer NÃO a todo tipo de esforço conflitante. Por quê? Porque algum dia poderão ouvir estas palavras: "Você ficou firme na visão que lhe dei. Você não se desviou do assunto e alcançou o destino específico que eu tinha em mente para sua igreja. Muito bem! Parabéns!".

A VISÃO FACILITA A SUCESSÃO NA LIDERANÇA

ENTÃO, OS BENEFÍCIOS DE uma visão claramente definida são maior vitalidade, aumento do sentimento de posse e maior objetividade. Sem querer ser mórbido, deixe-me mencionar apenas um último benefício de expormos uma nítida visão para a igreja: a diminuição do trauma de uma sucessão na liderança.

Eu não serei o pastor-presidente da Willow Creek para sempre. A taxa de mortalidade humana ainda flutua em torno de 100%, e duvido que serei uma exceção a essa estatística. Nem você. Então, devemos ambos compreender que um dos maiores presentes que podemos dar à nossa igreja é uma visão nítida, honrosa para Deus, que sobreviva a nós. Algum dia, os pastores da Willow Creek começarão a procurar o próximo pastor-presidente. Tenho plena esperança de que eles, ao conversar com os candidatos, dirão:

A Willow consiste nisto. Eis a imagem que produz paixão na Willow. Esta é a principal atribuição que Deus nos tem dado.

Somos uma igreja absolutamente comprometida a transformar pessoas que não conhecem a Cristo em devotados seguidores. Somos unidos em torno dessa visão. Somos estimulados por ela. Ela é nossa, e nos concentramos nela tão precisamente quanto um raio *laser*. Então, se a sua visão e a nossa combinarem, e se Deus o orientar a tornar-se nosso próximo pastor, tudo o que você terá a fazer é tomar posse, manter os foguetes acesos e divertir-se voando conosco para o futuro.

Essa não seria uma forma maravilhosa de passar a batuta da liderança? Não estaríamos servindo adequadamente à noiva de Cristo se pudéssemos manter a visão até mesmo durante transições na liderança?

Mas o que ocorre na maioria das igrejas? A cada quatro ou cinco anos, a visão sofre um desvio de noventa graus quando chega um novo pastor. Membros antigos dessas igrejas sabem do fundo do coração que "essa visão também passará". Não é de admirar que no final das contas cruzem os braços e digam: "Nós não vamos seguir com essa visão. Provavelmente virá uma outra antes de compreendermos o que ela significa. Por que deveríamos nos preocupar em levá-la a sério?". Eu já vi congregações inteiras assumir o compromisso de não se envolver, por causa de pastores que vêm e vão, e visões instáveis. E não posso dizer que os culpo.

Mas não tem de ser desse jeito. Assim como uma visão bem definida traz maior vitalidade, aumenta o sentimento de posse e dá maior objetividade, ela também pode ajudar as igrejas a manter o ímpeto e a eficiência durante o difícil processo de transferência da liderança de uma equipe para a outra.

UMA COMPENSAÇÃO ESCRITA NO ROSTO

HÁ ALGUNS ANOS, pedi que a equipe de vídeo filmasse a parte da cerimônia de batismo, em que fiéis adultos desciam às águas do lago pertencente à igreja. Com uma música escrita por um de nossos vocalistas como fundo músical, a equipe de vídeo criou um clipe de três minutos, que é a mais emocionante celebração da transformação de vidas que já vi.

Decidi apresentar o vídeo na festa de Natal de nossos pastores e diretores. Após um ótimo jantar, levantei-me e disse: "Amigos, quero lhes agradecer por ter servido aqui por mais um ano. Quero que vocês compreendam quanto valorizo e amo todos vocês. Imaginei que o maior presente que poderia lhes dar nesta noite seria uma imagem do nosso principal objetivo. Assim sentem-se e aproveitem o que vão assistir nos próximos minutos".

Uma vez que já tinha visto o filme por diversas vezes durante o processo de edição, pude ter a liberdade de observar o rosto dos líderes mais experientes, aqueles homens e mulheres que carregaram pesadas responsabilidades por tantos anos, com fidelidade extraordinária. Gostaria que você tivesse visto a energia, a alegria, a determinação e o sentimento de realização que transparecia na face deles. Creio que o coração formava um coro silencioso, cantando: "Sim! Isso é o principal para nós. Foi para isso que Deus nos chamou. Isso é o que queremos fazer pelo resto da vida".

Quando o clipe terminou, e olhamos para nossos olhos rasos de lágrimas, apenas permanecemos lá, sentados por vários minutos em um silêncio delicioso; havíamos sido renovados na visão de Deus para nossa igreja. Era o tipo de momento para o qual a equipe da igreja vive; o tipo de momento que somente uma visão clara como o cristal pode produzir.

Visão. É a arma mais potente no arsenal de um líder. É o tipo de arma que desencadeia o poder da igreja.

CAPÍTULO TRÊS

A LIDERANÇA QUE REALIZA

Transformando a visão em ação

Como acabamos de aprender, a visão é um bem apaixonante. Entretanto, para um líder maduro e eficiente, há algo ainda mais instigante que explicar e pregar uma visão para a honra de Deus: alcançar a visão. Perdoe-me se parece elementar, mas deparo com um alarmante número de líderes que apenas faz *pregar* a visão, em vez de arregaçar as mangas e tentar, no poder do Espírito Santo, *alcançá-la*!

Tais líderes acabam perdendo a credibilidade. Nunca conheci um líder que pudesse manter a visão viva e as equipes indefinidamente motivadas, sem jamais poder dizer às tropas: "Estamos progredindo. O sonho que temos sonhado, a oração que temos feito, a visão do futuro que nos incentiva; bem, está acontecendo. Não estamos apenas embromando".

Um líder que não tem como mostrar real progresso, acabará tendo de responder a uma embaraçosa pergunta de alguém da sua equipe: "Ó Grande Visionário, quando poderemos ter alguma indicação de que nos aproximamos de nosso objetivo?". Uma pergunta como essa deveria advertir tal líder de que os membros da sua equipe não suportarão indefinidamente a mera pregação da visão. Eles precisam de resultados.

É PRECISO MAIS DO QUE OUTRA EXORTAÇÃO

Alguns líderes acreditam que a chave para alcançar resultados é tão-somente pregar a visão insistentemente. Estão certos de que se persistirem em falar sobre o sonho e em se concentrar no sonho, mantendo as pessoas pensando, orando e impregnadas com o sonho, ele miraculosamente se realizará. Numa clara manhã, todos se levantarão e acharão a visão completamente realizada perante seus olhos. Pronto! Missão cumprida.

Mas a realização de uma visão requer muito mais do que exortações, *slogans*, histórias emocionantes e clipes de arrancar o coração. Levei a melhor parte desses 27 anos para compreender isso, mas agora tudo está claro. Há uma enorme diferença entre liderança visionária e liderança que realiza. Eu disse "enorme"?

Para explicar esse ponto, deixe-me ilustrá-lo com a história de uma regata; na verdade, a primeira entre várias histórias que aparecerão em torno da navegação a vela. Embora minha principal fonte de aprendizado sobre a liderança tenha sido a igreja, também enfrentei desafios à minha capacidade de liderança em minha favorita atividade de lazer: regatas a vela.

Há alguns verões, tive uma oportunidade de navegar, daquelas que só se tem uma vez na vida. Um empresário, amigo meu, permitiu que eu embarcasse em seu veleiro de meio milhão de dólares em uma regata contra sete outros iates idênticos. Estes barcos de corrida não eram apenas muito maiores — e muito mais caros! — que o barco de minha propriedade na época, mas eram tripulados por alguns dos melhores marinheiros profissionais do mundo. Eu sabia que a minha tripulação habitual e seu líder (eu!) eram facilmente superados, mas após chamar alguns marinheiros mais experientes para a tripulação, estávamos seguros de que poderíamos enfrentar os garotos mais velhos.

No dia anterior à regata, saímos para treinar. Fiz uma rápida exortação mais ou menos assim: "A maioria de nós, provavelmente, jamais terá outra oportunidade como a que teremos neste fim de semana. Vários dos competidores já participaram do America's Cup. Cada barco lá fora possui timoneiros e estrategistas muito bem pagos. Nós temos a oportunidade de provar que podemos competir com os melhores"!

Eu prossegui, expondo continuamente uma visão tão estimulante, que comecei a sentir pena dos adversários.

Então, com uma elevada expectativa, dirigimo-nos ao lago Michigan para treinar e nos acostumar ao barco. Nenhum de nós tinha jamais navegado em um barco tão tecnicamente sofisticado, mas conseguimos dominar nossa navegação de barlavento bem rapidamente. Com a adrenalina lá em cima, viramo-nos de sotavento e erguemos a enorme e colorida vela balão. Era um dia tempestuoso no lago Michigan, e em pouco tempo estávamos surfando na lateral das ondas, com um esguicho branco de cada lado do casco.

Abastecidos pela energia e pela emoção de tudo aquilo, a tripulação enlouqueceu. Todos nos cumprimentávamos e falávamos sobre como chutaríamos seus traseiros para fora das equipes do America's Cup. Naquele momento, não tínhamos nenhum problema de confiança.

Então, em ondas de quase quinze metros, tentamos cambar a enorme vela de um lado do barco para o outro. Isso exigia um trabalho de equipe que jamais tínhamos experimentado em um barco muito menor. Era necessário uma complexa seqüência, cronometrada e coordenada em perfeito sincronismo com os treze tripulantes. Que bom que estávamos motivados e prontos.

Mas nossa primeira tentativa de cambar não deu certo. A cena de um avião se espatifando veio à minha mente. Já estávamos na metade da manobra quando estragamos tudo. A segunda tentativa de cambar também não deu certo. Nem a terceira, a quarta, a décima ou a vigésima. Quando terminamos o treino do dia, não havíamos completado nem uma única manobra de cambagem. E a corrida seria no dia seguinte.

Pela manhã, antes de partirmos para o percurso da corrida a fim de praticar um pouco mais, eu tinha de tomar uma importante decisão na liderança da equipe. Tinha a opção de fazer outro discurso visionário, dar uma palestra que os exortasse, com cunho psicológico; um discurso do tipo "vamos acabar com eles". Podia alimentar ainda mais a chama do lado emocional e esperar que funcionasse. Ou... podia utilizar uma abordagem inteiramente diferente.

Decidi escolher a segunda opção. Reuni a tripulação e disse: "Sem discursos animadores esta manhã. Acho que todos sabemos que esta é a oportunidade da nossa vida. Eu não creio que nos falte afinco ou entusiasmo para esta regata. O que temos que fazer neste rápido treinamento é aprender a executar algumas manobras básicas. Assim, vamos nos sentar e falar sobre isso. Antes mesmo de deixar o cais, vamos discutir sobre quem fará o quê nas manobras de cambagem. Como podemos trabalhar melhor em conjunto? Como podemos sincronizar nossas ações? Se não fizermos isso, podemos dizer adeus a esta regata, e eu, falando por mim, não estou preparado para isso".

Então pedi que o melhor navegador da equipe, alguém muito mais habilidoso do que eu, fizesse com a tripulação algo que a maioria daquele pessoal jamais havia feito desde seu início na navegação. Eu lhe pedi para que repassasse conosco a seqüência de cambagem da vela principal, antes mesmo de montarmos a vela.

Assim, lá estávamos, em um barco de corrida de meio milhão de dólares, ainda no cais ao lado de profissionais do America's Cup, repassando lições elementares de navegação. Vagarosa e deliberadamente, como se fôssemos as pessoas mais estúpidas do mundo, nosso chefe de equipe explicava: "Este é o mastro da vela balão. Este é o moitão. Esta é a escota. Este é o amantilho".

Ele continuou com a lição: "Agora, quando cambamos de bombordo para boreste, esta é a seqüência". Repassou com cada um de nós todo o procedimento, passo a passo. Então nos fez praticar cada passo. Fez isso pór várias vezes, até que tivéssemos fixado a manobra.

Quando estávamos próximos da hora da corrida, soltamos as amarras e usamos os motores para deixar o porto. Quando ultrapassamos o quebramar, içamos a vela balão e tentamos uma cambagem real. Para nosso grande alívio, foi executada perfeitamente. Nossa moral foi até o céu. Então fizemos outra vez, e mais outra vez. Para encurtar a história, durante toda a regata, não erramos em nenhuma manobra de cambagem.

Isso não quer dizer que tenhamos sido incríveis contra nossos adversários. De que outra forma poderia dizer isto? Aqueles rapazes do America's Cup são realmente bons. Nós perdemos a regata, mas ganhei uma valiosa lição sobre liderança, que foi muito útil para mim desde aquele momento. Em outras palavras, quero dizer que chega uma hora em que as *pessoas precisam mais do que visão. Precisam de um plano; uma detalhada explicação sobre como transformar a visão em realidade.*

DEPURANDO A VISÃO COM UM PLANO ESTRATÉGICO

NA WILLOW, TEMOS INVESTIDO muitos esforços em tentar descobrir como fazer isso em uma igreja que funcione segundo o exemplo de Atos 2. Na verdade, na metade de 1990, formalmente decidimos traçar e implementar um plano estratégico.

Mas isso trouxe um problema. Eu jamais havia passado pelo processo de um planejamento estratégico, nem quando estava no mercado antes de abraçar o ministério, nem em meus primeiros tempos no ministério, nem durante todos os anos na Willow. Eu sentia que isso deveria ser feito, mas não sabia como fazer. Felizmente, tinha o apoio de nosso pastor executivo, Greg Hawkins, que tem considerável experiência nessa área. Durante um período de seis meses, ele e sua equipe nos lideraram por meio de um processo que envolveu, entre outras coisas, refinar a nossa visão.

Começamos reexaminando o "principal". Após muitos meses de reuniões com funcionários, diretores, pastores e importantes líderes leigos, concluímos que Deus ainda estava nos chamando para o mesmo objetivo que já havia chamado desde o início da Willow: transformar pessoas que não conhecem a Cristo em devotados seguidores.

Mas nós também sentimos que precisávamos refinar nossa visão, mais especificamente para os propósitos de liderança interna. Após longas discussões, decidimos realçar três áreas a serem enfatizadas no todo da nossa visão.

O primeiro destaque era a evangelização. Decidimos que durante os cinco anos seguintes, concentraríamos os esforços em levar o evangelho a uma maior percentagem da população na área de Chicago.

Nosso segundo destaque era a maturidade espiritual dos fiéis. Estaríamos encorajando uma maior devoção a Cristo ao ressaltarmos os valores comunitários, o crescimento espiritual e uma participação integral na vida da igreja.

Como terceiro destaque, determinamos maior emprenho de esforços, de conhecimentos e de recursos fora dos muros da Willow Creek. Atentamos tanto ao nosso Ministério Ampliado, que atende aqueles que vivem em condições de pobreza, quanto à Willow Creek Association, que atende igrejas locais ao redor do mundo, para imporem essa iniciativa como prioridade.

Quando estávamos no início de nosso ministério, uma definição mais ampla da nossa missão era o suficiente. Mas ao estimular uma igreja mais madura, tínhamos de ter maior detalhamento e um enfoque mais estratégico daquela definição mais ampla.

Após meses de reuniões e discussões, e de redigirmos possíveis pareceres, cada membro de nosso corpo de líderes aprovou nosso planejamento estratégico de cinco anos. Naquele ponto, pensávamos estar prontos para apresentar o plano para todo o pessoal e para toda a congregação.

Mas algo nos dizia que ainda não havíamos terminado. Não havíamos completado nosso trabalho. Sentíamos o Espírito Santo nos instigando a estabelecer metas específicas, em associação com nossa visão refinada.

DEFININDO METAS TENDO EM MENTE UM EQUILÍBRIO

CONFISSÃO: DURANTE OS VINTE PRIMEIROS anos na Willow, nunca formalizamos nenhuma meta em especial. Permanecemos concentrados em nossa visão e vimos milhares de vidas transformadas. Então, por que confundir tudo com metas? Mas ao orar a respeito disso, sentimos uma nova direção do Espírito Santo. Concluímos que jamais nos tornaríamos o tipo de igreja, que esperávamos ser ao final de cinco anos, sem metas específicas que nos ajudassem a chegar lá.

Sim, concentraríamo-nos na evangelização. E ajudaríamos no amadurecimento dos fiéis. E investiríamos mais dos nossos recursos fora da igreja. Mas, e quanto aos pormenores? Quanta energia deveríamos pôr em cada um desses objetivos? Qual a porcentagem de nossos recursos que seriam aplicados fora da Willow? O que nos ajudaria a permaner equilibrados, coesos e saudáveis durante os anos que se seguiriam?

Em minhas viagens, tenho visto muitas igrejas equilibradas. Algumas evangelizam com muita eficiência, mas não integram novos fiéis ao trabalho da igreja. Outras são magníficas quando se trata de ensinar e pregar, mas ignoram o valor da comunidade e não fazem nada com grupos menores. Algumas se concentram tanto na evangelização como no discipulado, mas não atendem às necessidades de um mundo mergulhado em dor; não se interessam pelos pobres. Queríamos ter certeza de que conforme crescêssemos, estaríamos nos aproximando do perfeito equilíbrio da igreja de Atos 2.

SEIS "METAS GRANDES, DIFÍCEIS E AUDACIOSAS" — O ESTILO WILLOW

MAS COMO IRÍAMOS saber que estávamos indo em direção a essa visão se não tivéssemos indicadores ao longo do caminho? Como poderíamos mapear nosso progresso? Pela primeira vez, em vinte anos, nossos grupos de líderes pensaram, oraram e enfrentaram o problema de definir objetivos específicos. Decidimos por seis metas, que correspondiam aos nossos três destaques estratégicos.

As metas eram grandes — assustadoramente grandes!

Em seu livro *Built to last* [*Feito para durar*], Jim Collins fala sobre MGDAS: Metas Grandes, Difíceis e Audaciosas. Decidimos que queríamos que as metas fossem grandes o suficiente para que a ajuda de Deus fosse necessária. Quisemos estabelecer objetivos que nos mantivessem de joelhos.

Após mais reuniões e períodos de oração até tarde da noite, informamos à congregação nossas metas para cinco anos.

Para atingir nosso *primeiro destaque*, de levar o evangelho a mais pessoas na área de Chicago, estabelecemos a seguinte meta:

1. Aumentar o comparecimento nos quatro cultos de evangelização durante os fins de semana, de 15 000 para 20 000 pessoas. Sabíamos que se fizéssemos cálculos, aumentaríamos a nossa capacidade de dispor os assentos.

Para executar nosso *segundo destaque*, de amadurecer os fiéis, concentram-nos nas seguintes metas:

2. Ter 100% de participação nos pequenos grupos.

Naquela época, aproximadamente metade das pessoas que vinham à igreja nos fins de semana participava dos grupos menores; e não estávamos satisfeitos com isso. Tínhamos a esperança de que, se chegássemos a ser abençoados com uma congregação de 20 000 pessoas, todas desfrutariam da comunhão dos pequenos grupos.

3. Aumentar o comparecimento nos cultos de meio de semana da Nova Comunidade, de 4 000 para 8 000 pessoas. Esses cultos, que ocorrem às quartas e às quintas, oferecem ensino mais profundo e adoração em grupo; ambos os fatores são necessários para o crescimento espiritual.

4. Estimular cada um dos 8 000 potenciais freqüentadores dos cultos de meio de semana a se tornar membro participante da igreja. Isto significava que cada indivíduo tomaria parte em um metódico processo de crescimento espiritual, atuando como voluntário em alguma área assistencial e contribuindo financeiramente para a obra de Deus.

Para nosso terceiro destaque, de investir esforços, conhecimento e recursos, fora dos muros da Willow, estabelecemos as seguintes metas:

5. Ter 4 000 pessoas dando assistência aos que vivem em condições de pobreza, ao menos uma vez por ano. Isto poderia significar construir casa com a "Hábitat para a Humanidade", ou trabalhar com algum de nossos ministérios associados no centro de Chicago, ou assumir missões de curta duração no México ou na República Dominicana. Como realmente não sabíamos o que esperar a esse respeito, escolhemos esse número de forma quase aleatória.

6. Aumentar de 1 400 para 6 000 o número de igrejas dentro e fora dos Estados Unidos, orientadas pela Willow Creek Association.

ACHANDO CAMPEÕES

ANUNCIAR NOSSAS METAS PUBLICAMENTE levou-nos a buscar a Deus com fervor renovado. Ao mesmo tempo nos sentíamos desafiados, nervosos e entusiasmados. Estávamos mais conscientes do que nunca, de que eram realmente MGDAS — metas grandes, difíceis e audaciosas. Foi quando percebemos que teríamos de dar um passo ainda maior, se quiséssemos alcançar aquelas metas.

Olhando ao redor em nosso grupo de líderes, perguntei: "Quem dentre vocês gostaria de se tornar paladino de uma meta? Quem está disposto a comprometer os próximos cinco anos da sua vida, liderando a realização de uma dessas metas?".

Um a um, líderes experientes foram se apresentando.

"Eu tenho um coração que anseia por evangelizar", disse um líder. "Estaria disposto a liderar nessa área. Eu me comprometerei a incrementar a evangelização nesta região até que tenhamos 20 000 pessoas em nossos cultos evangelísticos de fim de semana."

Outro assumiu o desafio de alcançar as metas para os pequenos grupos. Alguém mais se responsabilizou pelos objetivos dos cultos de meio de semana da Nova Comunidade. Logo tínhamos um campeão para cada uma das metas que havíamos estabelecido.

Nosso entusiasmo começou a aumentar. Eu me lembro de certa noite, dizer aos principais líderes "Você pode imaginar como a Willow vai ser daqui a cinco anos, se pelo poder de Deus e com nossos esforços concentrados, efetivamente alcançarmos essas metas? Seremos uma comunidade de fé mais equilibrada, mais próspera, mais intensa, em constante crescimento, e que funcionará segundo a Bíblia, como nunca vimos outra igual. Quem não gostaria de participar de uma aventura como essa?".

DINAMISMO E ENTUSIASMO: A "REINAUGURAÇÃO" DA WILLOW

LANÇAMOS O PLANO ESTRATÉGICO em janeiro de 1996. Expliquei detalhadamente para a congregação, e pude sentir a temperatura subir. Como os principais líderes, a congregação disse: "Que a aventura comece. Vamos lá. Conte conosco. Faremos nossa parte". Parecia que estávamos reinaugurando a Willow. Era o mesmo tipo de entusiasmo que sentíamos quando ainda nos reuníamos em um teatro.

Com o passar dos meses, fiquei encantado com o efeito que a declaração refinada da nossa visão parecia estar tendo. Rapidamente me tornei um grande defensor de metas e de um progresso cuidadosamente calculado. Mudamos repentinamente nossas metas de cinco anos para doze meses e começamos a controlar nosso progresso. Após um ano, tínhamos condições de dizer sobre algumas metas: "Sim! Estamos no caminho certo com o planejamento. Estamos alcançando nossas metas. Isso é bom!".

Mas também podíamos ver que estávamos ficando para trás em outras áreas. Isso nos levou a estimulantes conversas em reuniões da liderança. Os campeões das metas diziam: "Ei, vamos falar sobre isso. Qual é o problema? Estabelecemos metas ilusórias? Quem sabe somos nós que não estamos orando com suficiente afinco ou não estamos pensando com clareza suficiente? Estamos falando sobre o potencial redentor da igreja. Temos que nos reunir para entender o que deve ser feito".

Fazia muitos anos que aquele tipo de energia não era liberada nos grupos de liderança na Willow. Amei e incentivei aquilo. A equipe administrativa passou a um nível completamente novo de liderança. Rapidamente nos comprometemos a fazer tudo que estivesse a nosso alcance para que tivéssemos certeza de que todas as seis metas fossem alcançadas simultaneamente. Certificamo-nos de que os seis campeões tivessem acesso aos principais líderes e recursos da igreja. Os pastores começaram a dar sua contribuição e a controlar o progresso. A diretoria começou a discutir sobre como poderia conseguir recursos financeiros, instalações e equipamentos, que nos ajudassem a alcançar os seis objetivos.

Eu podia sentir que nos esforçávamos unidos, como raramente já havia experimentado na liderança de uma igreja. Podia sentir que atuávamos em sinergia. Eu pensei: "Isso é divertido. Temos uma visão detalhada. Temos metas claras e pessoas responsáveis por essas metas. Temos aumentado os níveis do nosso dinamismo, determinação e fé. O que mais podíamos fazer em nossa posição de líderes?".

FALTA ALGO

QUANDO ISSO FOI VISTO, surgiu muito mais.

Dezesseis meses após o início do período de cinco anos do planejamento, comecei a ter um sentimento de mal-estar que era difícil de ser posto em palavras. Quando tentei explicá-lo à equipe administrativa e aos pastores, tudo o que pude oferecer foi uma vaga avaliação: "De alguma forma, parece que ainda não estão funcionando os oito cilindros. Funcionam quatro ou cinco, mas não todos os oito. Não estamos todos na mesma página".

E eles diziam: "Bill, quem é que não está? O que não está dando certo? E eu dizia: "Não tenho certeza. Mas quero resolver isso, e preciso da ajuda de vocês. Vamos fazer isso juntos".

Tenho de ser honesto; foi um período tenso para todos nós da liderança principal da Willow. Eu estava irritante e ficava provocando e fazendo perguntas, enquanto todo mundo ficava girando os olhos e suspirando: "Lá vem ele de novo".

Então, numa noite, na cozinha da minha casa, tive um despertar. Shauna minha filha, então em idade universitária, estava em casa em uma folga da faculdade e havia convidado cinco ou seis amigos para o jantar. Eu estava na cozinha conversando com eles, quando uma das garotas começou a me dizer como tinha conhecido a Cristo por meio do nosso ministério para adolescentes chamado Impacto Estudantil.

Tenho um enorme respeito pelo Impacto Estudantil — ele ajudou imensamente meus filhos — então não era surpresa ouvir sobre seus efeitos naquela jovem.

Ela continuou a me contar que estava fazendo faculdade. Quando lhe perguntei sobre a igreja que freqüentava lá, esperei que ela me dissesse que estava integrada a uma igreja local, ou até mesmo a uma igreja associada a Willow Creek Association. Mas ela não disse isso. Ela disse: "Bem, eu não vou à igreja quando estou lá".

Imaginei que ela talvez estivesse tendo problemas em se relacionar com uma igreja mais tradicional, após ter conhecido a Cristo na Willow. Então comentei que ela devia apenas estar em um período de transição, e que poderia levar algum tempo até que ela achasse outra igreja. "Mas existem muitas ótimas igrejas lá fora", continuei. "Tenho certeza de que você achará alguma".

Então ela disse: "Bem, eu não creio que seja isso. De qualquer forma, nunca fiz parte da Igreja Willow Creek. Eu só ia ao Impacto Estudantil".

"Verdade?", perguntei. "Então, a qual igreja você ia enquanto estava no ensino médio"?

"Eu nunca fui à igreja", ela admitiu.

"Espere aí", eu disse, pensando que havia me perdido completamente em algum ponto da conversa. "Pensei ter ouvido você dizer que foi ao Impacto Estudantil por quatro anos".

"É isso mesmo, eu fui", ela sorriu. "Lá eu conheci a Cristo e lá fui ensinada. Foi lá que aprendi a servir a Deus. Somente nunca ouvi muito a respeito da Igreja Willow Creek".

Meu pulso acelerou e me lembrei de uma conversa parecida que havia tido recentemente com membros da equipe da igreja, nos corredores da Willow. Eles haviam me perguntado: "Como a Willow está indo com seu planejamento estratégico?". E me lembro de ter pensado: "Por que você está me perguntando sobre o desempenho da Willow? Você não é uma parte da Willow? Por que você não me pergunta sobre como estamos indo com as nossas metas? Os objetivos da Willow não são seus também?".

Quanto mais pensava sobre essa "lacuna", mais clara ela ficava para mim. Ao longo dos anos, algumas coisas haviam mudado na igreja. Sem que eu tivesse consciência disso, a Willow tinha gradualmente deixado de ser uma igreja coesa, identificada em torno de um só objetivo, que procurava funcionar dentro de uma estrutura bíblica, para se tornar uma federação de submi-nistérios descentralizados, que se relacionavam sem a coesão necessária, e que não tinham uma mesma identidade. Para a maioria das pessoas, o que elas realmente conheciam da Willow eram os subministérios com que se relacionavam. E mesmo as próprias equipes relacionavam-se mais fortemente com o departamento em que traba-lhavam do que com a igreja como um todo.

Era por isso que não parecíamos estar todos no mesmo passo. Nós não estávamos.

O problema com isso é que nem todos os subministérios estavam comprometidos do modo que deveriam estar, com as metas de desen-volvimento espiritual que havíamos combinado para a igreja.

Eu disse para a equipe de liderança executiva: "Precisamos mais do que uma declaração detalhada da visão, objetivos claros e campeões para cada meta, a fim de atingir o pleno potencial redentor desta igreja. Precisamos associar todos os funcionários que trabalham em tempo integral ou em meio expediente ao nosso planejamento estratégico; e precisamos voltar a treiná-los, para que se sintam responsáveis pelo futuro da igreja como um todo e não apenas pelos seus departamentos. Assim talvez come-cemos a queimar nos oito cilindros".

A equipe de liderança executiva concordou, mas isso não significava que o problema fosse fácil de resolver. Percebi que teríamos de passar por uma variação semelhante à que meu camarada navegador fez com nosso time de regata, quando não conseguíamos cambar a vela balão. Tínhamos de voltar aos fundamentos.

Os princípios da igreja: alinhamento

TÍNHAMOS DE DIZER às equipes: "Isto é uma igreja. Somos uma só organização. Somos uma comunidade cujo funcionamento se baseia na Bíblia. Não somos um agrupamento de planetas em volta de um planeta maior".

Em outras palavras: "É isso que diz em Atos 2. É isso que significa ser uma igreja. É isso que precisamos fazer para desenvolver uma próspera e radiante noiva de Cristo. Todos temos de participar do desafio de nos alinhar sob a mesma orientação. Como poderemos proclamar que somos membros de um único corpo, se não formos na mesma direção e perseguirmos os mesmos objetivos? Se não nos esforçarmos na mesma direção, a vitalidade da Willow se deteriorará lentamente. Com o tempo ela murchará e morrerá. Não podemos deixar que isso aconteça".

Eu gostaria de poder dizer que esse ajuste das equipes aconteceu tão tranqüilamente quanto as cambagens após o treinamento da nossa tripulação; mas não foi bem isso que aconteceu. Algumas equipes que vinham atuando com uma tremenda independência, por uma década ou mais, não se sentiam muito estimuladas a alterar o planejamento de seus subministérios a fim de dedicar mais energia ao desafio mais amplo proposto pela igreja. Alguns tinham a sensação de que estávamos mudando as regras no meio do jogo, e de certa forma, estávamos.

Por muitos anos contratamos funcionários, demos-lhes orçamento, e dizemos: "Vá e inicie um ministério dirigido aos adultos solteiros, um ministério dirigido aos jovens, um ministério dirigido à música. Divirta-se". E eles estavam se divertindo. Mas muitos deles iam em direções muito diferentes da direção tomada pela igreja como um todo. Embora estivessem todos engajados em esforços bastante válidos, não eram todos que estavam sistematicamente mobilizando as pessoas atingidas pelos seus ministérios, a seguir na direção que todos tínhamos concordado em tomar como igreja. Alguns subministérios não possuíam um planejamento específico para ajudar as pessoas a se engajar mais consistentemente em doutrinas espirituais ou a se envolver em pequenos grupos ou a servirem como voluntários no auxílio aos pobres. Como poderíamos esperar que a congregação se movesse como um todo em direção àqueles objetivos, se os líderes dos subministérios não estavam apoiando aqueles valores? Mas quando dissemos: "Agora é hora de todos pegarem uma parte do que isso significa, a fim de desenvolver a igreja como um todo", alguns protestaram, e a situação ficou um pouco desagradável.

A maioria dos funcionários foi receptiva e abraçou a idéia assim que entendeu a questão. Mas, para outros, seria uma estrada longa e atribulada, mais longa e atribulada do que eu havia previsto. Foram necessários muitos meses de reuniões e discussões para auxiliar a todos a enxergar que uma federação de subministérios não era nem bíblico nem sustentável.

DESENHANDO UMA LINHA NA AREIA

QUANDO AFIRMEI QUE a estrada era longa e atribulada, era exatamente isso que queria dizer. A situação custou-me um peso emocional muito alto. Em uma reunião com os funcionários, tive de lançar mão de uma citação de Jack Welch, o rabugento e obstinado ex-presidente da General Eletric. Ele disse que havia momentos em que um líder "não pode ser muito ponderado, um sábio guru. Não pode ser um articulador político cuidadoso, atencioso, equilibrado e moderado. Você tem agir de forma quase insana".[1]

Isso quase captou meu estado emocional naquele momento crítico. Estava totalmente sem paciência, enquanto tentava ser calmo e racional. Em um momento crítico, após vários meses de palestras a respeito do processo de engajamento dos funcionários, acabei dizendo a eles: "Cansei de ser sereno, calmo e controlado a respeito desse processo de alinhamento. Todo o futuro da Willow está na balança. Já resolvi que vamos nos alinhar com o plano estratégico ungido por Deus para esta igreja. Vocês compreendem? Se qualquer um de vocês se sente pouco disposto a cooperar com este plano, sinta-se livre para achar uma outra igreja que possa apoiar completamente. Sem ressentimentos, mas isto não tem volta".

Jamais gostei de recorrer ao uso do poder da minha posição como líder. Conheço os alertas de Jesus sobre o exercício do poder. Reconheço o perigo. Mas acredito que existem momentos em que um líder tem de

---

[1]Robert SLATER, *Jack Welch and the GE way,* Nova York: McGraw-Hill, 1999, p. 42.

desenhar uma linha na areia. Há momentos que quando um assunto foi relegado ao esquecimento, um líder precisa tomar uma atitude.

Então, disse aos funcionários: "Eu não estou pedindo que participem contrariados deste alinhamento. Estou pedindo por 100% de comprometimento com a oração, o trabalho e o serviço necessários a realização deste plano. Trata-se de 100% do tempo. Se você não pode ou não quer dá-lo, é tempo de ir embora. Precisamos da participação de todos, para alcançar nosso pleno potencial como igreja".

Naquele dia, vários membros do nosso *staff* pararam de carregar minhas fotografias em suas carteiras. Mas grande parte do crédito vai para meus colegas mais experientes, por terem recuperado e redirecionado cada pessoa, cada cargo e cada departamento da igreja a fim de refletir um total comprometimento em alcançar nossa visão.

DIVIDINDO A RESPONSABILIDADE

ESSE FOI UM dos mais exigentes desafios na liderança que já experimentamos na Willow. Mas nos agarramos a ele com uma determinação inexorável, e eu não me arrependo disso. Atualmente, todo o pessoal do *staff* tem uma participação nos objetivos mais amplos da igreja. Cada funcionário carrega a responsabilidade de ajudar a igreja a cumprir seu planejamento estratégico. A chama evangelística é fomentada em cada departamento da igreja, para que venhamos a encher nossos cultos de fim de semana com visitantes que estão conhecendo a Cristo. Todos os departamentos da igreja estão cultivando o valor da comunidade e atraindo pessoas para os grupos menores. Cada departamento da igreja está convidando pessoas a comparecer aos cultos de meio de semana da Nova Comunidade, a tornar-se membros participantes da igreja, a prestar assistência aos pobres e a servir às igrejas ao redor do mundo.

Hoje em dia, trazemos os líderes de todos os departamentos, duas vezes por ano, perante a equipe administrativa e os pastores, a fim de que façam uma apresentação formal, ressaltando tanto o progresso de seu departamento, como os esforços em auxiliar a igreja a atingir seus objetivos gerais. Esses três dias de reuniões são muito intensos, mas também muito alegres. Sempre vou para casa, após essas sessões, com a adrenalina lá em cima.

Diz 1Coríntios 14.40 que na igreja "tudo deve ser feito com decência e ordem". Que bom poder ler esse versículo sem me sentir culpado. Lembro-me de estar sentado em meu carro após a primeira rodada das apresentações dos departamentos, pensando: "Enfim, estamos conseguindo exercer uma liderança decente por aqui. E não é apenas o detalhamento da visão, as exortações, os *slogans* e uma liderança decidida. É uma liderança que realiza".

UMA TRAGÉDIA ATUAL

TENHO O PRIVILÉGIO de visitar muitas igrejas e percebo que muitos líderes têm compreendido que o entusiasmo é inerente ao anúncio da visão. Eles ficam perante a congregação e dizem: "Vamos conquistar o mundo!". Então ao visitar suas igrejas três anos depois, vejo que não conquistaram nem um quarteirão. Não conquistaram nem uma calçada, e isso se não perderam terreno. Isso é uma tragédia para o Reino.

Há pouco tempo fui a um funeral em uma igreja que havia visitado fazia trinta anos. Ao sentar em um dos bancos, não pude evitar de refletir sobre a história daquela igreja. Até onde eu podia ver, pouco havia mudado em trinta anos. De acordo com o informativo colocado em um compartimento de madeira do banco em frente ao meu, ainda havia um culto aos domingos pela manhã, onde 175 pessoas preenchiam cerca de dois terços dos assentos disponíveis naquele templo.

Eu não posso expressar como me magoou saber que havia aproximadamente 10 mil pessoas a mais, na comunidade imediatamente em torno daquela igreja, do que havia há trinta anos; porém, o comparecimento nos fins de semana parecia permanecer o mesmo. "Ó Deus", pensei, "onde estarão as pessoas cujas vidas poderiam ter sido completamente transformadas, se alguém as tivesse trazido à igreja? O que aconteceu com elas nesses anos? Quem está oferecendo sua mensagem de esperança para esta comunidade? E os vizinhos, colegas de trabalho e amigos que estão longe de Deus, quem está tentando alcançar?".

"Por que", eu imaginava, "as boas pessoas desta igreja aceitaram ser irrelevantes para esta comunidade? Por que deixaram sua igreja falhar tanto em realizar o seu potencial?".

Creio que me sentiria melhor a respeito de situações como essa se soubesse que os líderes dessas igrejas haviam traçado planos audaciosos, feito o melhor que podiam para implementá-lo e orado fervorosamente pelas bênçãos de Deus, mas então, por algum motivo, falhado miseravelmente em alcançar seus objetivos. Pelo menos teria havido um esforço honesto. Mas esse é raramente o caso. O que ocorre mais freqüentemente é haver um núcleo fiel de crentes sinceros, que adoraria ajudar sua igreja a ter um maior impacto se ao menos soubessem o que fazer. Mas eles não sabem. Então sentam-se em seus confortáveis bancos e permanecem frustrados, enquanto assistem a uma longa linha de pastores passarem pelas portas giratórias; todos devotados a Deus e determinados a estudar e a pregar, mas aparentemente nenhum convidado ou treinado (ou talvez capacitado por Deus) para exercer a liderança.

Essas boas pessoas, e centenas de milhares de outras como elas em igrejas por todo o mundo, jamais foram lideradas. Elas têm recebido pregação e ensino. Têm sido integradas à irmandade e recebido estudos bíblicos. Têm feito cursos sobre oração e evangelismo. Mas sem ninguém para inspirá-las, mobilizá-las e coordenar seus esforços. Seu desejo de ser úteis a Cristo tem sido completamente frustrado.

Creio que a grande tragédia da igreja da atualidade tem sido seu fracasso em reconhecer a importância do dom espiritual da liderança. Tenho a impressão de que somente uma fração dos pastores ao redor do mundo exerce o dom espiritual da liderança, organizando a igreja e mobilizando seus membros em torno dele. Os resultados, em termos de crescimento da igreja e de impacto espiritual ao redor do mundo, são assombrosos.

Devemos compreender o que significa para o Reino de Deus quando o dom de liderança não é exercido. Hebreus 13.17 lembra aos líderes das igrejas que hão de "prestar contas" sobre o que fizeram com os dons de liderança. Obviamente, existem conseqüências negativas quando qualquer dom espiritual é negligenciado. Por que, então, aqueles com o dom da liderança selecionariam essa passagem? Creio que é por causa das extensões das conseqüências ao se negligenciar o dom da liderança. Quando aqueles de nós, com o dom da liderança, fracassam em liderar eficientemente, toda a igreja local é afetada, sem mencionar as pessoas da nossa comunidade que ainda precisam ser alcançadas pela igreja.

A igreja deve começar a lidar com o fato de que o dom da liderança é o dom catalizador, que estimula, direciona e potencializa todos os outros dons. Pessoas com o dom espiritual da liderança são chamadas para fomentar um ambiente onde professores possam ensinar, pastores possam pastorear e administradores possam administrar. Sem isso, os outros dons perecem, a igreja se volta para si mesma e fica impotente; e aqueles que não acreditam em Cristo, acabam com uma passagem só de ida, e sem escalas, para o abismo. É por isso que torno a enfatizar o que Paulo tão apaixonadamente disse aos líderes: "Se você possui o dom da liderança... LIDERE!".

O QUE SIGNIFICA SER UM LÍDER DILIGENTE

DURANTE ANOS, TENHO TENTADO ajudar as pessoas a compreender a importância do dom espiritual da liderança.

A minha esperança é a de que todos os líderes do Reino venham a se comprometer completamente, a desenvolver seu potencial de liderança. Todos os líderes precisam se esforçar continuamente no aprimoramento da sua capacidade de liderança, a fim de se tornar cada vez melhores, não importando quão difícil isso seja. Precisamos estar dispostos a ir além da nossa zona de conforto, aprender novas habilidades, novas disciplinas e até mesmo nos submeter a um novo processo de treinamento. Quero desafiar todos os líderes a tomar um caminho de intenso crescimento, ler e refletir, viajar e buscar treinamento, procurar um orientador e iniciar uma interminável busca pelo melhor modelo de liderança que pudermos encontrar. Peço aos líderes que sejam humildes o bastante para aprender. Que sejamos corajosos o suficiente para aplicar as melhores práticas, de forma apropriada e ungida pelo Espírito Santo, em qualquer esfera de liderança que Deus nos designar.

Sei que muitas pessoas hesitam nessa hora. E trata-se de uma "pergunta justa" imaginar se era essa a intenção do Espírito Santo no dia de Pentecoste, quando soprou vida e poder sobre a igreja, e deu-lhe a incumbência de transformar o mundo. Será que Deus considera metas e planejamentos estratégicos úteis para a missão da igreja? Ou estamos apenas sobrepondo práticas mundanas de negócios ao mundo espiritual, ao qual não pertencem? Com a ênfase na liderança, corremos o risco de planejar estrategicamente a ida do poder sobrenatural do Espírito Santo diretamente para fora da igreja?

Essas são questões cruciais, nas quais os líderes devem considerar o momento de decidir sobre elas. Com que seriedade devemos encarar a liderança e o gerenciamento? Quão zelosamente devemos tentar transformar a visão em realidade na igreja? Devemos nos limitar a sonhar e a exortar, deixando o resto para Deus? Ou devemos gerenciá-la em prol de resultados?

PERGUNTAS DIFÍCEIS NA HARVARD BUSINESS SCHOOL

TIVE DE ABORDAR todas essas questões de uma só vez há alguns anos, em um ambiente singular. Estava na Harvard Business School para defender o estudo do caso Willow Creek, escrito por Jim Mellado, atual presidente da Willow Creek Association, mas que era então estudante em Harvard. Ao verificar a importância que dávamos às funções de liderança e gerenciamento na Willow, um dos estudantes levantou a mão e me contestou. Ele disse:

"Bill, não acho que você deva misturar práticas de gerenciamento com coisas espirituais. Estou realmente desconfortável com todo esse treinamento voltado para a liderança, desenvolvimento da liderança e gerenciamento de resultados que vejo na Willow. Creio que quando se trata de Deus, do Reino espiritual e da igreja, deve ser *laisser-faire**." Sem maiores intervenções. Tire a mão e deixe que Deus assuma o controle. É assim que penso".

Examinei rapidamente a face fadigada daquela sala de aula, e prontamente orei: "Deus, ajude-me a dar uma boa explicação sobre isso". Então, voltei minha atenção para meu contendor. "Sabe, acho muito importante que você esteja aqui, em uma das melhores escolas da história da educação, aprendendo as melhores e mais modernas técnicas de liderança e gerenciamento para que após se formar aqui você possa se juntar a uma empresa

---

*Doutrina econômica segundo a qual o Estado não deve interferir nas ações individuais, principalmente no âmbito da economia. (N. do R.)

secular e ajudá-la a estabelecer recordes de produtividade e a vender coisas, sabão ou *software*. Não há nada de errado nisso. As pessoas podem se beneficiar com o uso dessas coisas. Assim, você deveria de alguma forma dar o melhor de si para que elas obtenham esses produtos. Porém, são somente coisas. Elas não irão transformar a vida de alguém de modo profundo. Elas não irão transformar o mundo ou determinar o destino eterno de ninguém.

"O que você tem de entender é que alguns de nós, líderes de igrejas, cremos que a igreja local é a esperança do mundo. Realmente acreditamos nisso. Acreditamos que a igreja é a única entidade da sociedade ungida por Deus, que é dispenseira da mensagem transformadora do amor de Cristo. Acreditamos que a igreja trata de cada uma das profundas necessidades do ser humano. Acreditamos que a igreja pode conduzir as pessoas a uma forma totalmente nova de viver, amar e servir, podendo por esse motivo transformar a sociedade.

"Você também precisa perceber que alguns de nós, líderes de igrejas, vivemos diariamente com a compreensão de que o destino eterno das pessoas da nossa comunidade está em uma balança. É por isso que somos tão determinados a realizar corretamente nossas visões, viver nossos valores e propor estratégias eficientes. Verdadeiramente acreditamos que é importante alcançar nossas metas. Que é importante alinhar nosso estafe e alavancar nossos recursos. Acreditamos que o sucesso ou o fracasso de nossas igrejas afeta diretamente a vida das pessoas, aqui, agora e por toda a eternidade. Cremos profundamente nisso. Morreríamos por isso."

Continuei: "É por isso que não nos desculpamos por aprender e aplicar os melhores princípios práticos, ao mesmo tempo que Deus nos lidera em nossas igrejas. Como poderíamos agir de outra forma? A igreja é a esperança do mundo".

Aquela sala ficou muito silenciosa.

Mais tarde pensei sobre aquele momento. Se eu realmente creio que a igreja é a esperança do mundo, então isso possui enormes implicações para meu dom espiritual de liderança. Por qualquer razão, Deus me deu esse dom. Nunca o pedi. Não o mereço. Eu o aprecio tremendamente, mas ele veio com um claro conjunto de regras. Deus diz a cada líder o que diz a mim: "Lidere o mais zelosamente possível. Maximize cada grama do potencial de liderança que pus em você. Leia.

Estude. Ache um mentor. Para o bem da igreja e do mundo, desenvolva esse dom ao máximo do seu potencial na sua vida".

JESUS POSSUÍA UMA ATITUDE *LAISSER-FAIRE*?

SOA MUITO FORTE? Se você acha que sim, vamos dar uma olhada em como Jesus, o supremo líder, encarou seu desafio de liderança? Quando tinha apenas doze anos de idade, ele disse aos seus pais: "Eu devo tratar dos negócios de meu Pai". Ou em outras palavras: "Deixe que as outras crianças joguem Nintendo e leiam revistinhas. Eu tenho um mundo para transformar. E isso é coisa séria". Eu fico fascinado pelo fato de ele ter falado especificamente em *negócios*.

Anos depois, quando lançou formalmente o seu ministério, ele tinha uma clara visão. Tinha um plano estratégico de três anos, que incluía o desenvolvimento de doze discípulos. Tinha uma estratégia de evangelização bem planejada, que se movia em círculos concêntricos, de dentro para fora: primeiro Jerusalém, então a Judéia, depois a Samaria, então os mais distantes extremos da terra. Jesus deu missões específicas aos seus seguidores, que você poderia chamar "funções detalhadas". Quando seus seguidores realizavam bem o seu trabalho, ele os cumprimentava, louvava e recompensava. Quando não conseguiam, os confrontava e demonstrava como fazer corretamente. Então ele os enviava em outra tentativa, na qual se saíam melhor.

Jesus não era nem um pouquinho *laisser-faire* a respeito de edificar o Reino. Sua paixão pelos perdidos e seu amor pela igreja eram tão fortes, que ele tratou dos negócios de seu Pai por todo o caminho até a cruz. E eu não creio que Jesus seja agora mais *laisser-faire* do que ele era quando andou sobre a terra em carne e osso. Creio que ele espera que os atuais líderes das igrejas apliquem seus melhores esforços na edificação de igrejas vencedoras. É claro que ele disse que não teríamos de fazer isso sozinhos. Ele prometeu nos conceder dons e poder e andar ao nosso lado. Mas gostamos que Jesus, o maior líder espiritual que andou sobre a terra, precise tratar seriamente os "negócios de nosso Pai". Precisamos lembrar que fazer isso exige oração, disciplina espiritual, dependência do Espírito Santo — *e as melhores práticas de liderança*. Esse é um acordo que envolve as duas partes. Também precisamos aceitar que, provavelmente, teremos de pagar um preço ao devotar nossa vida à edificação do Reino de Deus. Jesus pagou.

Será que posso chegar e dizer isso? Está na hora de líderes de igrejas *realmente liderarem*. Está na hora de tratarmos dos negócios de nosso Pai com diligência, dependência e uma liderança que realiza.

CAPÍTULO QUATRO

MONTANDO A EQUIPE DOS SONHOS DO REINO DE DEUS

Comunidades próximas do coração do líder

FOI UM TELEFONEMA DO TIPO QUE VOCÊ NUNCA ESQUECE. "Ele se foi", sussurrou uma voz do outro lado da linha. "Conhecemos a sua agenda e a distância envolvida, por essa razão ninguém espera que você venha ao funeral, mas achamos que você devia saber."

Imediatamente liguei para minha assistente, Jean, que operou sua mágica da agenda e, dois dias depois, minha esposa Lynne e eu estávamos diante da jovem viúva de um dos mais antigos membros das equipes da Willow Creek.

Tom estava apenas na casa dos quarenta, mas a leucemia destruiu seu corpo e ceifou sua vida. Agora eu estava tentando achar uma forma de confortar sua triste família. Mas antes que pudesse encontrar palavras de conforto, sua esposa abraçou-me e disse tranqüilamente: "Bill, você sabe que Tom nunca esteve tão vivo e animado como na época em que ele era membro de equipe na Willow Creek. Aqueles foram os melhores anos da sua vida".

Após o sepultamento, o irmão de Tom chamou-me à parte e expressou pensamentos parecidos: "Eu nunca conheci você, mas só quero que saiba que, do ponto de vista de um irmão, os anos que Tom passou como funcionário da sua igreja foram os melhores da vida dele. Eu nunca o vi mais feliz. Nunca o vi mais entusiasmado e satisfeito do que na época em que ele fazia parte da equipe da Willow".

Então ele agarrou meu braço e falou com a voz embargada: "Tom era o único irmão que eu tinha. Obrigado por incluí-lo. Obrigado por amá-lo e estimulá-lo. Obrigado por ter dado a ele um lugar a que pudesse pertencer".

Quando voltava para casa, fiquei olhando pela janela lateral do avião, e me dei conta mais uma vez do imenso privilégio que era participar de uma equipe amorosa, unida e motivada. Eu estava muito satisfeito por Tom ter podido experimentar isso. Relembrei os anos em que ele se sentava ao redor de uma mesa na Willow, partilhando idéias, ajudando a formular planos, dando e recebendo energia de modo extremamente dinâmico, como é comum em uma equipe saudável. Quantas pessoas, eu me perguntava, deixam esta vida sem jamais ter experimentado isso? Quantos líderes de igrejas, pastores e dedicados trabalhadores leigos servem durante anos sem jamais ter tomado parte em algo assim?

Todd, meu filho de 23 anos, ouviu-me pregar e ensinar sobre comunidade a maior parte da sua vida. E ele me assistiu liderar e ajudar várias equipes diferentes da igreja. Mas ele tinha de experimentar por si próprio, para que pudesse entender o porquê de eu ser tão apaixonado por isso. No ano em que ele partiu para a faculdade no sul da Califórnia, começou a freqüentar uma igreja da Willow Creek Association, que não era longe da sua universidade. Em poucos meses, Todd se envolveu na equipe de liderança do ministério jovem de lá.

Certo dia, quando já era tarde da noite e Todd estava em casa, ele subiu as escadas do meu escritório pessoal e disse: "Pai, agora entendo o trabalho em comunidade. Entendo que é mais do que apenas trabalhar com as outras pessoas; é viver em profunda comunhão uns com os outros, enquanto servimos juntos. E há uma enorme diferença entre as duas situações".

Meu espírito se elevou quando escutei aquelas palavras do meu filho. Se ao menos mais líderes compreendessem a diferença entre "apenas trabalhar com as outras pessoas" e "viver em profunda comunhão uns com os outros, enquanto servimos juntos". A prática da última conduta poderia melhorar o nível de relacionamento na esfera da liderança de todas as igrejas do mundo.

TRÊS EXEMPLOS DE COMUNIDADES DE EQUIPES

HÁ VÁRIOS ANOS, o então vice-presidente Al Gore, me convidou para assistir a uma cerimônia em Washington, D C, onde o dr. Billy Graham iria receber a Medalha de Ouro de Honra do Congresso. A rotunda do Capitólio estava repleta de funcionários do governo, e havia dezenas de líderes mundiais. A cerimônia foi patriótica, grandiosa e muito enaltecedora. Quando dr. Graham se levantou para receber a medalha, olhou para a audiência, e disse calmamente: "Esta medalha não é realmente para mim. Esta medalha é para nossa equipe. Temos estado juntos por 45 anos. Sem cada membro, minha vida não teria sido a mesma. Eu lhes devo muito". Então ele listou, um por um, os nomes daqueles que tinham formado o núcleo de seu ministério evangelístico. Conforme falava o nome deles, lutava para conter a emoção.

Entretanto, ainda não tinha compreendido por completo quão profundamente dr. Graham e seus companheiros valorizavam a equipe, até que, algum tempo depois, tive o prazer de visitá-lo em sua casa em Montreat, Carolina do Norte. Ele me conduziu para fora e apontou as casas que estavam sendo construídas nas vizinhanças por alguns membros da sua equipe. Aparentemente, 45 anos de companheirismo não era o suficiente para sua equipe intimamente unida. Mesmo se aproximando do fim da vida, eles queriam estar juntos, cuidando e apoiando uns aos outros, exatamente como havia sido ao longo dos anos de seu ministério. Fiquei profundamente comovido pelo empenho que demonstravam em estar juntos continuamente, até o fim.

Jesus também nos fornece o modelo de um líder que estabeleceu uma equipe coesa e amorosa. Um incidente próximo ao fim da sua vida é particularmente emocionante. Na véspera da sua traição, ele reuniu sua equipe no cenáculo e os trouxe para perto com estas palavras: "Desejei ansiosamente comer esta páscoa com vocês". Então ele partiu o pão e partilhou o vinho. As instruções para o futuro eram claras. Eles continuariam essa prática em memória dele, em comunidade. Pense nisso. A primeira vez que se tomou a comunhão foi uma experiência em equipe. E supõe-se que deva continuar a ser uma experiência em equipe.

Eu me considero extremamente afortunado em participar de várias e unidas equipes ministeriais na Willow Creek Community Church. Muitos de nós temos estado ininterruptamente juntos por quase trinta anos (contando os dias do ministério jovem que antecederam a Willow). Juntos, experimentamos os altos e baixos que unem corações.

Na noite após a comemoração do vigésimo aniversário da Willow, achei uma forma de mostrar a essas pessoas o quanto as aprecio. Por meio da generosidade de um amigo, eu pude viajar com quatro dos casais que participaram da fundação da igreja, para uma ilha do Caribe por sete dias. Todos os dias, após nadar, velejar e andar na praia, passávamos as noites reunidos ao redor de uma imensa mesa, partilhando o jantar e recordações da nossa vida em comum.

Nenhum de nós jamais esquecerá aquelas noites. Rimos e choramos. Cada refeição se estendia pela noite adentro, enquanto contávamos histórias e partilhávamos lembranças. Na última noite, alguém disse: "Eu só gostaria que todos soubessem que desejo envelhecer com vocês! Por isso, que ninguém tenha um colapso ou desista. Algum dia, quero que todos nós estejamos juntos em uma varanda, balançando, bebendo e jogando conversa fora até que Deus nos leve para casa. Eu quero morrer com esta equipe".

Naquela noite, quando ia me arrastando até a cama para dormir, pensei: "Melhor, impossível"!

Tendo acabado de completar cinqüenta anos, passei muito tempo pensando sobre o que é fundamental para mim. Percebi que, na verdade, existem somente dois itens além da minha família que são realmente fundamentais para mim. Em primeiro lugar, quero realizar a vontade de Deus pelo resto da vida. Isso é o principal. Mas além disso, quero fazer a vontade de Deus em perfeita comunhão com as pessoas que amo e que me amam. Quando esses dois fundamentos são reais, tenho "vida em plenitude". Levar as pessoas em meu coração enquanto juntamente servimos a Deus, e ser da mesma forma levado no coração delas, é o que significa estar em uma "equipe dos sonhos". É quase como desfrutar um pouco do céu sobre a terra.

Nenhum líder devia perder isso

Mas mesmo enquanto escrevo estas coisas, tenho um sentimento de melancolia. Por quê? Estou plenamente consciente de que muitos líderes jamais experimentaram a riqueza de uma vida ministerial como a que descrevi; nem quando eram leigos, nem quando se tornaram membros das equipes das igrejas, nem após terem se tornado líderes seniores.

É uma pena jamais conhecer o mistério de uma solução dada por Deus para uma equipe ministerial que estava emperrada, confusa e totalmente desencorajada, diante de um obstáculo aparentemente insuperável. É uma pena nunca ouvir um tímido membro da sua equipe dizer com audácia despertada pelo Espírito Santo, algo como: "Sei que parece uma idéia maluca, mas que tal se nós...". E é uma pena nunca olhar em torno enquanto os olhos se acendem, os corpos se inclinam para frente e os membros da sua equipe dizem: "Que idéia fantástica!".

E então, que terrível pena é perder o que acontece, quando a semente de uma idéia que foi irrigada com informações da equipe, finalmente floresce em um perfeito planejamento ministerial. Como é triste perder aqueles futuros momentos que a equipe vive em comum, quando membros dela olham para trás maravilhados, e alguém diz: "Você se lembra de quando Deus rompeu as barreiras? Você se lembra de quando a idéia nasceu? Dá para acreditar em tudo que aconteceu de lá para cá? Você consegue acreditar que fizemos isso juntos?".

Esses momentos são sagrados; são momentos que nos lançam de joelhos perante Deus, em agradecimento pelo que ele realizou por meio da insignificante equipe da qual você faz parte. Nenhum líder deveria perder momentos desse tipo.

Há poucos anos, uma das equipes da Willow Creek Association viajou para a Alemanha, a fim de auxiliar e treinar pastores. Meses antes da nossa chegada, a equipe alemã da Willow Creek Association trabalhou incansavelmente para a realização da conferência. A reação foi tão impressionante que, em vez de realizarmos uma conferência, realizamos duas, uma atrás da outra.

Realizar uma única conferência de três dias em um país estrangeiro, onde cada palavra deve ser comunicada por intermédio de tradutores, e onde cada equipe está extremamente perturbada pelo fuso horário, já é um enorme desafio por si mesmo. Mas naquele ano, tão logo terminou a primeira conferência, tivemos que remover os equipamentos de som e de luz para outro local, para que três horas mais tarde iniciássemos a segunda conferência de três dias. Foi cansativo, para dizer o mínimo.

Próximo do final da segunda conferência, estávamos absolutamente exaustos. Cada mensagem se tornou um grande desafio a ser entregue, e cada canção se tornou um grande desafio a ser cantado. Então, quando a equipe se reunia antes e após cada sessão, fazíamos de tudo para nos encorajar e nos estimular uns aos outros. Então, em uma das últimas sessões, nossa equipe de vocalistas cantou um antigo hino:

> Sublime amor, o amor de Deus,
> Que a lira não traduzirá!
> Maior que o mar, maior que o céu,
> Jamais alguém compreenderá!
> Ao pecador em aflição,
> Seu Filho, Deus entregou;
> Ao sofredor deu ele a mão,
> E as culpas lhe perdoou.
>
> *Sublime amor, o Amor de Deus!*
> *Oh! maravilha sem par!*
> *Por esse amor, eternamente,*
> *A Deus iremos louvar.*
>
> Se em tinta o mar se transformassse,
> E em papel o céu também,
> E a pena ágil deslizasse,
> Dizendo o que esse amor contém,
> Daria fim ao grande mar,
> Ao esse amor descrever,
> E o céu seria mui pequeno
> Para tal relato conter.
>
> Excelso amor, o amor de Deus,
> Que nos remiu da perdição!
> Em gratidão proclamaremos
> Tão grande amor e salvação.
> E quando enfim no lar dos céus,
> Em gozo e glória eternal,

Para sempre ali desfrutaremos
Do grande amor divinal.[1]

No último coro, cada vocalista cavou fundo no peito, reunindo uma última reserva de forças. Para usar uma expressão do atletismo: deram tudo lá no campo. Quando eles terminaram, o lugar estava paralisado. Ninguém aplaudiu. Ninguém se moveu. Ninguém falou. Éramos 3500 pessoas sentadas em um silêncio aturdido, boquiabertos com o amor de Deus.

Por fim, dirigi-me ao palco e despedi a multidão. Enquanto as pessoas saíam silenciosamente, fui procurar um lugar onde pudesse estar sozinho com Deus. Fiquei de pé, no canto de uma sala vazia dos bastidores, com a minha cabeça abaixada, e o meu coração cheio do poder e da grandeza de Deus. Fiquei assim por vários minutos, mas então percebi que não estava sozinho. A equipe havia se aconchegado ao meu redor com as cabeças inclinadas. Quando levantamos a cabeça e nos olhamos, era óbvio que todos pensávamos o mesmo: "Melhor que isso, impossível — sermos usados poderosamente por Deus — *juntos*". Muitos de nós, daquele grupo, já ministrávamos juntos há vinte anos. Sabíamos que nenhum de nós jamais tinha experimentado sozinho o momento que acabávamos de partilhar. Somente juntos, trabalhando como uma equipe sob a inspiração e o poder de Deus, poderíamos ter desfrutado aquela memorável experiência.

Essa é uma das mais valiosas lembranças da minha vida. Tive mais experiências desse tipo do que poderia contar.

Como desejo que cada líder de igreja venha a desfrutar de momentos em equipe tão santos como esse. Experiências como essa, fazem a igreja funcionar de forma tranqüila mesmo em períodos de tensão. É isso que significa viver o sonho de Jesus, que ao fazer sua oração sacerdotal, disse: "Que eles sejam levados a plena unidade".

DEFININDO OS PROPÓSITOS DA EQUIPE

EU SERIA CRUEL em acenar com esse tipo de unidade ministerial na frente de outros líderes se não estivesse absolutamente convencido de que todo

[1] F. M. Lehman, direitos autorais de 1917, renovados em 1945 pela Nazarene Publishing House.

e qualquer líder é capaz de formar sua equipe dos sonhos do Reino de Deus. Verdade. Por meio do poder do Espírito Santo, a habilidade de formar uma equipe dessa qualidade é um componente-padrão do pacote de talentos que vem com o dom da liderança.

O primeiro passo na formação de uma equipe dos sonhos é definir o propósito da equipe. Quero dizer que é preciso defini-la com precisão implacável. Perdoe-me por definir algo tão óbvio, mas algumas vezes são as coisas mais óbvias que deixamos de lado.

Da primeira vez que decidi montar uma equipe de vela, um rapaz que estava me ajudando fez duas perguntas muito importantes. "Você planeja correr apenas com a finalidade de recreação ou tem a intenção de competir? Você está visando apenas a vencer regatas locais ou você gostaria de ir até o fim e vencer um campeonato nacional? Estou lhe perguntando isso, porque se você apenas quiser correr recreativamente, você pode montar uma equipe com a tia Ethel, o primo Eddie e Buddy, o *barman*. Mas se você quer competir com os melhores, terá de achar alguns marinheiros de categoria".

Ele me forçou a definir mais especificamente o propósito da equipe de modo que eu soubesse que tipo de pessoa deveria procurar.

Agora, sempre que ouço pastores me dizer que vão montar uma equipe de liderança, minha reação é formular algumas perguntas esclarecedoras: "Que *tipo* de equipe de liderança? Quais serão seus propósitos? Será para ajudá-lo com a sua pregação? Para criar a política da igreja? Será para disciplinar os membros mais rebeldes? Para comprar propriedades e construir edifícios?". Eu faço essas perguntas, porque sei que tais tarefas inteiramente distintas, necessitarão de pessoas com dons, habilidades e especializações completamente diferentes. Líderes devem ser inexoravelmente específicos a respeito da natureza e do propósito da equipe. O que queremos que essa equipe em particular realize?

Os três cês da escolha de uma equipe

O PRÓXIMO PASSO NA montagem de uma equipe dos sonhos, é estabelecer critérios claros para a seleção de membros específicos da equipe. Que tipo de pessoa é necessária para preencher uma posição específica na equipe?

Precisamos buscar por certas características e qualidades, por ordem de importância.

Quando John Wooden, o legendário treinador de basquete da Universidade da Califórnia, foi perguntado sobre quais as três principais características que procurava em futuros membros da equipe, ele simplesmente respondeu: Talento, talento e talento (nessa ordem). Ainda que os critérios de Wooden fossem apropriados para a montagem de uma equipe de basquete, creio que há muito mais a ser levado em consideração quando se trata de montar uma equipe dos sonhos do Reino de Deus.

Deixe-me contar-lhe sobre o que procuro em potenciais membros de equipes da Willow Creek Community Church e da Willow Creek Association. Meu processo de seleção é baseado nos "três cês": primeiro caráter, depois competência, e finalmente combinar comigo e com o resto da equipe. Caráter, competência e combinação. Após ter experimentado diferentes critérios de seleção ao longo dos anos, cheguei a esses três, exatamente na ordem em que são mencionados.

Quando estou buscando alguém para se juntar a uma equipe voluntária ou para uma posição remunerada, lembro a mim mesmo: *Primeiro o caráter*. Quero dizer com isso que eu preciso confiar no caminhar da pessoa com Jesus Cristo. Preciso saber se são pessoas comprometidas com questões espirituais. Preciso ver evidência de honestidade, receptividade doutrinária, humildade, confiabilidade, uma saudável ética de trabalho e disposição de ser solícito.

Eu nem sempre pus o caráter acima da competência, mas agora ponho. Aprendi que nas tarefas da igreja, um ocasional lapso de competência pode ser aceito. Mas um lapso de caráter causa problemas com extensas conseqüências. Uma falha de caráter tende a gerar desconfiança e a dispersar os membros da equipe. Isso também desmotiva o líder, quando ele tem de investir tempo e energia emocional naquele específico membro da equipe. E logicamente, se o líder não lidar sabiamente com o membro rebelde da equipe, perderá o respeito dos outros membros.

Um outro líder poderia classificar critérios diferentes para a seleção da equipe, mas para mim o caráter vem em primeiro lugar. Outra história envolvendo veleiros pode ajudar-me a ilustrar o porquê.

Em determinada temporada, estávamos com falta de tripulantes, de forma que convidamos um novo marinheiro para que se juntasse à equipe. Sua competência estava fora de questão, mas com o passar do tempo seu caráter se tornou um problema. Em primeiro lugar, ele era arrogante. Quando conhecia alguém, sua linha de apresentação padrão era: "Meu nome é Don. As mulheres me chamam de Perigoso Don". Da primeira vez que nossa tripulação regular ouviu isso, pensei que fosse se debruçar sobre a amurada e vomitar.

Com o tempo, reparamos que Don freqüentemente faltava com a verdade. Então ele começou a desenvolver o hábito de chegar tarde para o treinamento, jamais oferecendo uma justificativa ou reconhecendo que seus atos perturbavam os outros. Quando pequenos objetos começaram a desaparecer do barco, soube que o problema estava ficando sério. Os outros rapazes começaram a deixar a carteira no carro, em vez de deixá-las na gaveta de cima da cozinha, como sempre fazíamos. Finalmente, tive de dar um basta. Perigoso Don era um marinheiro incrível, mas o seu caráter não funcionava.

Para mim, o trabalho na igreja não é diferente de velejar quando se trata da questão de caráter. Costumava pensar que se descobrisse um potencial membro de equipe, que fosse incrivelmente competente, mas um pouco instável com relação ao caráter, eu poderia ficar com a competência e, com o tempo, tratar dos defeitos de caráter. Sempre otimista, pensava que se aquela pessoa estivesse no saudável ambiente de uma igreja, cercada por pessoas devotas que a tomariam sob sua responsabilidade, tudo acabaria dando certo.

Mas após trinta anos de otimismo, tive de admitir a derrota e enfrentá-la. Todo o adulto entrevistado para uma posição importante já tinha passado 25, 30 ou 35 anos em um processo de formação de caráter. Depois disso, não ocorrem mudanças significativas. Assim, procuro por caracteres que já tenham sido positivamente formados. (Obviamente, quando disciplinamos um novo convertido, devemos compreender que levará tempo para que o caráter daquela pessoa fique conforme a imagem de Cristo. Mas essa é uma questão inteiramente diferente. Quando falamos sobre montar uma equipe dos sonhos para a liderança, muito provavelmente, não estamos falando de novos convertidos.)

Então, durante o processo de seleção, esforço-me para compreender o caráter de um candidato. Verifico referências. Tenho longas conversas com pessoas que conheçam bem a pessoa. Procuro por qualquer sinal de perigo a respeito do caráter. Melhor é achar os pontos fracos agora que forçar toda a equipe a encontrá-la depois.

O que faço se um membro de equipe efetivo começa a demonstrar falhas de caráter? Tomo uma atitude assim que souber do problema. Falo com o indivíduo imediatamente, na esperança de que possamos juntos compreender a causa do problema. Então peço a ele ou a ela que confesse e mude com a ajuda de Deus. Freqüentemente, sugiro aconselhamento cristão.

Mas se ocorrer um padrão contínuo de inconsistências, normalmente peço para a pessoa deixar a equipe. Sei que pode parecer exagero, mas aprendi que é praticamente impossível que uma equipe consiga cumprir o seu propósito quando um dos membros está envolvido no difícil trabalho de recuperação do seu caráter.

Quando alguém é convidado a deixar uma equipe, os pastores auxiliares montam um plano de restauração espiritual, oferecem assistência financeira e recomendam aconselhamento cristão contínuo. Realmente queremos ver a pessoa ter seu caráter transformado pelo poder de Deus, mas aprendemos que uma significativa mudança de caráter raramente acontece se a pessoa permanecer na sua equipe ou em seu cargo voluntário. Quando comecei a exercer posições de liderança, era extremamente paciente com deslizes de caráter, tendo a infundada esperança de que "as coisas iriam simplesmente melhorar". Agora sei que isso normalmente não acontece. O líder tem de tomar uma atitude, e, quanto mais cedo, melhor.

DEPOIS DO CARÁTER VEM A COMPETÊNCIA

MEU SEGUNDO CRITÉRIO de seleção é a competência. E não me sinto culpado por querer o melhor. Procuro pelo mais alto nível de competência que puder achar. Peço para Deus me ajudar a encontrar alguém, cujos dons espirituais tenham sido desenvolvidos e refinados ao longo dos anos. Se estamos procurando por alguém para juntar-se a nossa equipe de ensino, peço a Deus para nos ajudar a encontrar uma pessoa com acentuados talentos, certamente alguém mais talentoso para o ensino do que eu. Há vários anos, quando agregamos um novo professor para as aulas durante a semana, estremeci quando descobri que ele era um professor ainda mais fenomenal do que eu esperava. Ainda agradeço a Deus por ter mandado John Ortberg para nós.

Se estou procurando por um diretor de operações, procuro por alguém com um colossal talento administrativo e um currículo de desempenho fora de série. Há alguns anos, percebi que se não começasse a me cercar de pessoas realmente excepcionais, seria sobrepujado pelos desafios de liderar a Willow. Hoje em dia, quando olho em torno da mesa em nossas reuniões da equipe de administração, vejo alguém que fez MBA em Harvard, outro que fez MBA em Stanford, um Ph.D, dois graduados em Direito e vários com mestrado. Eu sou o único que realmente não possui qualificações!

Peter Drucker, o melhor escritor sobre gerenciamento de vendas, uma vez me disse que as pessoas que eu procurava para formar as equipes, provavelmente não estariam nem descontentes nem desempregadas. "Se você achar alguém que possua boas qualificações, mas esteja insatisfeito ou desempregado, tenha muito cuidado. O tipo de pessoa que você procura, está provavelmente contribuindo enormemente e estabelecendo recordes em algum lugar. Estão provavelmente delirantes de felicidade e são muito amados pelas pessoas com quem trabalham. Vá atrás desse tipo de pessoa. Busque pela competência comprovada."

Foi um conselho extremamente valioso que sigo até hoje. Elas expressam os mesmos sentimentos do apóstolo Paulo, quando ele insiste em 1Timóteo 3.10, que todo o novo diácono deve ser "primeiramente experimentado".

Então, primeiro procure um excelente caráter, e então vá atrás do que há de melhor em matéria de competência.

O TERCEIRO "C" É COMBINAÇÃO

O TERCEIRO C pelo qual procuro é combinação, um relacionamento apropriado tanto comigo como com os outros membros da equipe. Kenneth Blanchard, co-autor de *O gerente minuto*, aconselhou-me a jamais convidar para minha equipe, uma pessoa que não me causasse uma impressão positiva no minuto em que entrasse em meu escritório.

No princípio, pensei que aquele conselho fosse um pouco exagerado. "Ora, vamos, Ken eu o provoquei, "não estou procurando um parceiro de golfe. Apenas preciso de uma pessoa capaz de trabalhar dedicadamente em nossa igreja". Isso foi há muitos anos. Hoje, me converti à doutrina da combinação. Por quê? Porque a maior parte do meu tempo (a não ser quando estou preparando sermões) é passado com a equipe. Quase todo o tempo do meu expediente é passado em torno de uma mesa com a equipe de anciãos, a diretoria, a equipe de administração, a equipe de ensino, a equipe de planejamento, a equipe da liderança da Willow Creek Association, ou com a equipe que cuida das conferências internacionais. Por centenas de horas ao longo do ano, eu me sento em pequenos círculos, tratando de desafios para o Reino de Deus juntamente com outras pessoas. Eu não sei como dizer isso com diplomacia, mas ajuda se eu realmente gostar de estar com aquelas pessoas! Então, se dois candidatos a uma vaga forem idênticos no caráter e na competência, vou aprovar a pessoa cuja personalidade e temperamento combinarem com os outros membros da equipe e comigo.

Admito isso sem um pingo de culpa. Uma das razões de eu estar atualmente achando tão agradável o trabalho ministerial, é que, finalmente, após quase três décadas montando equipes, todas as nossas principais equipes de liderança foram montadas de acordo com os critérios que descrevi. Em todas as nossas equipes, temos pessoas com altíssimo padrão de caráter, uma competência fora de série e combinação extraordinária. E não é para gostar disso? Todos os dias, quando vou para o trabalho, sinto-me como um garoto saindo em férias.

Mas deixe-me lembrá-lo de que levei trinta anos para chegar a esse ponto. Logo, se você lidera uma igreja com quatro anos de existência e ainda não possui uma equipe dos sonhos do Reino de Deus, não se desespere. "Continue no rumo", seria o meu conselho, "mas mantenha os padrões de seleção elevados".

NÃO NEGLIGENCIE O SEU PESSOAL

DE VEZ EM QUANDO, PERGUNTAM-ME ONDE acho pessoas tão excelentes para contratar. A minha resposta é surpreendente. Quase 75% dos nossos líderes saíram diretamente da Willow. São pessoas que provaram a consistência de seu caráter, competência e combinação enquanto trabalhavam em posições voluntárias no ministério.

Embora desenvolver nossos líderes internamente, tenha provado ser a melhor forma de montar magníficas equipes, existem momentos em que, como a maioria das outras igrejas, precisamos buscar pessoas fora de nossos muros para importantes posições. Descobrimos que um dos benefícios de ser um membro da Willow Creek Association é a amplitude de oportunidades que ela oferece. Quando líderes de igrejas se reúnem em conferência, buscam conhecer ou ficar sabendo de potenciais membros de equipes que partilhem de sua visão e valores.

Temos tido a experiência de que, mesmo quando somos extremamente cautelosos ao contratar pessoas de fora da igreja, nossa média de sucesso é inferior a 50%, quando se trata de criar uma relação de trabalho ideal, e de longa duração. Mas quando contratamos de dentro da Willow, ou de dentro da Willow Creek Association, essa porcentagem sobe dramaticamente. A lição é obvia: sempre que puder, contrate pessoas de dentro.

O BOM DESEMPENHO COMEÇA COM O LÍDER

UMA VEZ QUE O LÍDER TENHA DEFINIDO o propósito da equipe e tenha recrutado seus membros, então deve-se fazer a pergunta que realmente importa: O que é necessário para que essa equipe desenvolva todo o seu potencial? Que tipo de líder preciso ser para que isso aconteça?

Nunca fiquei muito impressionado com o conselho de algumas pessoas que dizem que as equipes devem se autoliderar ou terem líderes rotativos. Eu me alinho firmemente com aqueles que acreditam que o fator mais importante para o bom desempenho de uma equipe é a eficiência de um líder claramente definido.

Cada equipe precisa de um líder de primeira qualidade que deverá:

- Manter a equipe concentrada em seus propósitos.
- Certificar-se de que as pessoas certas, com os dons e talentos corretos, estejam nas posições corretas.
- Maximizar a contribuição de cada membro da equipe.
- Distribuir igualmente a carga, a fim de manter o moral alto e o desgaste baixo.

- Facilitar a comunicação a fim de que todos os membros da equipe permaneçam informados.
- Avaliar e elevar o nível de comunhão entre os membros da equipe.

Esses desafios são imensos. Acho que é extremamente ingênuo pensar que equipes podem florescer espontaneamente, sem que haja um líder concentrado em dedicar uma grande quantidade de tempo e energia para que esses objetivos sejam alcançados.

USE EXERCÍCIOS COMUNITÁRIOS PARA CONSTRUIR UMA COMUNIDADE

POR FALAR EM INGENUIDADE, no início do meu ministério imaginava que a comunhão "simplesmente acontecia"; que se os membros das equipes passassem tempo suficiente trabalhando juntos, inevitavelmente desenvolveriam relacionamentos significativos que trouxessem mútuo respaldo. Entretanto, descobri anos depois, que um profundo sentimento de camaradagem e união dificilmente se desenvolvia espontaneamente. Na verdade, um dos mais importantes papéis desempenhados por um líder é guiar os membros da equipe para uma mais profunda experiência de comunidade.

Uma forma eficiente de fazer isso é o uso de exercícios para o desenvolvimento da comunhão. Pela sua utilidade, deixe-me partilhar alguns exercícios específicos que eu e outros temos utilizado a fim de encorajar padrões de relacionamento mais profundos nas equipes da Willow.

A CADEIRA ELÉTRICA

Há vários anos, levei uma equipe de quinze funcionários para o acampamento da nossa igreja na Península Superior de Michigan. Todas as tardes, sentávamo-nos em círculo, em um terraço de onde se avistava um magnífico rio. No meio do círculo, colocamos uma cadeira que apelidamos de "cadeira elétrica". Um por um, cada um de nós foi para a cadeira elétrica e teve de responder a uma série de perguntas propostas pelos outros membros da equipe.

- Qual foi a sua maior decepção na infância? Na adolescência? Hoje em dia?

- Quem foi a pessoa mais incrivelmente apaixonante da sua vida?
- Qual foi a sua maior realização antes dos quinze anos?

Nós nos assegurávamos de ter incluído algumas questões de pura curiosidade:

- O que você faria se ganhasse na loteria?
- Onde você passaria três semanas de férias se dinheiro não fosse o problema?
- Entre todas as pessoas que estão vivas, com quem você mais desejaria ter um jantar de três horas, e por quê?

Algumas das nossas sessões na cadeira elétrica duravam três ou quatro horas. Algumas das respostas ficarão na nossa lembrança por anos. Concordo com quem quer que tenha dito: "O conhecimento leva ao amor". É impossível ouvir as considerações sinceras de um membro da equipe, sem ser atraído a um profundo relacionamento com aquela pessoa.

O QUE VOCÊ GOSTARIA QUE FOSSE ESCRITO NA SUA LÁPIDE?

Mais recentemente, em um retiro da nossa equipe de administração, dei a cada membro uma folha de cartolina com uma lápide desenhada nela. Então, um a um, pedi aos membros para saírem da sala enquanto os demais se reuniam para escrever um epitáfio da pessoa que esperava do lado de fora.

Nosso objetivo era captar a essência do membro da equipe sobre o qual nos concentrávamos. Quando concordávamos sobre o epitáfio adequado, escrevíamos-no de modo elegante na lápide daquela pessoa. Depois chamávamos-na de volta para a sala e dizíamos: "É lógico que não esperamos que você morra logo, mas se o pior acontecer, é deste modo que nos lembraremos de você". Líamos o epitáfio em voz alta, e os membros da equipe faziam comentários adicionais. O amor e a emoção na sala era palpável.

Quando terminou o retiro, recolhi as lápides e fui em direção ao lixo. A equipe ficou horrorizada. Uma pessoa sugeriu que as puséssemos em molduras e as pendurássemos em nossos respectivos escritórios. Pensei que ela estivesse brincando mas, no final, foi isso que todos fizeram. Visite a Willow e você os verá orgulhosamente exibidos. Sempre que entramos nos escritórios uns dos outros, lembramo-nos daquela tarde extraordinária.

CHAGALL TERIA ADORADO ISSO

Em outro retiro, Greg Hawkins, nosso pastor executivo, conduziu-nos em um exercício que levou para além dos limites aqueles entre nós que não eram muito dotados artisticamente. Ele nos pediu que pintássemos um quadro sobre as condições da nossa alma. Você consegue imaginar alguém como eu descrevendo as condições da minha alma com um pincel?

Mas todos o fizemos. Mais tarde, sentados ao redor de uma fogueira crepitante, explicamos o significado das pinturas. Algumas eram vibrantes e coloridas, outras eram um pouco escuras. Alguém disse: "Logicamente, de acordo com a minha pintura, não estou muito bem nesse momento. É uma época muito difícil na minha vida". Aquilo abriu uma porta para que ouvíssemos sobre o que estava afligindo aquele membro da equipe. E essa é exatamente a intenção de todo esse exercício: abrir portas para que conheçamos e sejamos conhecidos.

ASSUMINDO A BACIA E A TOALHA

Há alguns anos, nossa diretora de programação, Nancy Beach, conduziu um exercício particularmente emocionante com a sua equipe de artistas. Após lerem o capítulo 13 de João, na passagem em que Jesus lava os pés dos discípulos, Nancy e sua equipe realmente pegaram bacias de água e pequenas toalhas e lavaram os pés uns dos outros. Ouvi de vários dos membros daquela equipe que aquela tinha sido uma das mais poderosas experiências de equipe que eles jamais haviam experimentado.

Jamais foi fácil para mim planejar ou participar de exercícios para o estímulo à comunhão como esses. Sempre tenho de lutar contra a minha tentação de "vamos apenas trabalhar", mas eu o faço porque tenho descoberto os benefícios de trabalhar em uma verdadeira comunidade. Não basta que os líderes tentem melhorar o desempenho das equipes. Temos também a igualmente grande responsabilidade de construir comunidades sólidas. Espero que todos os líderes que estejam lendo estas palavras, levem a sério essa responsabilidade.

AUMENTAR O DESEMPENHO DA EQUIPE POR MEIO DO ESTABELE-CIMENTO DE METAS CLARAS

EU MENCIONEI ANTERIORMENTE QUE sou um grande defensor do estabelecimento das MGDAs — Metas Grandes, Difíceis e Audaciosas. Mas metas devem ser mais do que grandes. Elas também devem ser claras. O velho ditado é verdadeiro: "O que é medido é feito". Sem metas claras, a maioria das equipes fica se debatendo. Desperdiçam tempo, perdem energia, distraem-se e acabam desmoralizadas.

Jesus, logo antes de ascender aos céus, disse, de acordo com a minha tradução de Mateus 28.19,20: "Pois bem, equipe, eis a nossa meta: ir por todo o mundo e pregar o evangelho. Conduzir à fé todo homem, mulher e criança. Depois, fazê-los crescer, ensinando-os a observar todos os mandamentos que deixei a vocês. Pronto, preparar, vai". E eles fizeram.

Parte do motivo pelo qual os discípulos de Jesus viraram o mundo de cabeça para baixo é o fato de eles terem sido incumbidos pelo maior líder do mundo para o mais claro e estimulante objetivo jamais estipulado: a redenção do mundo por meio do ministério da igreja.

Os líderes das igrejas devem fazer o que Jesus fez. Devemos nos sentar com nossas equipes em todas as partes da igreja e estabelecer objetivos claros, desafiadores e honrosos a Deus. Então devemos inspirar os membros das equipes a arregaçar as mangas e a ser criativos. Devemos desafiá-los a jejuar, orar, cooperar e dar o melhor de seus esforços, para que sejam alcançadas as metas, para a glória do Único, cujo nome está sobre nós.

À medida que aprendemos a fazer isso na Willow, vimos um tremendo poder ser desencadeado. Recentemente, Nancy Beach incumbiu seu departamento de programação do seguinte objetivo: criar um colorido, comovente e poderoso evento dentro dos limites convencionais; uma magnífica apresentação artística, por meio da qual o evangelho pudesse ser levado a um grande número de pessoas que não participavam da igreja na nossa comunidade.

Sob sua liderança, e desafiados a alcançar um objetivo nítido, sua equipe criou um dos mais inovadores eventos evangelísticos que a nossa igreja já ofereceu à comunidade. Enchemos o auditório por dez vezes, com milhares de pessoas que ouviram a verdade a respeito de Jesus Cristo. Mas tudo isso iniciou com a atribuição de um objetivo claro.

Eu nunca me canso de assistir equipes se erguerem para alcançar um objetivo honroso para Deus. Sim, é necessária uma extraordinária vitalidade na liderança para estabelecer os objetivos apropriados, alinhar as pessoas com eles e inspirar os membros da equipe a alcançá-los. Mas me permita relembrar: a retribuição é imensa. É eterna.

AUMENTAR O DESEMPENHO DA EQUIPE POR MEIO DA RECOMPENSA PELAS REALIZAÇÕES

FINALMENTE, O LÍDER DEVE recompensar as equipes pelo trabalho bem feito. Alguns líderes de igrejas possuem certos escrúpulos em recompensar aqueles que trabalham eficientemente. Mas Jesus não foi ambíguo a respeito do conceito de recompensa. Ele freqüentemente prometeu grandes recompensas "nesta vida e na próxima" aos que o seguiram .

O apóstolo Paulo freqüentemente cumulou louvor e reconhecimento sobre aqueles que trabalharam diligentemente na igreja local. Ele, algumas vezes, terminava suas epístolas com os nome das pessoas que queria honrar. Aparentemente, ele pensava que era importante reconhecer publicamente os esforços de pessoas que tivessem trabalhado diligentemente pela causa. Ele até mesmo declarou que determinadas pessoas deveriam ser duplamente honradas por causa do seu desempenho fiel.

Na Willow, freqüentemente reconhecemos os extraordinários esforços de membros de nosso quadro de funcionários e colaboradores, parafraseando as palavras do apóstolo Paulo em Filipenses 2.29. Nesse texto, Paulo exorta os líderes da igreja de Filipos a receber determinados membros da igreja "em honra". Assim, quando queremos reconhecer os destacados esforços de um indivíduo ou de uma equipe, normalmente os colocamos defronte de todo o quadro da igreja e gritamos em uníssono: "Nós os temos em grande honra! Parabéns!". E depois os aplaudimos entusiasticamente.

Se você duvida da eficiência dessa abordagem, simplesmente convido-o a tentar um dia desses.

Nós também acreditamos que é importante reconhecer e recompensar os esforços de milhares de voluntários que servem a Cristo na Willow. Eles formam a espinha dorsal do nosso ministério. Eles são os heróis invisíveis que trabalham de forma extremamente zelosa para manter o nosso ministério funcionando e crescendo. Nossa equipe de funcionários pagos sabe que estaríamos em uma tremenda encrenca sem eles. Então, há muitos anos, decidimos reconhecer a sua contribuição com a Noite do Agradecimento Anual ao Voluntariado em nossos cultos durante a semana.

Você precisa ver para acreditar. Todos os anos, literalmente desenrolamos tapetes vermelhos em todas as entradas principais de nossos prédios. Balões margeiam ambos os lados do tapete vermelho, e os funcionários guarnecem todas as portas.

Quando os voluntários saem dos seus carros, caminham pelos tapetes vermelhos e são saudados pelos funcionários da Willow Creek: "É, você! Nós estamos tão felizes por você fazer parte da equipe! Parabéns!".

Tudo isso acontece antes mesmo de eles entrarem no prédio.

Uma vez lá dentro, eles vêem os balões e a decoração que os funcionários colocaram em sua honra. Todo o culto é uma celebração do voluntariado em nossa igreja. Eu me esforço para pregar uma mensagem que cerque de honras a todo e qualquer voluntário.

Após o culto, convidamos a todos para uma animada recepção que inclui comida, música e outras festividades. Se você pensa que isso parece consumir muito tempo e dinheiro, você está certo. Mas repito: a retribuição é enorme. Pergunte a qualquer voluntário da Willow.

Como disse no início deste capítulo, neste ponto da minha vida, só quero duas coisas: fazer a vontade de Deus e fazê-la com as pessoas que amo.

Há poucos meses, um grupo de meus colegas de equipe fizeram uma festa de aniversário pelos meus cinqüenta anos. E é claro, foi incluída a típica implicância amistosa sobre estar envelhecendo. Mas naquela noite também houve momentos sagrados quando partilhamos as lembranças de quase três décadas juntos. Nessa noite, enquanto ia dormir, pensei comigo: "Eu sou o homem mais rico do mundo! Tenho tudo aquilo com o qual os líderes só sonham: um claro chamado de Deus, que ainda faz meu coração disparar a cada dia, e uma equipe com as pessoas mais extraordinárias que já conheci para partilhar a aventura comigo".

Digam-me, líderes, o que supera isso?

CAPÍTULO CINCO

O DESAFIO DOS RECURSOS

O teste da bravura do líder

DE TODOS OS DESAFIOS DA LIDERANÇA, aquele para o qual estava menos preparado foi chamado por mim "desafio dos recursos". Tive de aprender do modo mais difícil que, a menos que estivesse disposto a me tornar o ACR (arrecadador-chefe-de-recursos), a nova igreja teria vida curta. Morreria por falta de fundos.

Nos três anos de ministério jovem, aprendi muitas das funções tradicionais da liderança — infundir a visão, montar equipes, solucionar problemas e estabelecer metas — mas pelo fato de ser um subministério de uma igreja abastada, nunca tive de me preocupar com recursos. A igreja cobria as necessidades financeiras. Fornecia instalações e equipamentos sem qualquer custo, um generoso orçamento para cobrir as despesas ministeriais e um salário que solucionava minhas necessidades pessoais.

Mas quando deixamos aquela igreja, para iniciar a Willow Creek Community Church, tudo mudou drasticamente. Fui forçado, realmente, da noite para o dia, a enfrentar uma dura realidade: não tínhamos instalações, equipamentos, orçamento para o ministério e salário. Pior ainda, não havia a quem reclamar. Não tínhamos rebanho! Meu romance com o conceito de *construir* uma igreja nos moldes de Atos 2, havia me cegado para a dura realidade de *fundar* uma.

O complicado é que já havíamos anunciado a data inaugural da nova igreja e distribuído convites e folhetos que divulgavam o local de reunião, o Teatro Willow Creek, em Palatine. Havíamos formado equipes musicais e ministeriais e alugado escritórios.

Levei cerca de cinco minutos para perceber que precisávamos de uma substancial injeção de capital, e rápido.

Combatendo um antigo ataque de pânico, bolei um plano. Naquela época, só conhecia uma forma segura de fazer dinheiro. Assim, pegando uma deixa dos meus dias no negócio de produção da nossa família, encomendei 1200 caixas de tomates. Então, num sábado de agosto de 1975, convidei o grupo de adolescentes que formava o núcleo da equipe inicial para vender tomates de porta em porta. Infelizmente, falhei em não perceber os quintais repletos com tomateiros que dominavam a vizinhaça; no final do dia, estávamos vendendo uma cesta de tomates por 25 centavos de dólar. Ainda assim, levantamos alguns milhares de dólares, solucionando os problemas financeiros por cerca de uma semana.

Lembro-me de ter ido dormir pensando: "Não podemos vender tomates todos os sábados, e não creio que esse desafio dos recursos vá simplesmente desaparecer. É melhor compreender o que realmente significa ser um ACR.

RECORDAÇÕES DA SITUAÇÃO FINANCEIRA

A MAIORIA DAS MINHAS lembranças do fim de 1970, relacionadas ao ministério, tem que ver com tentar lidar com a falta de recursos da Willow. Um dos meus primeiros cúmplices foi um músico chamado Dave Holmbo. Dave não era somente um gênio criativo, mas também tinha uma ética de trabalho monstruosa. Freqüentemente, ficava oitenta horas por semana transcrevendo diligentemente partituras musicais, copiando arranjos vocais e as partes da orquestra à mão. Um dia, sem me dizer, ele pediu alguns lápis especiais que os músicos usam para esse fim. Quando a conta inesperada de 19 dólares chegou a minha mesa, invadi o escritório dele e disse: "Dave, você está nos matando. Não podemos arcar com lápis como esses. Você tem de achar outra forma de escrever os arranjos".

Atualmente, os músicos da Willow possuem os mais modernos computadores para ajudá-los a trabalhar, mas antigamente vivíamos tão apertados, que 19 dólares eram significativos.

Tive um confronto financeiro semelhante com os voluntários da produção. Como não tínhamos instalações próprias e não conseguíamos achar instalações para locação onde pudéssemos programar todos os eventos, estávamos nos mudando constantemente. Cada vez que nos mudávamos — do Teatro Willow Creek para vários auditórios de escolas de ensino médio, lanchonetes e até mesmo um clube local — tínhamos de preparar e desmontar todos os equipamentos de som e de luz. Em todos os lugares, depois de todos os equipamentos estarem instalados, os voluntários tinham de prender os cabos no chão com fita adesiva, para que as pessoas não tropeçassem neles. Como fazíamos tantas montagens e desmontagens, o pessoal da produção começou a encomendar caixas de fita, novamente, sem me dizer.

Após um fim de semana específico, quando havíamos recebido uma oferta muito baixa, as pressões financeiras foram quase além do que eu podia suportar. Com aquele problema pesando na cabeça, entrei no prédio que estávamos alugando para os cultos semanais e reparei na quantidade de fita que a equipe de palco voluntária estava usando. "Eles não sabem quanto essa fita custa?"

Surtei. Reuni os voluntários e descarreguei: "Pessoal, vocês estão desperdiçando uma fita adesiva muito cara, e a igreja não tem dinheiro. Vocês não precisam de toda a espessura da fita para fixar um único cabo ao chão. Nova regra: Daqui por diante, todos terão de rasgar a fita assim...". Então demonstrei na frente deles a minha econômica idéia, o mais dramaticamente possível.

Ainda posso me lembrar de suas expressões chocadas. Alguns conseguiram balbuciar: "Tá bom, tá bom"; mas devem ter pensado que eu perdera a cabeça.

Deixe-me passar mais uma idéia do que era aquela época: o único escritório cujo aluguel podíamos arcar tinha o piso de cimento. Se quiséssemos carpete, teríamos de comprá-lo. E foi o que fizemos: encomendamos o mais barato que pudemos encontrar. Quando fiz o pedido, avisei o dono da loja que, provavelmente, não poderíamos pagar tudo de uma vez.

Ele foi bondoso e disse: "Bem, vocês são uma igreja. Confio em vocês. Sei que merecem isso. Paguem quando e como puder".

Cerca de um mês depois chegou a conta. Lembro-me da quantia exata: 973 dólares. Uma vez que não tínhamos nenhum dinheiro naquele momento, pus a conta em uma pilha com outras contas não pagas. Quando o dono da loja me ligou algumas semanas depois para reclamar o pagamento, lembrei-o de que havia concordado com um plano a prestação.

"Sim, é verdade", ele respondeu, "mas você poderia me mandar *alguma coisa*?".

"Eu farei isso agora mesmo", disse a ele. Fiz um cheque de 5 dólares que mandei pelo correio.

Quando recebeu o cheque, ligou imediatamente para mim, perguntando: "O que é isso? Você está brincando?".

"Não", respondi envergonhado, "mas prometo que vou lhe mandar 5 dólares toda a semana".

E foi o que fiz. Mandei 5 dólares por semana até pagar tudo. Quase três décadas depois, ainda tenho um nó no estômago quando passo de carro diante da loja de carpetes.

PRESSIONADO ATÉ O LIMITE

UMA COISA QUE COMPLICOU o desafio para obter recursos foi o fato de termos começado a Willow com adolescentes e estudantes universitários. Poucos de nós tinham emprego de tempo integral, por isso, tínhamos muito tempo e energia para oferecer, mas nenhum dinheiro. Sabia que se não começássemos a atrair alguns adultos de verdade, com razoáveis rendimentos, iríamos à falência. Então, comecei a orar fervorosamente por isso.

Num domingo, um indivíduo que parecia ser um homem de negócios — um adulto de verdade que aparentava ter um trabalho de verdade — veio assistir a um dos cultos. Parecia uma pessoa normal. Seu terno era condizente (nenhum de nós tinha terno). Minhas esperanças foram lá em cima.

Após o culto, conversamos um pouco, e então ele disse: "Ei, realmente gostei desta igreja. Posso levá-lo para almoçar esta semana?".

"Claro", respondi sem hesitar, certo de que minhas orações haviam sido respondidas.

Alguns dias mais tarde, ele me pegou para almoçar em um longo Cadillac. Levou-me a um restaurante extremamente caro e me disse de forma descontraída para pedir o que quisesse. Aos 23 anos de idade eu não tinha nenhum orgulho. Fiz um pedido considerável.

No meio do almoço, ele começou a perguntar sobre a igreja. "Eu realmente gostei dessa nova igreja", ele finalmente disse quando já chegava a sobremesa. "Posso ajudar de alguma forma?"

Era toda a abertura de que precisava. "Meu caro, você poderia ajudar de todas as formas!", disse-lhe.

Daí, ele perguntou mais diretamente: "Qual a sua maior necessidade?".

"Bem", respondi, "sei que você acabou de chegar à igreja, e provavelmente não quer ouvir sobre os problemas, mas estamos financeiramente no limite. Quero dizer, estamos a uma semana da extinção financeira. Nenhum de nós é assalariado. Já abrimos mão de nossas economias. Não sei por quantas semanas ainda manteremos as portas abertas".

Para meu grande alívio, ele respondeu com um sorriso confiante: "Eu acho que posso ajudá-lo com esse problema. Nunca dei nada para qualquer igreja, mas gosto da sua, então pode esperar por uma doação esta semana. Mandarei pelo correio".

Passei aquela semana extremamente ansioso. A cada manhã corria para a caixa do correio na esperança de achar a carta. Finalmente, quase no fim da semana, ela chegou. "Aqui está", eu pensei. Estamos ricos! Avidamente rasguei aquele envelope... e descobri um cheque de 10 dólares! Quase desmaiei. Durante dias tive de combater pensamentos carnais de sabotar o Cadillac dele. A pressão do desafio dos recursos estava no limite.

A ÍNGREME E NECESSÁRIA CURVA DO APRENDIZADO

FUI RAPIDAMENTE FORÇADO a enfrentar o fato de que, sob perspectiva humana, o líder principal é o responsável pelo levantamento e pela distribuição dos recursos de toda a organização. O líder principal tem de levantar fundos tanto para os funcionários e para os programas ministeriais como para sua família.

Para os que não estão preparados para levantar fundos, como a grande maioria dos pastores, essa é uma assustadora realidade.

O teólogo R. C. Sproul certa vez me perguntou quanto eu poderia realizar com 100 dólares no meu ministério. Imaginei que esperasse alguma profunda resposta teológica; mas, antes que pudesse pensar em alguma, ele mesmo a respondeu: "Você pode realizar o que custa cerca de 100 dólares". Ele estava apenas expressando a opinião de que um ministério frutífero necessita de recursos.

Seja tão teológico quanto quiser, mas a igreja nunca alcançará seu pleno potencial redentor até que um rio de recursos financeiros passe a correr na sua direção. E, gostando ou não, é função do líder criar esse rio e administrá-lo sabiamente. Quanto mais cedo o líder compreender isso, melhor.

Meu objetivo pelo restante deste capítulo é ajudar os líderes a desenvolver habilidades necessárias para se tornar um ACR. Começarei com algumas verdades básicas sobre os recursos que todo líder deve compreender para desempenhar essa função com sucesso.

VERDADE N.º 1: DEUS É A FONTE SUPREMA DE RECURSOS

UMA ANTIGA CANÇÃO infantil descreve os recursos de Deus de forma bastante clara: "Ele possui o gado de mil colinas, a riqueza de todas as minas". Em Salmos 50.12, o próprio Deus repete o mesmo tema, quando diz: "O mundo é meu, e tudo o que nele existe". Os recursos de Deus, em outras palavras, são ilimitados.

Alguns líderes de igreja caem na armadilha de acreditar que alguma pessoa da igreja é a principal fonte de recursos. Não é assim. As pessoas são instrumentos de Deus para fornecer recursos, mas não são, no final das contas, a fonte suprema deles. Somente Deus controla o fluxo do rio financeiro do qual precisamos.

Os líderes também precisam compreender que Deus não apenas pode ajudar, mas, na verdade, anseia ajudar. A igreja é a sua noiva. É seu presente para o mundo. Ninguém, mais do que Deus, deseja ver a igreja abastecida.

Aprendi essa lição em um momento crucial do crescimento da Willow. No final de 1970, estávamos envolvidos num imenso programa para a construção do primeiro auditório. Em um extremo ato de fé, comprometemos 2 milhões de dólares além do nosso orçamento, um orçamento que já era extremamente elevado. As pessoas tinham doado praticamente tudo o que tinham para dar. Várias centenas de pessoas — Lyanne, eu, e até mesmo a maioria dos funcionários — contraíram empréstimos bancários para manter o projeto em andamento.

A economia dos Estados Unidos, porém, entrou em colapso. O desemprego decolou e as taxas de juros chegaram a 21%. Justamente quando pensava que a situação não poderia piorar, o maior de nossos contribuintes nos abandonou. Era o homem com quem todos contávamos para nos salvar se tudo o mais desse errado. Foi quando tive de estabelecer, de uma vez por todas, a diferença entre o instrumento e a verdadeira fonte de suprimento.

Foi um grande golpe perder o maior contribuinte. Mas percebi que o fato de ele haver deixado a Willow não significava que Deus a deixara. Deus nos chamara para iniciar uma igreja que alcançasse os perdidos, e tudo em meu ser me dizia que ele ainda estava conosco, encorajando-nos. Ele ainda era o supremo provedor. Apenas tínhamos de, pela fé, continuar adiante.

Disse a um nervoso corpo de diretores que Deus ainda estava no trono, que ele ainda tinha em abundância e que, provavelmente, estava procurando novos instrumentos por meio dos quais nos enviar os recursos. Como a maioria dos diretores havia garantido o empréstimo bancário com suas casas, eles estavam avidamente interessados no que exatamente Deus estava "provavelmente fazendo".

Nos meses que se seguiram àquela crise de fé, tivemos o privilégio de ver Deus operar de forma poderosa em nosso favor. Ele não somente derramou seus recursos por meio de novos canais, mas, com o tempo, o grande doador que havia nos deixado, retornou. Ele tem nos ajudado tanto financeiramente quanto de outras formas desde que retornou. Lições como essa não são esquecidas rapidamente.

Os líderes dormirão muito melhor a noite se fixarem este princípio fundamental: a fonte suprema de recursos da qual precisamos é o Deus que, mais do que nós mesmos, quer ver a sua igreja edificada. E ele tem em abundância.

VERDADE N.º 2: AS PESSOAS GOSTAM DE CONTRIBUIR NAS CIRCUNSTÂNCIAS CORRETAS

ACRs DEVEM COMEÇAR presumindo que as pessoas são predispostas a contribuir. Pense nisso. A premissa oposta é a de que as pessoas são basicamente mesquinhas, avarentas e odeiam ofertar. Acreditar *nisso* inevitavelmente destruirá uma abordagem poderosa do líder ao pedir contribuições. O convencimento por parte de um líder de que seu trabalho é arrancar dinheiro de pessoas radicalmente avessas a se separar deles não será de nenhuma ajuda. Isso o levará a utilizar uma estratégia para o levantamento de fundos que é tanto manipuladora quanto geradora de culpa.

Tal abordagem magoa as pessoas e, com o tempo, destrói igrejas. Mas o levantamento de fundos não tem de ser uma experiência negativa para nenhuma das pessoas envolvidas. Acredito piamente que se as pessoas certas estiverem presentes, com a oportunidade certa, da forma e na hora certa, o resultado será um alegre e generoso derramar de contribuições. O mundo inteiro testemunhou esse princípio nas repercussões do 11 de setembro. Bilhões de dólares foram levantados para as famílias das vítimas, embora os Estados Unidos estivessem no meio de uma assustadora recessão.

Sempre tentei abordar as tentativas de levantamento de fundos em nossa igreja valendo-me de uma perspectiva positiva, que tratasse as pessoas com dignidade. Defino meu objetivo da seguinte forma: oferecer a pessoas maravilhosas uma oportunidade de investir no Reino de Deus, se Deus assim as conduzir. Quem pode argumentar contra uma abordagem como essa?

VERDADE N.º 3: O DESAFIO DE FINANCIAR O MINISTÉRIO DEMONSTRA O CARÁTER DO LÍDER

FICO IMAGINANDO QUANTOS líderes fantasiam, vez por outra, alguém como Bill Gates canalizando alguns bilhões do seu cofrinho para a conta de suas igrejas. Isso seria o nirvana, não é mesmo? O desafio dos recursos seria superado de uma vez por todas. Toda a doação poderia ser investida em uma conta remunerada, e a igreja estaria permanentemente suprida. Isso possibilitaria que o líder continuasse a pregar sua visão e a montar equipes, e também deixaria a congregação respirar um pouco mais aliviada. As pessoas poderiam se concentrar em encontrar seus dons espirituais e a servir sem o aborrecimento de ter de liderar campanhas e iniciativas para a formação de fundos.

Não seria como estar no céu?

Eu não tenho tanta certeza. Na verdade, acredito firmemente que se Bill Gates fosse oferecer uma transferência de um ou dois bilhões para os cofres da Willow, eu iria recusar. (Tudo bem, eu poderia humildemente aceitar um par de centenas de milhões, mas nada com um "b" na frente. Tenho meus escrúpulos.)

O motivo pelo qual não aceitaria a doação é por acreditar que existem enormes benefícios espirituais associados aos desafios financeiros que temos de enfrentar. Às vezes recebo pedidos urgentes de jovens pastores, que escrevem: "Bill, visitamos a Willow, e vimos que a sua igreja está várias centenas de milhares de dólares além do orçamento e estamos apenas no meio do ano. Que tal nos mandar um cheque de uns 100 mil dólares? Vocês nem sentiriam falta, e isso aliviaria bastante a pressão sobre a nossa igreja".

Recebo centenas de pedidos como esse e respondo a todos da mesma maneira: "Deus quer utilizar essa mesma pressão que você está sentindo nesse momento para levar você e seu povo a níveis mais altos de compromisso e confiança".

Em seguida, expando os fundamentos do meu NÃO: "Não estou tentando ser rude. Só quero que saiba que, nos primeiros dias da minha igreja, nada aprofundou tanto a minha confiança na bondade, na graça e no poder miraculoso de Deus, como as pressões financeiras que enfrentávamos todas as semanas; exatamente o mesmo tipo de pressão que você enfrenta hoje. Não subestime o valor do crescimento espiritual, que ocorrerá em você e em sua igreja, à medida que enfrentarem esses desafios na busca de recursos".

OS BENEFÍCIOS DE PASSAR POR PROVAÇÕES

PELA MAIORIA DOS PADRÕES ATUAIS, o lar onde cresci seria considerado abastado. Mas como mencionei anteriormente, quando deixei o negócio da família, meu pai achou que eu deveria sair de mãos vazias. Foi o que fiz. Por isso, quando Lynne e eu fundamos a Willow, não tínhamos nenhum dinheiro. A igreja não pôde nos pagar salário por quase três anos. Eu trabalhava de noite na Water Street Produce Market, no centro de

Chicago, e Lynne dava aulas particulares de flauta. Também, tivemos de dividir nossa casa, de dois dormitórios pequenos, com dois "pensionistas" (fizemos um acordo financeiro altamente sofisticado com eles). Sempre que qualquer um de nós ganhava algum dinheiro, púnhamos uma parte dele em cima da geladeira. Todos os dias oraríamos para que, no fim do mês, houvesse dinheiro suficiente para pagar a hipoteca.

Fizemos isso por três anos e nunca atrasamos o pagamento.

Também nunca deixamos de fazer uma refeição, graças aos amigos anônimos que, de vez em quando, sentiam-se impelidos por Deus a deixar um pacote de compras em frente ao nosso alpendre. Outras pessoas nos deram móveis, sem os quais nossa pequena casa teria ficado praticamente vazia. Jamais havia tido com Deus um relacionamento de tão completa dependência, no que se refere a dinheiro e a necessidades diárias.

Uma única vez nesse período de provações, um amigo de longa data, que trabalhava oito horas por dia com uma furadeira mecânica, ganhando salário mínimo, deu-me algum dinheiro. A generosidade dele me tocou profundamente. Pela primeira vez, experimentei pessoalmente a idéia de interdependência na família de Deus que se encontra em Atos 2. E, o que foi ainda mais importante, derreteu meu orgulho. A família dele havia vivido do lado pobre da mesma cidade do estado de Michigan, onde eu havia crescido do lado rico. Agora, era eu quem precisava de ajuda.

Naqueles anos de escassez, descobri que Deus é absoluta, maravilhosa e firmemente fiel; o supremo cumpridor de promessas. Não creio que tal convicção pudesse ter sido forjada em mim de qualquer outro modo. A escassez pode produzir maravilhosos frutos espirituais.

Quase três décadas depois, ainda recorro aos primeiros dias de luta, quando ensino sobre a fidelidade de Deus. Aqueles anos fizeram a fidelidade de Deus ser mais do que uma teoria para mim.

Naqueles dias desafiadores, a congregação da Willow aprendeu aquelas lições juntamente comigo. Da primeira vez que adquirimos um terreno e construímos edifícios, oramos como nunca tínhamos orado antes. Fazíamos reuniões em nossas casas. Jejuávamos. Muitos de nós transformaram em dinheiro tudo o que tinham. As pessoas venderam condomínios, carros, jóias. Nossa fé cresceu e ficamos unidos como jamais havíamos estado.

Em fevereiro de 1981, realizamos o primeiro culto em nossa sede própria, no novo auditório. Antes do culto, convidei os membros mais íntimos, que tinham sacrificado tanto e confiado em Deus tão completamente, para nos reunir no auditório antes que abríssemos as portas para os demais da congregação. Nunca esquecerei aquela cena. Vários fiéis se abraçavam em pequenos grupos, com os braços em torno uns dos outros, chorando como bebês. Deus fez o impossível, possível. Pelo seu poder sobrenatural, ele havia movido uma montanha de recursos. Nenhum de nós jamais seria o mesmo.

Vários anos atrás, no vigésimo centenário da Willow, promovemos um jantar dos fundadores, para homenagear as trezentas pessoas que nos ajudaram a dar o passo inicial para que saíssemos do teatro para uma propriedade própria. Essas foram as pessoas que sacaram tudo o que podiam nos bancos, venderam seus carros e cancelaram suas férias para financiar nosso primeiro prédio. Naquela noite, discursei para aquele grupo. Quando olhei para o rosto daquela gente, fui tão inundado pelas lembranças de sua extrema generosidade, que comecei a me sentir culpado. Eu lhe disse: "Por favor, desculpem-me por ter pedido a vocês para fazer sacrifícios tão inacreditáveis durante aqueles primeiros anos".

Mais tarde, vários dos fundadores me repreenderam. Disseram-me: "Jamais peça desculpas por ter nos convidado a fazer sacrifícios por algo que passou a significar tanto para nós. Andamos por aqui com a convicção de que Deus nos usou para dar um lar para a Willow Creek. É como se tivéssemos recebido medalhas de honra vitalícias".

Através dos anos, muitos daqueles heróis da providência foram transferidos pelas suas empresas para diferentes partes do país, mas ainda são membros da família Willow Creek. Sempre que ouvem sobre como Deus está usando nossa igreja por todo o mundo, eles têm a satisfação de saber que tiveram um papel importante em fazer isso acontecer, pois foram um dos primeiros canais dos recursos de Deus.

Deixe-me dizer novamente: nada testa mais a bravura de líderes de igreja do que o desafio de buscar recursos. Por isso, melhor que buscar soluções rápidas, prêmios de loteria, ou socorro financeiro do Bill Gates, os líderes devem aceitar o desafio dos recursos de boa vontade, corajosa e esperançosamente. Devemos permitir que as pressões da escassez nos ensinem tudo o que puderem sobre Deus, sobre nosso povo, e sobre nós mesmos.

Com essas verdades básicas estabelecidas, podemos seguir adiante. Os próximos cinco princípios sobre levantar e distribuir verbas são calcados em verdades básicas que já mencionei. Estou convencido, fundamentado em trinta anos de experiência pessoal, bem como em observar outros líderes, de que os que praticarem esses cinco princípios verão um rio de recursos liberados pela glória de Deus, sobre a igreja local.

RECURSOS E O PRINCÍPIO DA EDUCAÇÃO

NOS PRIMEIROS dias da Willow Creek, um amigo, que não freqüentava igrejas, cruzou a linha da fé e começou a assistir aos cultos. Após um dos cultos, ele me perguntou: "Como é esse negócio de cesta de ofertas?".

Sem saber onde ele queria chegar, perguntei o que ele queria dizer. Ele disse: "Não tenho nem idéia de como tudo isso funciona. Quem deve dar, com que freqüência, e quanto?".

Sua pergunta me ajudou a perceber a importância do princípio da educação. A maioria dos líderes presume que todo mundo que vai à igreja conhece a vontade de Deus para assuntos financeiros. Mas a verdade é que muitas pessoas são absolutamente ignorantes quanto aos princípios básicos do gerenciamento financeiro cristão. Líderes e professores precisam educar suas congregações, antes de esperar que eles honrem a Deus com o seu dinheiro e sejam impelidos a ajudar a igreja financeiramente.

Sugiro, veementemente, que líderes e professores de igreja apresentem séries de duas a três semanas de estudos a cada ano, a respeito dos princípios bíblicos de gerenciamento financeiro. Nos Estados Unidos, janeiro é o mês ideal para isso, pois é quando a maioria das pessoas está reconsiderando orçamentos pessoais. Em outros países, poderá haver uma época do ano mais apropriada para tal série de estudos.

Nessas séries sobre administração, precisamos explicar que, de acordo com a Bíblia, ganhar dinheiro é uma boa coisa, enquanto se endividar excessivamente é uma coisa ruim. Devemos explicar que os que seguem a Cristo são chamados para viver conforme seus recursos, a dar um mínimo de 10% de seus ganhos de volta para a obra de Deus em sua igreja local, além de dar aos pobres quando o Espírito Santo lhes tocar.

Tanto fiéis como novos convertidos precisam ser lembrados sobre as práticas do gerenciamento financeiro bíblico, pelo menos uma vez por ano. Na Willow, vamos muito além de uma recordação anual. Todo mês de janeiro, após a série sobre gerenciamento financeiro, oferecemos um seminário complementar sobre planejamento orçamentário. Todos os anos, centenas de pessoas passam a metade do sábado aprendendo como montar um orçamento que honre a Deus.

Também temos um próspero subministério chamado Bom Senso, que fornece treinamento e aconselhamento individual para pessoas que estão tentando alinhar suas finanças com os princípios bíblicos. Os voluntários do ministério Bom Senso trabalham todo o ano, e dão assistência a centenas de pessoas em nossa igreja.[1]

Se você pensar a respeito disso, pouquíssimos pais, atualmente, ensinam aos filhos métodos de gerenciamento financeiro, e poucos, se existirem, são os cursos oferecidos sobre esse assunto nas escolas de ensino médio ou nas faculdades. Onde vamos querer que as pessoas aprendam sobre um assunto tão importante?

Se precisarmos provar que a questão do dinheiro está fora de controle, tudo o que precisamos é olhar as estatísticas de endividamento. Estatísticas recentes demonstram que o endividamento médio nos cartões de crédito, nos Estados Unidos, é de 8 300 dólares. Em um sábado, após ter ensinado sobre os perigos do endividamento no cartão de crédito, um jovem, na casa dos trinta anos, aproximou-se de mim após o culto e disse: "Sou uma das pessoas sobre quem você falou hoje. Estourei o cartão de crédito, e nem mesmo considerei isso um problema. Mas hoje, decidi ir para casa, picar o cartão de crédito e começar a fazer os pagamentos mínimos mensais até que tenha acabado".

"Quanto tempo você acha que vai levar?", perguntei-lhe.

---

[1]Para mais informações sobre Bom Senso, ou para comprar o *kit* do Ministério Bom Senso, visite www.GoodSenseMinistry.com.

Ele admitiu: "Não sei. Minha dívida é muito alta, até mesmo um pouco mais alta que a média nacional que você mencionou. Mas já me comprometi. Vou continuar com esse plano até o fim".

No dia seguinte, fiz os cálculos para uma dívida de 8 300 dólares. Se você fizer o pagamento mínimo referente a esse débito de 8 300 dólares, serão necessários 34,5 anos para quitá-lo. Os juros totalizarão 11 367,14 dólares, e o montante total pago será de 19 667,14 dólares. (Estatísticas retiradas da www.carweb.com.)

A maioria das pessoas não tem idéia da dor associada à má administração financeira. Se nós, líderes, realmente amamos nosso povo, devemos educá-lo e motivá-lo na direção da liberdade financeira. É injusto que esperemos que as pessoas, cujas finanças são causa de mágoa e frustração, sejam canais dos recursos de Deus.

Se você não tem certeza de como abordar esse tópico, pegue e estude os livros e fitas dos líderes que fazem isso muito bem. Aprender a falar sobre esse assunto com clareza e sabedoria é algo que você deve ao seu povo.

RECURSOS E O PRINCÍPIO DA INFORMAÇÃO

Nos primeiros dias da Willow, quando ainda nos reuníamos no teatro, incompetência não me faltava quando se tratava de questões financeiras. Um dos meus maiores erros foi ter falhado em dar informações adequadas às pessoas.

Certa vez — quando estávamos tão além do nosso orçamento semanal, que eu não via praticamente nenhuma esperança de sobrevivência financeira tanto para a igreja quanto para Lynne e eu, pessoalmente — decidi fazer algo drástico. No encerramento do sermão matinal de domingo, anunciei para toda a congregação que iria me ausentar por algum tempo. "Eu não tenho mais como suportar as pressões financeiras desta igreja", disse. "Tenho de me ausentar para refletir sobre o assunto, e não tenho certeza de quando vou voltar. Algo tem de mudar, porque estamos afundando financeiramente, e parece que ninguém, além de mim, está se importando com essa situação".

Com essa "brilhante" exposição de liderança, desci do púlpito. Em segundos, fui cercado por pelo menos trinta pessoas, todas dizendo a mesma coisa: "Nós não sabíamos. Por que não nos disse nada? Por que não nos deixou ajudar? Amamos esta igreja. Queremos ajudar na solução".

Amontoados na base da escada dos bastidores, estas pessoas genuinamente preocupadas fizeram algumas perguntas muito inteligentes sobre as condições financeiras da igreja. "Quanto tem que haver na coleta semanal? Exatamente para onde vai o dinheiro? Quem toma as decisões? Quem planeja os orçamentos futuros? Como podemos resolver?"

Naquele dia, fiz um curso forçado sobre o princípio da informação. As pessoas querem e merecem saber. Elas não podem ajudar, a menos que saibam.

Daquele dia em diante, decidi expor tudo diante do nosso povo. Quando digo "tudo", é tudo mesmo. Na Willow, concluímos que não existem boas razões para sermos sigilosos a respeito de finanças, por isso, temos uma política de livro aberto.

Todos os anos, na Noite da Visão, anuncio para a congregação o orçamento estabelecido pela nossa diretoria. Utilizo todos os recursos visuais possíveis para esclarecer onde estamos, como igreja, e para onde vamos no futuro. Em seguida, abro espaço para perguntas e respostas, e não há nenhuma pergunta proibida. Além disso, qualquer membro pode ter um balanço que passou por uma auditoria, explicando para onde foi cada centavo doado para a Willow Creek Community Church.

Como você pode perceber, sou fanático por transparência financeira. Por quê? Porque qualquer coisa inferior à transparência total causa suspeita, e nada fecha a torneira dos recursos mais rápido do que a suspeita. Se não há nada a esconder, por que o sigilo? Por que não simplesmente expor tudo? Na Willow não há nenhum pequeno item do qual nos envergonhemos, nada que precisemos manter escondido. Aconselho vigorosamente todo líder de igreja a agir dessa forma.

RECURSOS E O PRINCÍPIO VDA

A MAIORIA DAS PESSOAS JÁ DEVE CONHECER este princípio: "Vá direto ao assunto!". Em outras palavras, seja direto, não complique.

A experiência me ensinou que a arquiinimiga da arrecadação de fundos é a complexidade. Quando ouço a respeito de igrejas tentando organizar várias campanhas de arrecadação de fundos ao mesmo tempo — realizadas com lavagem de carros, *walk-a-thons** e reuniões festivas com panquecas, patrocinadas por subministérios que competem entre si — tenho vontade de gritar para avisá-los: "Não façam isso!". Segundo o que tenho visto, a complexidade no levantamento de fundos é uma das formas mais eficientes de fazer com que as pessoas parem de contribuir. Não é apenas confusa, mas também estimula a percepção de que a igreja sempre recebe seus donativos.

Secundariamente, acredito que metade das estratégias para levantamento de fundos empregadas nessas igrejas são antibíblicas. Sinto muito, mas é assim que penso. A Bíblia não ensina que uma igreja deva ser financiada por meio de vendas de assados ou bingos. (Para ser sincero, eu não sinto muito não.)

O povo da Willow precisa compreender apenas dois grupos de números. O primeiro conjunto é a estimativa das ofertas semanais, comparadas às ofertas semanais reais. Todas as semanas publicamos as estimativas da época e os números reais, no boletim informativo que distribuímos nos cultos semanais. Dessa forma, cada membro pode monitorar exatamente como estamos indo.

O segundo conjunto de números que o povo da Willow precisa acompanhar é referente ao nosso desafio do final do ano. Todos os anos, quando nos aproximamos do feriado de Ação de Graças e do Natal, apresentamos à congregação as necessidades específicas tanto das parcerias na cidade quanto do braço internacional da Willow Creek Association. Também podemos pedir à congregação donativos suplementares destinados para a compra de propriedades adicionais ou para programas de construção. Durante esse desafio anual de seis semanas, apresentamos uma meta financeira concreta e, a cada semana, mantemos a congregação informada do progresso em direção ao objetivo. Mas não arrastamos o processo durante meses e fazemos de tudo para mantê-lo simples.

*Caminhadas premiadas com doações segundo a extensão. Os participantes firmam seu patrocínio antecipadamente de acordo com a distância percorrida. (N. do T.)

Deixe-me acrescentar o seguinte: também aplico o princípio VDA às normas dos relatórios financeiros. Se recebo um relatório da diretoria, ou uma planilha do departamento financeiro, que não posso entender, devolvo. Lembro-os de que sou um pastor e não um contador, e então peço para refazer o relatório para mim "na linguagem dos burros". Se não puder compreender, como terei a capacidade de informar à congregação? Como conseguirei explicar as indagações de ordem financeira que sempre são formuladas pela congregação no período de perguntas e respostas?

Quando se trata de questões financeiras, a complexidade mata.

RECURSOS E O PRINCÍPIO DO DISCIPULADO ESTRATÉGICO

EM QUASE TODAS AS IGREJAS existem pessoas que sofrem de opulência. Infelizmente, a maioria dos líderes não sabe como se relacionar com tais pessoas.

Muitos pastores sentem-se tão intimidados diante das pessoas abastadas, que as evita para proteger a própria insegurança. Outros se preocupam tanto em ser totalmente imparciais, que evitam pessoas abastadas como se fossem uma praga. Outros ainda, com interesses pessoais em mente, tornam-se camaradas de pessoas abastadas na esperança de receber privilégios para si mesmos, e talvez um pouco de dinheiro para a igreja.

Mais cedo ou tarde, todo o líder terá de decidir como ele ou ela se relacionará com pessoas com grandes recursos. Minha abordagem ao longo dos anos tem sido me encontrar com pessoas com recursos significativos e convidá-las a entrar no jogo. Se elas estiverem longe de Deus, tento levá-las a um relacionamento salvífico com Jesus Cristo como faria com qualquer um. Se forem espiritualmente imaturos, tento ajudá-las a crescer. Se forem solitárias, encorajo-as se juntar a um pequeno grupo, de forma que possam experimentar uma comunidade cristã. Se estão à parte, tento ajudá-las a descobrir seus dons espirituais, para que possam se tornar totalmente engajados no trabalho da igreja. Resumindo, tento discipulá-las. Ao longo do tempo, também lembro-as das palavras de Jesus, que disse: "A quem muito foi dado, muito será exigido".

No decorrer dos anos, minha mensagem primordial para os cristãos ricos tem sido esta: com um grande patrimônio vem uma enorme responsabilidade no Reino de Deus. Se forem receptivos, explico mais detalhadamente o que isso significa. Algumas (mas não todas) pessoas abastadas possuem o dom espiritual da contribuição, mas poucas compreendem as implicações disso. Informo para elas que as Escrituras ensinam que pessoas com o dom espiritual da contribuição devem ganhar tanto dinheiro quanto puder, viver o mais modestamente possível e canalizar todo o dinheiro que for possível para a obra de Deus neste mundo. Essa é a essência do dom espiritual da contribuição (Rm 12.8).

Líderes precisam se posicionar de igual para igual com pessoas de recursos que possuem o dom da contribuição e dizer: "Deus lhe deu esse dom por uma razão. Você terá de prestar contas pelo desenvolvimento e pela utilização desse dom como terei pelo dom que Deus me deu".

Anos atrás, falei com um homem na Willow que admitia ter o dom espiritual da contribuição. Anteriormente, diante de mim, ele tinha se gabado de que só tinha de trabalhar um ou dois dias da semana, jogando golfe o restante do tempo. Impelido pelo Espírito Santo, perguntei-lhe se estava desenvolvendo seu dom ao máximo do seu potencial. Contei-lhe que vivo com um sentimento, quase esmagador, de responsabilidade pelos três dons que Deus me deu: liderança, evangelismo e ensino. Expliquei-lhe quão seriamente quero ouvir o elogio de Deus: "Muito bem, Bill. Você otimizou os dons espirituais que confiei a você. Bom trabalho!".

Então, provoquei-o, perguntando-lhe se estava pronto para levar seu dom espiritual da contribuição tão a sério como eu levava os meus.

Para seu mérito, ele aceitou aquele desafio e começou a dar muito mais do que seu dízimo semanal. Desde os primeiros anos iniciais de 1992, ele tem me encontrado toda véspera de Natal, e me dado um envelope com um cheque considerável, destinado aos ministérios de assistência aos necessitados. "Enquanto você se mantiver fiel aos seus dons", ele sempre me diz, "eu me manterei fiel ao meu. Estamos nisso juntos, irmão". Sempre lhe escrevo de volta, e agradeço por levar seu dom a sério.

Um dos trabalhos dos líderes é ajudar as pessoas com o dom espiritual da contribuição a entrar no jogo e a compreender que são responsáveis perante Deus "pelo muito que lhes tem sido dado".

Todas as vezes que posso ajudar um jovem rico e poderoso a se livrar da tirania da cobiça, de forma que possa alavancar recursos para aquilo que mais importa, sinto como se Deus tivesse me usando para algo muito importante. Pessoas que foram discipuladas e convidadas a usar o dom da contribuição, podem fazer um grande bem para o Reino de Deus pelo resto da vida.

Recentemente, recebemos uma das maiores doações já recebidas na história da nossa igreja. Foi dada por um indivíduo que acredita de todo o coração na missão da igreja local. Quando ele viu o que a Willow Creek Association estava fazendo para treinar líderes de igrejas ao redor do mundo, foi movido a dar. Tenho a sua permissão para partilhar o que ele escreveu no bilhete que acompanhava o seu donativo.

> Nos últimos oito meses, Deus abriu meus olhos para o "quê" e o "porquê" da Willow. Ao mesmo tempo, Deus tem me ensinado o que para você tem sido óbvio há muito tempo: que a igreja local é a esperança do mundo.
>
> Então, quero ser um daqueles que ajudam a financiar essa fase do desenvolvimento da WCA. Esse é o tipo de oportunidade para doar que venho tentando há bastante tempo encontrar. Receba esta doação com todo o amor e use-a do modo mais lucrativo para o Reino.

Existem muitas pessoas como a que escreveu esse bilhete; pessoas com o dom da contribuição, que tem "tentado há bastante tempo encontrar" uma oportunidade para doar a uma causa na qual realmente acreditem. Tudo o que tem impedido a muitos de contribuir é o fato de nunca terem sido discipulados, não terem sido jamais convidados para o jogo e nunca terem sido desafiados a levar seu dom a sério. Líderes, é nosso trabalho fazer isso.

RECURSOS E O PRINCÍPIO DA VISÃO

EU NÃO SEI SE você já reparou nisso, mas são poucas as pessoas que se empolgam em financiar necessidades mundanas. Não as culpo. Se elas forem como eu, vão querer investir seus limitados recursos em uma visão muito mais grandiosa do que pagar contas do serviço público, reabastecer suprimentos de manutenção ou manter a máquina copiadora da igreja. Eles não doarão seu bônus anual na oferta da véspera de Natal, a menos que tenham alguma certeza de que isso fará grande diferença no mundo. O que lhes interessa é saber que seu dinheiro suado será usado para financiar um autêntico ministério que realmente fará diferença na vida das pessoas.

Na recente campanha de capitalização da Willow, minha esposa e eu demos o maior cheque da nossa vida. E demos com enorme alegria e entusiasmo. Por quê? Porque ficamos realmente estimulados pelo bem que a nossa doação iria fazer. Sabíamos que parte dela iria financiar a expansão das instalações da igreja, outra parte iria subsidiar os custos da Estratégia Ministerial Regional, que iria alcançar milhares de pessoas na área da grande Chicago; uma outra parte iria possibilitar que o Ministério Ampliado da Willow atendesse mais pessoas em condições de pobreza; e o que sobrasse possibilitaria que a Willow Creek Association treinasse mais líderes de igreja ao redor do mundo.

Sabíamos disso, porque a liderança da Willow havia divulgado uma clara visão do futuro da igreja. Eles contaram histórias, exibiram figuras, escreveram músicas e nos guiaram em orações que inflamaram nosso coração por essas causas. Quando chegou a hora de preencher o cheque, nossa maior frustração foi não poder dar mais.

Este é o princípio da visão em ação.

As pessoas não ofertam para organizações ou para outras pessoas. Elas ofertam para visões. Quando líderes que compreendem isso, aplicam-se a passar uma imagem para as pessoas, ajudando-as a compreender o proveito resultante de seus esforços coletivos para o Reino de Deus, as pessoas ficam livres para liberar alegremente recursos financeiros. E, geralmente, quanto mais magnífica a visão, maior a doação.

Recentemente, convidei um homem, que se juntara a nossa comunidade havia pouco tempo, para ajudar a Willow Creek Association. Uma vez que ele não tinha qualquer familiaridade com o ministério dessa associação, sabiamente passou um tempo perguntando sobre o que iríamos fazer com o seu dinheiro. À mesa do almoço, passei para ele a nossa visão.

"Queremos ajudar a cada igreja no planeta Terra, a alcançar seu pleno potencial redentor", eu disse. "Queremos ver igrejas lideradas por líderes, ensinadas por professores e administradas por administradores. Queremos ajudar líderes de igreja a estabelecer valores e missões nítidos, de forma que possam alcançar as pessoas perdidas em suas comunidades e guiá-las em direção a maturidade espiritual. Até o último suspiro, queremos ajudar a noiva de Cristo a se tornar uma força contra a qual as portas do inferno não podem prevalecer".

Quando finalmente parei de falar, ele estava com os olhos arregalados. "Isso é grande!", ele disse.

"Pode apostar a sua vida nisso", eu respondi. "E precisamos de alguns grandes investidores para transformar essa visão em realidade. Você irá orar para descobrir se Deus deseja que você nos ajude?".

Ele orou, e Deus o impeliu a aplicar um pouco dos seus recursos na nossa visão. Mas o que poderia ter acontecido se eu tivesse dito a ele que nossa visão era comprar algumas túnicas novas para o coral de igrejas apáticas ou trocar o estofamento de bancos de igrejas que existem apenas para os já convertidos? O meu palpite é que tal visão não teria conseguido capturar seu coração. As pessoas amam contribuir para visões cativantes; para visões grandiosas que enaltecem a Deus e que prometem fazer uma grande diferença neste mundo.

Então, quando você está levantando fundos para a igreja local, lembre às pessoas de que você está construindo algo que representa a esperança do mundo. Incuta visões estimulantes, grandiosas e que honrem a Deus. Imprima brilhantes imagens na mente das pessoas. Então ore como nunca e, se prepare, porque as pessoas vão contribuir mais do que você espera.

Antes de fechar este capítulo, gostaria de oferecer algumas diretrizes sobre o financiamento dos funcionários da igreja.

RECURSOS HUMANOS: A DIRETRIZ DA RETRIBUIÇÃO JUSTA

EM LUCAS 10.7, JESUS afirma que o trabalhador merece o seu salário. Isso ensina aos líderes de igrejas que os funcionários devem ser pagos com justiça. Os que servem fielmente a igreja em posições significativas devem ser pagos à altura.

Na minha opinião, a qualidade das pessoas necessárias para suprir a igreja do futuro com uma liderança competente e experiente forçará a maioria das congregações a repensar completamente seus programas de remuneração. A diretriz da retribuição justa nos impeliu recentemente a fazer isso na Willow.

Após avaliar nosso quadro de funcionários, concluímos que tínhamos muitas pessoas piedosas e competentes, que trabalhavam incansavelmente pelo Reino, cuja remuneração não era proporcional ao valor da sua contribuição. Então, nomeamos um comitê de remuneração, para reestruturar toda a estrutura de pagamento até que o Espírito Santo nos desse paz em relação à adequação da remuneração. Embora levasse quase um ano para terminar esse processo, os pastores auxiliares e a diretoria acreditavam, justificadamente, que devíamos aos nossos funcionários essa cuidadosa avaliação e o conseqüente aumento de salário.

Recursos humanos: a diretriz do boi sem mordaça

Em Deuteronômio 25.4, Deus diz: "Não amordacem o boi enquanto está debulhando o cereal". Para nossos propósitos, isso poderia ser traduzido da seguinte forma: "Dê aos membros do seu quadro de funcionários as ferramentas das quais necessitam para realizar o que você quer que realizem".

Na função de ACR, um líder possui a responsabilidade de se certificar que seus funcionários tenham o necessário para realizar suas funções a contento. A única forma de providenciar isso é fazer a pergunta correta: "O que você precisa para aumentar sua eficiência? Precisa de mais espaço no prédio? Mais dólares para o ministério? Melhores equipamentos? Treinamento adicional? Meio expediente, talvez?

Os funcionários precisam saber que o ACR está fazendo tudo ao seu alcance para proporcionar as ferramentas que eles necessitam para progredir.

Certa vez, nos primeiros dias da Willow, nosso diretor de música ficou muito desanimado. Em todos os cultos, ele tocava num piano elétrico usado, com uma meia dúzia de teclas quebradas. Ele já não suportava a frustração. Certo dia, o ouvi espancando aquele teclado, tentando fazer uma específica tecla funcionar, e gritando: "Isto é loucura! Não posso mais agüentar isso! Como se pode esperar que eu faça uma música digna neste lixo?".

Ainda tinha certeza de que seus lápis especiais eram desnecessários, mas até eu sabia que a situação do piano estava ficando grave. Caminhei do meu escritório até seu minúsculo local de trabalho e disse: "Veja, Dave, se você continuar a escrever músicas e a formar a equipe de vocalistas, vou tentar resolver o problema do piano. Só me dê algum tempo".

Logicamente, não tínhamos nenhum dinheiro para o piano. Ainda estávamos fazendo pagamentos de 5 dólares pelo carpete do escritório. Então orei: "Deus, tenho um companheiro de equipe, com uma necessidade que só o senhor pode suprir. Por favor, atenda a nossa necessidade".

Algumas semanas mais tarde, uma nova família da igreja convidou a mim e a Lynne para jantar. Entrei na sala de estar e lá estava um pequeno, negro e brilhante piano! Fiquei olhando para o piano durante todo o jantar. De vez em quando, ainda que a conversa não fosse sobre música, eu fazia perguntas sobre o piano. "Há quanto tempo você possui o piano?" E aí, até mesmo de forma súbita: "Alguém o toca ou é principalmente para decoração?". Lynne entendeu e começou a me chutar por baixo da mesa.

Finalmente, no fim da noite, o anfitrião disse o que todas as pessoas mais velhas dizem aos jovens esforçados pastores: "Se houver alguma coisa que eu possa fazer por você...". Antes que ele tivesse tempo de terminar a frase, soltei de uma vez: "Precisamos de um piano! Exatamente como aquele ali!". Lynne quase desmaiou. Ela ficou com aquele olhar chocado no rosto que dizia: "Eu não acredito nisso. Não posso levá-lo a lugar nenhum!".

Cerca de uma semana depois, entretanto, o anfitrião ligou e disse que ele e sua esposa tinham conversado sobre o assunto e que gostariam muito de doar o piano para a igreja. Eles preferiam pensar em seu lindo piano liderando pessoas durante o culto a acumular poeira em sua sala de estar.

Nunca vou esquecer o dia em que eles contrataram uma transportadora para levar o piano, e entregaram aquele majestoso piano negro nos escritórios da igreja. O olhar no rosto de Dave, enquanto o piano passava pela soleira da porta dizia tudo. Ele não estava somente admirado por ter alcançado, pela graça de Deus, as necessidades da sua música de forma tão espetacular, mas estava profundamente grato a mim por ter levado suas necessidades a sério e pelo esforço que fiz para encontrar a ferramenta que o ajudaria a multiplicar a eficiência de seu ministério.

O esforço de um líder no sentido de adquirir as ferramentas para seus funcionários melhora, inevitavelmente, o moral e a harmonia da equipe. Isso também depende da fé do líder na habilidade de Deus em suprir as necessidades dos funcionários. Tenho visto, por várias e várias vezes, Deus abrir as janelas dos céus, a fim de suprir todo o tipo concebível de ferramenta necessária ao aumento da eficiência da nossa equipe de funcionários.

RECURSOS HUMANOS: A DIRETRIZ DA DUPLA HONRA

EM 1TIMÓTEO 5.17, Paulo instrui a igreja a dar dupla honra aos que lideram e ensinam bem. No linguajar de hoje, isso significa o seguinte: "Faça seus jogadores-chave muito felizes. Descubra o que poderia emocionar seu coração, e então percorra céus e terras para agraciá-los com isso".

A Willow possui um quadro de funcionários inacreditável. Ao longo dos anos, em resposta à diretriz da dupla honra, meu pastor-executivo e eu organizamos listas de presentes que honrem duplamente: tempo adicional de férias, prêmios financeiros dignos, interessantes oportunidades de viagens e extraordinárias opções de treinamento. Estou constantemente procurando por quaisquer coisas que honrem duplamente os membros das equipes, que tenham vencido um período ministerial especialmente difícil, ou alcançado uma meta especialmente exigente.

Não quero apenas suprir membros dos ministérios. Quero suprir sua alma. É por isso que pratico o princípio da dupla honra.

O PAGAMENTO DE PASTORES: A DIRETRIZ DA SABEDORIA

AS PESSOAS NORMALMENTE se sentem confusas quanto ao pagamento dos pastores. Algumas pensam imediatamente no apóstolo Paulo, que fazia tendas a fim de não ser financeiramente pesado aos primeiros cristãos. Denomino muitas dessas pessoas — que freqüentemente servem em diretorias de igrejas — de "grupo da barraca". Querem que os pastores façam barracas, durmam em barracas e morram em barracas — você entende o que quero dizer.

Um contraste total ao "grupo da barraca" são aqueles que acreditam nos pregadores da prosperidade da TV. Pastores e diáconos dessa espécie possuem o convencimento de que um pastor com uma enorme conta bancária e, freqüentemente, com um ego equivalente, trará honra tanto para Deus como para a igreja. Os resultados são escandalosos salários e benefícios pastorais.

A maioria das igrejas fica entre esses dois extremos, e muitos pastores possuem conflitos pessoais a respeito disso. Por um lado, acreditam que deveriam sofrer de alguma forma pela causa de Cristo. O pensamento de que os líderes espirituais que vieram antes deles realmente derramaram sangue para promover o Reino de Deus faz com que seus sacrifícios sejam comparativamente insignificantes. Por outro lado, as crianças precisam de aparelho para os dentes, o telhado tem vazamentos, os freios do carro estão gastos. Como os pastores podem se sustentar sem um pagamento razoável?

O único princípio que quero sugerir a respeito da remuneração do pastor é chamado "diretriz da sabedoria", e veio diretamente dos lábios de Jesus: "... sejam astutos como as serpentes", ele disse, "e sem malícia como as pombas" (Mt 10.16).

Essa diretriz desafia todos aqueles que participam da discussão salarial a exercitar uma mentalidade sóbria e uma sabedoria conservadora. Isso significa uma avaliação cuidadosa de todas as variáveis relativas ao salário do pastor: Qual o tamanho da congregação? Qual o tamanho do quadro de funcionários? Qual o âmbito de responsabilidade? Quantos anos de devotado serviço foram prestados? O pastor tem demonstrado constante melhora na liderança e na pregação? Ele possui necessidades familiares específicas? A lista poderia continuar.

Tal diretriz supõe que pessoas cheias do Espírito Santo podem conversar de modo aberto, construtivo e amoroso a respeito dessas questões, até que todos (incluindo o pastor) cheguem a um consenso e possam honestamente dizer: "Juntos, buscamos a sabedoria de Deus e acreditamos que ele nos guiou". O objetivo é sugerir uma substanciosa — mas não escandalosa —

provisão para o pastor, que "cheire bem" tanto para os de dentro como para os de fora da igreja.

Quero terminar este capítulo com uma observação bastante pessoal. Nos 27 anos de pastorado à frente da Willow Creek Community Church, tenho sido tratado de forma extremamente bondosa pelos pastores auxiliares e pelos membros da diretoria. Nos primeiros anos da igreja, eles não tinham como me pagar e isso lhes partia o coração. Conforme a igreja foi se fortalecendo financeiramente, começaram a pagar-me com alegria, de acordo com a diretriz da sabedoria.

Adicionalmente a um salário apropriado, a Willow também supriu a mim e a minha família com assistência médica e um generoso plano de aposentadoria. Também recebi um local de trabalho adequado e oportunidades de treinamento que me ajudaram a crescer como líder e professor. Na verdade, de acordo com minhas lembranças, todas as vezes que solicitei qualquer coisa para o melhoramento do meu ministério, a resposta sempre foi SIM.

Além disso, tenho recebido uma pequena conta de despesas para que possa levar funcionários e líderes leigos a jantares de agradecimento. (Eles vigiam aquela conta de despesas como águias, e não foi aumentada em quinze anos, mas está lá!) Também, mediante um acordo com um negociante de carros local, a igreja me ofereceu um transporte seguro. Tenho sido suprido com a melhor assistência executiva do mundo para ajudar-me nos meus afazeres.

Por fim, o dispositivo que provavelmente aprecio mais que os outros é, sem dúvida, minhas férias de verão anuais para estudos. Anos atrás, comecei com uma semana; agora, normalmente, fico fora do escritório da igreja por quase oito semanas a cada verão. Nessas semanas, continuo a liderar o ministério por meio de telefonemas, fax, *e-mails* e reuniões fora da sede com membros de equipes; mas meu expediente de trabalho é grandemente reduzido e tenho bastante tempo para leitura, recreação e relacionamentos. Esse tempo fora não somente recarrega minhas baterias físicas, emocionais e espirituais, mas, em retrospectiva, percebo que foi uma das maiores contribuições à minha vida familiar. Tenho certeza de que parte dos motivos pelos quais meus filhos, já crescidos, amam a Deus, a igreja, a mim e a Lynne e um ao outro, é que todos os verões ao longo de sua infância, a Willow nos deixou tempo para que relaxássemos como uma família.

O que quero dizer é que me sinto o pastor mais abençoado do planeta. O nível de atenção que tenho recebido através dos anos tem me motivado a dedicar cada vez mais do meu tempo e energia para a igreja. Não é assim que devia ser? Anseio pelo dia em que cada pastor de cada igreja seja tratado da mesma forma que sou, sentindo-se tão grato e motivado quanto eu.

Como posso resumir este capítulo? Creio que a última linha seja esta: Líderes, não se intimidem diante do desafio dos recursos. Mergulhem nele de cabeça. Aprendam com ele. Deixem Deus aumentar sua fé mediante esse desafio. Por último, sonhem comigo com o dia em que um rio de recursos será derramado sobre as igrejas locais ao redor do mundo, de modo que a obra de Deus possa prosperar.

CAPÍTULO SEIS

Desenvolvendo Líderes em Potencial

Quando os líderes estão em sua melhor forma

POUCAS OCASIÕES MINISTERIAIS ME AGRADAM MAIS, atualmente, que me refugiar com vários outros líderes de igrejas a fim de enfrentar os desafios da liderança. Uma pergunta que costumo propor nas discussões é: "Quando é que os líderes estão na sua melhor forma?". Esta pergunta sempre gera uma conversa animada, em parte porque não existem muitas respostas cabíveis.

Alguém, normalmente, começa sugerindo que os líderes estão na sua melhor forma quando estão desempenhando funções de liderança, como divulgar visões que honram a Deus, montar equipes, estabelecer metas, resolver problemas e levantar fundos. Quando são o modelo de liderança exemplar, é então que os líderes se distinguem.

Outra pessoa se apressa em lembrar ao grupo que liderança envolve mais que demonstrar habilidades. Os líderes devem demonstrar caráter. Quando os líderes manifestam traços de fidedignidade, imparcialidade, humildade, disposição para o trabalho e tolerância por um tempo bem longo, e quando provam que são inabaláveis em tempos de crise, é aí que os líderes estão na sua melhor forma.

A essa altura, outras vozes começam a pipocar, adicionando que o que mais importa é o componente espiritual da liderança. Os líderes estão na sua melhor forma quando estão trabalhando em comunhão com Deus.

Quando estão humildemente prostrados perante o Pai celestial, reconhecendo a soberania dele, escutando seus conselhos, submetendo-se a sua liderança e, então, corajosamente executando as suas ordens, é aí que os líderes estão na sua melhor forma.

No momento em que o nível de energia na sala já está alto o suficiente, dou a minha opinião: "Acredito que os líderes estão na sua melhor forma quando suscitam líderes em torno de si. Em outras palavras, quando criam em torno de si uma cultura de liderança".

Quando observo um líder cuja antena de radar fica tentando localizar um líder em potencial, ou quando vejo um líder mais experiente investindo tempo e energia para treinar e fortalecer um líder mais jovem, tenho certeza de que estou diante de um líder na sua melhor forma.

Estou seguro de que os líderes devem fazer disso uma de suas maiores prioridades. Por quê? Porque somente líderes podem desenvolver outros líderes e criar uma cultura de liderança. Os professores, os administradores e as pessoas com o dom da misericórdia não podem fazer isso. Somente líderes podem multiplicar o impacto da liderança, suscitando mais líderes.

Pense sobre isso. Quando um líder não apenas desenvolve o próprio potencial de liderança, mas também extrai o potencial de diversos outros líderes, o efeito de uma vida no Reino de Deus é multiplicado exponencialmente. Isso produz muito mais fruto que uma única realização da liderança poderia alcançar. O impacto da vida desse líder será sentido por muitas gerações vindouras. Você vê por que acredito que isso define a liderança na sua melhor forma?

Neste capítulo, gostaria de explicar como um líder cria uma cultura de liderança e deixa um legado de líderes bem-treinados.

O DESENVOLVIMENTO DA LIDERANÇA REQUER UMA VISÃO

SEM VISÃO, NADA DE IMPORTANTE PODE SER ALCANÇADO. Acredite-me. O desenvolvimento da liderança nunca acontece acidentalmente. Isso somente ocorre quando algum líder possui ardente visão sobre essa questão; quando a sua pulsação dobra ao simples pensamento de injetar no sistema organizacional um fluxo constante de líderes competentes.

Antes que desenvolvêssemos uma clara visão sobre o desenvolvimento da liderança na Willow, sentimo-nos na armadilha que enlaça muitas igrejas: a da necessidade urgente. Durante anos, quase todos os esforços se concentravam em alcançar a necessidade imediata do próximo culto, do próximo evento de evangelização, do próximo esforço pelos pobres, do novo programa de construção. Nunca tivemos uma pausa longa e suficiente para pensar sobre a futura liderança. Como a identificaremos? Como a desenvolveremos? Estará preparada para enfrentar os desafios do amanhã?

Acredite-me, em organizações extremamente velozes e intensas — na maioria das igrejas que conheço da Willow Creek Association, e em outras culturas eclesiásticas que se encaixam perfeitamente nessa descrição —, o desenvolvimento da liderança sempre escorrega para o fim da agenda, a não ser que líderes maduros a forcem para cima.

Esse fator é o que atualmente limita o crescimento da Willow. Embora tenhamos finalmente desenvolvido uma visão clara do desenvolvimento de líderes, ainda estamos nos primeiros estágios do processo de nos apossar dessa visão. Alguns dos nossos líderes mais experientes abraçaram a idéia de todo o coração; outros ainda não chegaram lá. Recentemente, um grupo de consultores externos usou a frase "um incômodo necessário" para descrever como a maioria dos nossos funcionários via o desenvolvimento de lideranças. Embora fosse desanimador ouvir que essas pessoas consideram o desenvolvimento da liderança um incômodo, o fato de considerarem-na necessária é um passo na direção certa.

Há poucos anos, estava partilhando reminiscências com nosso diretor de pequenos grupos, a respeito da celebração do vigésimo aniversário da Willow, que foi comemorado no United Center,* no centro de Chicago. Ele disse: "Não seria incrível se algum dia tivéssemos tantos líderes de pequenos grupos, a ponto de termos de usar o United Center para o retiro anual de líderes de pequenos grupos? Já imaginou ter 20 000 líderes de pequenos grupos?". Para mim, visualizar aquilo era como receber uma injeção de adrenalina.

---

*Anfiteatro com mais de 180 000 m², destinado à realização de grandes eventos culturais, desde reuniões religiosas a jogos de basquete e hóquei. (N. do T.)

Imagine como uma igreja seria forte se tivesse uma grande banca de líderes competentes em cada área do seu ministério, de pequenos grupos até o ministério infantil para a formação espiritual. Isso somente acontecerá se os líderes engendrarem uma visão irresistível. Na Willow, ainda falta muito para precisar do United Center para o retiro dos nossos líderes de pequenos grupos, mas todos os anos temos de procurar por instalações cada vez maiores a fim de acomodar o crescente núcleo de liderança. E quem sabe, após mais dez ou quinze anos desenvolvendo líderes, possamos passar um dia ou dois onde Michael Jordan fez história no basquetebol.

Criar uma visão é, logicamente, apenas o início. O próximo desafio é engendrar uma estratégia para transformar essa visão em realidade. Para estimular o raciocínio a respeito de tal plano, deixe-me propor uma pergunta: Como é que você acabou se tornando um líder?

Existem muitas respostas possíveis para essa pergunta, mas conversando com muitos líderes, descobri três tópicos em comum. Esses tópicos nos dão uma base para uma estratégica prática para o desenvolvimento de líderes.

Alguém notou nosso potencial

Lembrando ou não, é extremamente provável que, em algum ponto do seu passado, alguém tivesse reparado em algo da sua personalidade que você possivelmente nem sabia que estava lá. Pondo a mão em seu ombro, aquela pessoa disse: "Acho que você podia ser um líder".

Para mim, essa pessoa foi meu pai. Quando era apenas um rapazinho, ele me disse que eu era um líder. Para desenvolver aquele potencial, ele intencionalmente me colocou em todos os tipos de situações desafiadoras e de alto risco, mesmo estando ainda em tenra idade. Suas palavras de despedida eram sempre: "Você é um líder. Você vai resolver". Na verdade, suspeito que se tratava de uma desculpa para não ter de me treinar ou orientar em qualquer coisa. Seu curso de desenvolvimento de liderança consistia em me atirar na parte mais funda da piscina e gritar: "Nade ou afunde!".

Anos mais tarde, o diretor de um acampamento cristão viu potencial de liderança em mim. Ele me pôs em um treino acelerado ao designar-me líder de outros líderes, quando ainda era adolescente. Lembro-me de ter questionado sua avaliação sobre aquilo. Perguntei-lhe por que achava que os outros líderes com o dobro da minha idade iriam seguir minhas instruções. Ele disse: "Bill, liderança é mais em função da capacidade do que da idade. Se você liderar com competência, as pessoas de qualquer idade seguirão suas instruções". Aquele conselho foi muito útil naquele verão, e vinha com freqüência à minha mente nos primeiros anos da Willow.

Tente lembrar. Não foi assim que começou para você? Não houve alguém que percebeu o potencial de liderança em você, dizendo-lhe então para se adiantar e enfrentar o desafio?

ALGUÉM INVESTIU EM NÓS

O SEGUNDO TÓPICO EM COMUM que os líderes identificam na sua jornada em direção à liderança é que alguém investiu em nós. Talvez quem observou inicialmente potencial para liderança em nós, tenha também nos desenvolvido. Ou talvez, alguém mais, ao longo da nossa vida, tenha realmente feito o trabalho de desenvolvimento. Mas todos chegamos onde estamos hoje porque alguém nos descobriu, orientou-nos e nos mostrou como liderar.

Anos atrás, o dr. Bilezikian, o professor universitário cuja estimulante visão da igreja me arrastou inicialmente para o ministério, também se tornou um importante mentor para mim. Ele me ensinou sobre a liderança que serve, os usos (e os perigos) do poder, sobre o controle de conflitos e sobre como trazer consenso às equipes. Freqüentemente, tento imaginar onde estaria como líder, se não houvesse tido aquelas lições inestimáveis no início do meu ministério.

Todos os líderes eficientes, com quem já conversei, podem apontar alguém no seu passado que sacrificou tempo e energia para fazê-los crescer como líderes. Os presentes que recebemos dessas pessoas é algo cujo valor jamais poderíamos subestimar.

Recentemente, após um longo dia de trabalho na igreja, estava caminhando no estacionamento, em direção ao meu carro. À distância, vi o dr. Bilezekian. Pulei no meu carro e emparelhei com o dele. "Gil, eu era apenas uma criança quando você concordou em se encontrar comigo após a aula no Trinity College. Era apenas um garoto quando você me convidava para sua casa em Wheaton, preparava minhas refeições e falava por horas e horas sobre a igreja. Eu era somente um garoto quando você me deixava telefonar para você tarde da noite, ao enfrentar uma dificuldade na liderança. Mas os investimentos que você fez em mim mudaram a minha vida".

Ele sorriu de forma sábia, e piscando um olho, falou: "Ah... Você ainda é apenas um garoto! Mas obrigado!".

Precisamos lembrar e honrar as pessoas que fizeram inestimáveis investimentos no desenvolvimento da nossa capacidade de liderança. Devemos deixar que essas lembranças nos motivem a fazer o mesmo papel na vida de outro líder.

ALGUÉM NOS CONFIOU RESPONSABILIDADES

OS LÍDERES MENCIONAM UM TERCEIRO tópico em comum ao serem perguntados sobre como se tornaram líderes. Alguém arriscou e disse: "Eis o bastão da liderança. Creio que você está pronto para tomar conta disso. Eis uma tarefa. Acredito que você pode realizá-la. Eis um cargo. Estou certo de que você pode preenchê-lo". Felizmente, ofereceram algum treinamento quando estávamos começando e ficaram por perto o suficiente para assegurar que seríamos bem-sucedidos. Mas líderes não se tornam líderes até que alguém ponha responsabilidade em suas mãos e diga: "Vá!".

Um plano de desenvolvimento de liderança terá de abordar estas três fases:

1. Identificar líderes em potencial.
2. Investir no desenvolvimento de líderes em potencial.
3. Confiar responsabilidades a líderes em potencial.

O PLANO DE DESENVOLVIMENTO DE LIDERANÇA DE JESUS

BASEANDO-ME NO QUE LEIO nas Escrituras, Jesus passou por essas três fases ao suscitar discípulos e outros líderes em potencial. Primeiro, repare em como ele selecionou seus discípulos. Ele não apenas disse: "Eis uma linha. Os primeiros doze rapazes que passaram por ela, são os escolhidos". Não, ele escolheu seus discípulos cuidadosamente. Levou tempo, e ele orou fervorosamente antes de escolhê-los. Jesus sabia que, num futuro não muito distante, estaria passando a liderança da igreja do Novo Testamento para eles. Ele tinha de ter certeza de que havia escolhido pessoas com potencial para assumir aquela responsabilidade.

Após Jesus ter identificado todos os doze, rapidamente passou a um período de intenso investimento na vida deles. Jesus passava tempo com eles. Ele os ensinava, educava, confrontava, motivava, repreendia e inspirava.

Então, meses depois, quando soube que se tratava do momento certo, passou à terceira fase do desenvolvimento de liderança. Ele confiou aos discípulos uma autêntica responsabilidade ministerial e os treinou para serem eficientes.

Seu plano funcionou maravilhosamente. Vale a pena copiar.

Às vezes, imagino quanto impacto a igreja estaria tendo neste mundo, se os líderes de igrejas fossem mais conscientes a respeito do desenvolvimento de lideranças. Mais líderes poderiam lançar mais ministérios, que poderiam alcançar mais necessidades. Mais vidas poderiam ser transformadas espiritualmente. Mais casamentos e famílias poderiam ser restaurados. Mais recursos poderiam ser distribuídos aos pobres. Você pode ao menos imaginar? Em vinte anos, o mundo poderia ser um lugar diferente.

Mas isso não acontecerá a menos que assumamos o compromisso de encontrar potenciais líderes e desenvolvê-los.

Nas poucas páginas que se seguem, quero descrever as necessárias qualidades que procuro em líderes potenciais.

Primeira qualidade: influência

Líderes potenciais sempre possuem habilidade natural para influenciar os outros. Mesmo que não haja a intenção consciente de liderar as pessoas, eles automaticamente exercem influência.

Eu não tenho de ficar muito tempo em um grupo de pessoas para identificar o homem ou mulher que influencia o resto do grupo. Torna-se evidente quem é a pessoa cujas idéias capturam a atenção dos outros, cujas sugestões se tornam uma ordem a ser cumprida e cuja sabedoria é mais respeitada.

A liderança, na sua essência, trata-se de influenciar pessoas. Então, estou sempre procurando pessoas que tenham a habilidade de influenciar seus pares.

SEGUNDA QUALIDADE: CARÁTER

MUITAS PESSOAS COM INFLUÊNCIA não possuem o caráter necessário para usar essa influência de modo construtivo ou cristão. Uma vez que tenha distinguido alguém com influência, tento discernir se aquela pessoa possui honestidade, humildade, estabilidade, capacidade de aprendizado e integridade para conduzir bem essa influência. Como estou habitualmente procurando por líderes para a igreja, busco evidência de um sincero caminhar com Deus, uma entrega ao Espírito Santo e um comprometimento com a autoridade da Palavra de Deus.

Quando encontro uma pessoa que aparenta ter tanto influência quanto sólido caráter, intensifico minha busca pelas três qualidades restantes.

TERCEIRA QUALIDADE: HABILIDADES PESSOAIS

MINHA DEFINIÇÃO DE "HABILIDADES PESSOAIS" inclui sensibilidade para com os pensamentos e sentimentos dos outros e a habilidade de ouvir — e digo ouvir realmente — as idéias dos outros. Procuro por pessoas que genuinamente se importam com as outras pessoas; que consideram os outros mais que um meio para alcançar um fim.

Alguns anos atrás, almocei com o homem que, muitos predizem, será o próximo presidente da Disney. O que me impressionou, mais que todas as suas outras esplêndidas habilidades de liderança, foi a aptidão para se relacionar com os outros. Ele ouviu atentamente e cumprimentou calorosamente outros membros de equipes. Dava toda a evidência de conseguir passar em qualquer teste de inteligência relacional com louvor.

Líderes superiores devem possuir essas habilidades pessoais. Devem conseguir se relacionar agradavelmente com uma ampla gama de pessoas: desde pessoas com um comportamento peculiar, até pessoas que possuem problemas com o poder e deficiências de auto-estima. Assim, sempre procuro por líderes que tenham habilidades bem desenvolvidas para lidar com pessoas.

Quarta qualidade: garra

TAMBÉM PROCURO por pessoas pró-ativas, que se sentem confortáveis em tomar a iniciativa. São aquelas pessoas que, num restaurante, são as primeiras a dizer: "Vamos fazer o pedido. Ao trabalho".

Certa vez, fui convidado pelo presidente de uma grande corporação para me juntar a ele e a sua equipe principal de executivos para um jantar. Ele havia selecionado um restaurante muito caro e reservado uma sala privativa. Aquele estabelecimento, extremamente sofisticado, possuía todas as indicações de que oferecia uma boa refeição, incluindo um garçom trajando *smoking*, com um sotaque europeu fajuto e uma toalha sobre o braço. Este indivíduo aparentemente nos viu como sua audiência cativa, e começou um comprido discurso sobre a história do restaurante, suas reformas recentes e sobre quão maravilhosa seria a experiência gastronômica que estávamos a ponto de desfrutar.

Pensei que meu anfitrião-presidente fosse subir pelas paredes. Aquele jantar era apenas um dos cinco itens da sua agenda, que ainda tinham de ser cumpridos naquela noite. Por fim, ele não pode mais esperar. Interrompeu o discurso promocional e disse: "Com licença. Desculpe-me por interrompê-lo, mas estamos com um pouco de pressa. Você poderia entrar na cozinha e trazer qualquer coisa que esteja quente, para que possamos comer imediatamente? Sei que toda a comida é maravilhosa aqui, por isso não me importo com o que você trará, contanto que você traga rápido. Muito obrigado".

Aquele presidente não estava tentando ser rude. Mas não estava disposto a deixar que a demora daquela experiência gastronômica pusesse em perigo os outros itens da sua agenda que precisavam de atenção naquela noite.

Em razão disso, ele tomou uma atitude imediata, uma iniciativa de alterar os planos. Não estou sugerindo que haja qualquer coisa errada em longos jantares; no momento certo, eles podem ser maravilhosos. A minha afirmação é que bons líderes fazem as coisas acontecerem.

No trânsito, pessoas pró-ativas passam a maior parte do tempo na pista expressa. No supermercado, são os que puxam mercadorias das prateleiras sem ao menos interromper o passo, porque querem terminar rapidamente a tarefa a fim de prosseguir para algo mais importante que as compras.

Sempre digo aos potenciais funcionários da Willow que não estou procurando por lâmpadas de 60 *watts*. Procuro por lâmpadas de 100 e de 200 *watts*, que poderão ficar acesas a noite toda se for necessário. Estou falando de garra. Estou falando a respeito de pessoas que possuem tanta energia que estimulam os outros mesmo sem tentar.

O versículo da minha vida é 1Coríntios 15.58: "... mantenham-se firmes, e que nada os abale. Sejam sempre dedicados à obra do Senhor...". Procuro por líderes com a garra necessária para se dedicarem à obra do Senhor. Quando acho esse tipo de pessoa, fico altamente motivado em investir meu tempo e energia em seu desenvolvimento.

A ÚLTIMA QUALIDADE: INTELIGÊNCIA

QUANDO DIGO QUE estou procurando por inteligência, não quero necessariamente dizer que procuro por altas médias do SAT," ou por um diploma de uma das universidades da Ivy League** . O que procuro em potenciais líderes é rapidez mental. Procuro por pessoas tarimbadas com o tipo de sagacidade mental necessária para processar grandes quantidades de informação, classificá-las, avaliar todas as opções e, via de regra, tomar a decisão correta. Também procuro por alguém com uma mente ávida e curiosa — o que chamo "elasticidade intelectual" — que possa aprender e crescer ao longo do percurso.

Esses cinco indicadores de liderança — influência, caráter, habilidades pessoais, garra e inteligência — não formam uma lista detalhada. Mas fornecem um bom modelo para uma avaliação inicial. Quando acho pessoas com todas ou com a maioria dessas qualidades, começo a calcular formas de trazê-las para perto de mim, para que possa conhecê-las melhor e verificar minhas observações iniciais. Se verifico que elas têm a "substância" que procuro, faço o melhor que puder para tê-las na trilha do desenvolvimento o mais rápido possível.

*Scholastic Aptitude Test [Teste de Avaliação Acadêmica], cuja nota se aceita largamente para o ingresso em universidades, substituindo o vestibular. (N. do T.)

**Liga de universidades formada na década de 1930, com interesses comuns acadêmicos e desportivos, incluindo as universidades de Brown, Columbia, Cornell, Dartmouth, Harvard, Pennsylvania, Princeton e Yale. (N. do T.)

Agora, vamos olhar o começo do seu plano de desenvolvimento de liderança.

Primeira fase: Redija sua lista das cinco principais qualidades

Deixe-me sugerir uma tarefa que, creio, vai ajudar você a adaptar um plano de desenvolvimento de liderança para seu contexto. Primeiro, para definir as qualidades que são importantes para você na identificação de líderes em potencial, que tal pegar a lista sugerida por mim e realizar uma reunião especial com sua equipe de liderança? Juntos, decidam se o critério de identificação que uso é apropriado para o seu contexto. Personalize a lista, adicionando ou suprimindo o que for necessário, conforme decisões da sua equipe. O objetivo do exercício é que você e sua equipe estabeleçam o critério que lhe ajudará a identificar líderes em potencial ao seu redor.

A seguir, sugiro que você faça o que fizemos recentemente em uma reunião da equipe de administração. Usando um *flip chart*, escrevemos as palavras POTENCIAIS LÍDERES DA WILLOW, no topo de uma enorme folha de papel. Pedimos, então, aos membros da equipe, para que preenchessem a página vazia com o nome de pessoas com grande potencial de liderança. Em meia hora, tínhamos várias páginas preenchidas com o nome de líderes em potencial. Na hora seguinte, discutimos formas de fazer com que essas pessoas se desenvolvessem; formas que pudessem ajudá-las a pôr em prática seu pleno potencial de liderança.

Segunda fase: investindo em potenciais líderes

Uma vez que você já tenha feito a lista com as cinco principais qualidades e que tenha identificado pessoas com potencial de liderança o próximo passo é o investimento. Este é o desenvolvimento premeditado ou o estágio de treinamento.

Exatamente como tornar essa fase mais eficiente é uma questão extremamente discutida ainda hoje pelas teorias de desenvolvimento da liderança. Já li dezenas de livros sobre esses tópicos, e até mesmo os especialistas discordam. Alguns advogam um processo curricular de desenvolvimento da liderança: "Ponha-os em uma sala de aula. Ensine-os a liderar".

Outros especialistas dizem: "Besteira. Esqueça a sala de aula. O que se precisa é de um processo tutorial. Líderes precisam de treinamento de campo".

Ainda outros especialistas aconselham: "Basta identificar líderes com alto potencial, dar-lhes um trabalho a fazer, e eles descobrirão por si mesmos o que significa ser um líder". (Essa era a abordagem do meu pai; apenas jogue o garoto lá fora e deixe-o dar um jeito!)

Enquanto as teorias sobre o desenvolvimento da liderança diferem, uma coisa é certa: é preciso um líder para desenvolver outro líder. Isso você pode guardar como um postulado. Deixe-me dizer novamente: líderes aprendem melhor com outros líderes.

Normalmente hesito quando as pessoas me pedem para participar de programas de desenvolvimento de lideranças. "Como isso vai funcionar?", pergunto. Se eles dão a típica resposta "Vamos trazer Joe Shmo (com doutorado nisso ou naquilo) para ensinar liderança", digo a eles o mesmo que falo para todo mundo: "A maioria dos bons líderes não vai querer participar desse programa, porque Joe Shmo não é um líder, mas um professor. Ele pode ser um grande professor, mas, na verdade, nunca liderou qualquer coisa. Verdadeiros líderes querem mais do que teoria de tipos professorais. Querem estar em torno de outros líderes, que têm realmente estado no jogo; líderes com algumas manchas de sangue em seus uniformes".

Para líderes em potencial se tornarem experientes, sábios e eficientes, precisam de proximidade e interação com líderes veteranos. Isso pode acontecer de diversas formas diferentes, mas tem de acontecer. Na época de Jesus, era comum que os líderes em treinamento simplesmente seguissem o líder veterano disponível. Eles conversariam, caminhariam e tomariam refeições juntos e dormiriam em tendas vizinhas. Gastariam meses e, às vezes, até anos, com a aprendizagem. Isso os permitiria interiorizar a visão e os valores do líder veterano, de modo que esses valores lhes seriam úteis pelo resto da vida.

Ainda que aquela abordagem do desenvolvimento da liderança fosse básica e intensiva, era muito eficiente. Não tenho certeza se uma melhor abordagem foi descoberta nos séculos que se passaram desde aquela época. Os estilos de vida e os padrões de trabalho da atualidade fazem com que essa abordagem pareça impraticável quando examinada superficialmente. Mas a verdade é que não há substituto para o investimento pessoal. Aqueles dentre nós que são líderes mais experientes devem ordenar sua vida de forma a achar tempo para investir na próxima geração de líderes. Isso é nossa responsabilidade. Estaremos pondo em perigo a igreja e o mundo se não levarmos essa responsabilidade a sério.

Fiquei chocado ao descobrir que Jack Welch, o ex-presidente da General Eletric, gastava (apertem seus cintos!) 30% do seu tempo atuando no desenvolvimento de liderança com líderes em potencial da General Eletric — 30%!

Ao entrevistar e falar com a elite dos líderes empresariais ao redor do país, surpreendi-me ao descobrir a quantidade de tempo que dedicavam ao desenvolvimento da liderança.

Jim Mellado, o presidente da Willow Creek Association, tem sido um constante chato (ou como Provérbios diz: "o gotejar constante") no que se refere a esse assunto. Ele tem sido implacável ao insistir que eu invista mais tempo orientando pastores e líderes que possuem alto potencial. Então, nos últimos anos, dobrei a quantidade de tempo investida nisso. Atualmente, dedico cerca de dez dias por ano na orientação de grupos de potenciais líderes de igrejas.

Em um desses dias dedicados ao aconselhamento, encontrei-me com um grupo de dez ou doze pastores. A estrutura é livre. No princípio, partilhei umas poucas lições de liderança que aprendi ao longo do tempo. Daí, acelerei a conversa para um debate, e passamos o resto do dia tentando ajudar uns aos outros a superar os desafios da liderança que estávamos enfrentando.

Isso nunca falha. Após ter liderado uma dessas sessões de aconselhamento que duram o dia todo, sempre volto para casa seguro de que dei a mais valiosa contribuição para o Reino de Deus que poderia ter dado naquele dia. Quando as avaliações retornam, são freqüentemente tão comoventes que Jim as lê para mim, para sua equipe e para a diretoria da Willow Creek Association a fim de relembrar a todos a importância do desenvolvimento da liderança. Essas sessões de aconselhamento são alguns dos mais intensos eventos que fazemos.

O modo pelo qual os líderes vão investir em líderes potenciais vai variar imensamente. Alguns líderes vão começar (como faço) aconselhando pequenos grupos de jovens líderes. Outros poderão desenvolver um currículo a ser usado em situações de orientação. Alguns poderão ensinar e escrever mais a respeito da questão da liderança.

Mas seja qual for o modo escolhido, a verdade básica permanece: líderes aprendem melhor com outros líderes. Faz parte da responsabilidade dos líderes mais experientes suprir as oportunidades necessárias para que a próxima geração de líderes seja treinada e esteja pronta para enfrentar os desafios do futuro.

Terceira fase: confiar responsabilidades a líderes em potencial

Pergunte a especialistas que trabalham no desenvolvimento da liderança qual é o melhor estimulante para o crescimento de um líder, e todos responderão em uníssono: "Faça-o liderar alguma coisa". Ninguém pode se desenvolver como líder sem liderar na prática, enfrentando os desafios da vida real.

Após Jesus ter identificado e investido em seus potenciais líderes, chegou o momento em que ele disse: "Peguem suas coisas, rapazes. É hora do *show*. Chegou a hora do vai ou racha. É o momento de nadar ou de afundar".

E Jesus não buscou minimizar o desafio que apresentou aos discípulos. Lembre-se das palavras dele em Mateus 10.16: "Eu os estou enviando como ovelhas entre lobos". O que Jesus queria dizer? "Esse negócio é coisa séria. As apostas são altas. A possibilidade de falha é real. E não vou protegê-los de todos os riscos. Vocês terão de sair. Terão de liderar". E eles conseguiram!

A questão é a seguinte: Uma vez que identificamos líderes em potencial e que também os formamos, treinamos e preparamos adequadamente devemos então confiar responsabilidades práticas a essas pessoas. Devemos passar ao líder em potencial uma relevante posição de liderança no Reino de Deus — não uma pretensa tarefinha, ou um desafio que ofereça pouco perigo — mas algo que fará seu pulso acelerar; algo que faça com que ele se sinta acreditado, valorizado e tido em alta estima; algo que o fará cair de joelhos e clamar pela ajuda de Deus; algo que exigirá o melhor que ele tiver a oferecer.

A verdade é que nós, líderes, vivemos para desafios de alto risco! Ansiamos pelo tipo de objetivos no Reino de Deus que nos fazem ofegar e engolir a seco. Isso não é verdade para os que não são líderes; geralmente preferem manter o nível de desafio (e estresse) baixo. Foi assim que Deus os fez. Mas líderes desejam o tipo de responsabilidade no Reino de Deus que exige tudo o que eles têm a oferecer.

Qualquer coisa inferior a isso é desmotivante. Por isso, devemos dar aos líderes em potencial, estimulantes oportunidades de liderança no Reino de Deus as quais sejam de alto risco.

Por todo lugar que viajo ao redor do mundo, encontro funcionários de igrejas competentes e colaboradores leigos empolgados. O potencial de liderança dessas pessoas sai pelos poros; é evidente a uma milha de distância. Mas muitas dessas pessoas quase desistiram de ser encarregadas de um desafio no Reino de Deus. Olho para elas enquanto estou falando sobre liderança e vejo aquele anseio familiar em seus olhos. Sei o que estão pensando: "Se alguém ao menos investisse em mim, ou ao menos me treinasse, ou ainda apenas me desse uma oportunidade, sei que poderia ser relevante com a minha vida. Sei que poderia liderar algo que vale a pena ser liderado. E faria tudo o que pudesse para liderar eficientemente. Se alguém ao menos me desse a oportunidade".

Recentemente, um empresário amigo meu ligou e disse: "Estava agradecendo a Deus por você esta manhã. O que mais gosto em você, Bill, é que você me convidou para um jogo. Durante anos, fiquei sentado em um banco da Willow. Mas você me disse para pôr um terno e começar a me preparar. Até que um dia, você me deu uma genuína responsabilidade no Reino de Deus. E eu amei. Por isso, tudo o que quero lhe dizer hoje é: 'Obrigado por ter me deixado entrar no jogo'. Até mais". E desligou.

Vou me lembrar daquele telefonema por muito tempo.

Líderes, por favor, entendam isto: eu e você estamos no melhor da liderança quando 1) fornecemos desafiadoras e empolgantes oportunidades no Reino de Deus a líderes em treinamento; 2) quando apoiamos esses líderes em desenvolvimento e os incentivamos; 3) quando os ajudamos a resolver problemas e oramos por eles; e 4) quando os orientamos em níveis superiores de eficiência. Isso é liderança na sua melhor forma.

O que mantém um líder motivado

O que me motiva como líder, mais que qualquer outra coisa, é ver líderes que ajudei a se desenvolverem, disparar como líderes no Reino de Deus. Amo ver pessoas, em quem investi tempo e energia, frutificando, influenciando, glorificando a Deus e amando o que fazem.

Sue Miller é o tipo de pessoa que me incentiva a seguir desenvolvendo líderes. Sue, uma ex-professora de escola pública, juntou-se ao nosso quadro há anos, para liderar a "Terra Prometida", o ministério infantil da Willow. Após ter recrutado centenas de voluntários para a Terra Prometida, e de ter desenvolvido um currículo de ponta, Sue assumiu a liderança de um movimento mundial dedicado ao ministério infantil. Vários meses atrás, participei de uma reunião, onde Sue ministrou para três mil obreiros do ministério infantil, de todas as partes do mundo. Fiquei em pé, nas sombras, no fundo do recinto, refletindo sobre o desenvolvimento de Sue como líder e me derramando em lágrimas.

Sinto-me igualmente empolgado com pessoas como Jon Rasmussen. Ele era um empresário de nossa igreja, que não achava que tivesse muita coisa a oferecer. Mas eu pensava diferente. Então investi meu tempo nele, treinei-o e o encorajei a crer que Deus lhe tinha dado o dom da liderança. Com o tempo, ele assumiu a liderança de um programa de construção da Willow, envolvendo dezenas de milhares de metros quadrados e dezenas de milhões de dólares. Assistir Jon liderando alegre e eficientemente foi uma das mais gratificantes experiências da vida adulta.

Também há a nossa diretora de programação, Nancy Beach. Conheci Nancy quando ela estava com quinze anos de idade, cursando o ensino médio. Ela estava acabando de descobrir que possuía uma habilidade inata para liderar. Através dos anos, eu a vi construir uma comunidade de artistas na Willow e então inspirar artistas por todo o mundo a usar seus dons para a edificação da igreja. Eu não teria perdido isso por nada no mundo.

O que me mantém estimulado como líder? É assistir um advogado abandonar seu lucrativo ofício para liderar uma revolução de pequenos grupos aqui na Willow e ao redor do mundo. É assistir um ferramenteiro reduzir seu envolvimento na empresa a fim de ajudar a revitalizar a igreja na Alemanha. É assistir um jovem, formando da escola de administração de Harvard, dedicar sua vida à renovação da igreja por todo o mundo ao liderar a Willow Creek Association.

Nada me estimula como isso. É claro que ainda aprecio o desafio de exercer a liderança. Mas quanto mais velho fico, mais compreendo a oportunidade e a responsabilidade de ajudar outros líderes a achar seu lugar e a alcançar seu pleno potencial.

A PRÓXIMA GERAÇÃO DE LÍDERES EM POTENCIAL

RECENTEMENTE, Deus fez com que eu sentisse mais claramente a minha relação com a próxima geração de líderes em potencial de maneira muito pessoal. Shauna, minha filha, após ter se formado na faculdade, sentiu o chamado de Deus para trabalhar no Impacto Estudantil, o ministério da Willow dirigido aos adolescentes. Há alguns meses, ela e sua equipe se reuniram em nossa igreja para planejar seu primeiro retiro para quinhentos estudantes. Eles passaram horas planejando e orando sobre como organizar atividades recreativas, estruturar experiências de adoração e tornar o ensino aplicável aos estudantes.

Quando chegou o fim de semana do retiro, era óbvio que Deus tinha operado. Centenas de estudantes tiveram suas vidas transformadas, compromissos foram firmados e relacionamentos foram formados e aprofundados.

Após o retiro, Shauna dirigiu quase 260 km ao redor do lago Michigan, com o único propósito de vir a nossa casa de campo contar-me tudo a esse respeito. As lágrimas escorriam pela sua face, enquanto ela me contava como Deus havia operado. Sabia exatamente o que ela havia experimentado. Lembrei-me claramente do que era ser um jovem líder, e perceber que havia sido usado por Deus; lembrei-me claramente do que era ver algo planejado por você produzir resultado em algo melhor que seus mais ambiciosos sonhos, porque Deus tinha operado de forma poderosa; lembrei-me claramente como algo assim poderia derreter o coração de jovens líderes.

Experimentar Deus operando por meio do meu dom de liderança ainda sacode o meu âmago de tempos em tempos. Mas ver a mesma coisa ocorrendo por meio da minha filha... vê-la decolando... ver a próxima geração de líderes abrir suas asas e começar a voar — isso é realmente o melhor que há na liderança.

Quaisquer que sejam os desafios a serem enfrentados pelas nossas igrejas nos anos vindouros, espero que possamos enfrentá-los confiantemente, sabendo que fomos sábios o suficiente para investir na próxima geração de líderes. Não há nada que líderes experientes possam fazer que tenha mais impacto do que isso. Não importa o que façamos, precisamos criar culturas de liderança. Devemos identificar líderes em potencial, investir neles, dar-lhes responsabilidades no Reino de Deus e orientá-los em direção à eficiência. Então, cada um de nós poderá experimentar a emoção de vê-los levantar vôo.

Isso será a liderança na sua melhor — muito melhor — forma.

CAPÍTULO SETE

DESCOBRINDO E DESENVOLVENDO SEU ESTILO DE LIDERANÇA

A chave para a liderança de alto impacto

PUS A MINHA MÃO EM SEU OMBRO E DISSE: "Vejo em você qualidades de liderança. Você devia desenvolver seu potencial dado por Deus". Ele respondeu balançando a cabeça, sem palavras, ainda que sorrisse perante a possibilidade. A expressão no seu rosto dizia tudo. Podia imaginar as razões conflitantes da sua resposta. Na sua mente, um líder era alguém que se postava confiantemente diante das multidões, divulgando uma visão e motivando as massas; uma pessoa nascida para prosperar na vida pública. Ele simplesmente não imaginava que se encaixa no modelo.

E ele não se encaixava, de nenhuma forma, àquele modelo específico. Mas eu não o tinha interpretado mal. Ele *era* um líder.

Através dos anos, aprendi que a liderança possui, na verdade, muitas faces. O homem em quem identifiquei potencial de liderança, apenas tinha um estilo de liderar diferente do tipo mais comum de liderança, ao qual ele havia se comparado. Ao longo do tempo, à medida que seu estilo de liderar combinou com uma adequada necessidade de liderança na sua igreja, ele se tornou um líder leigo extremamente influente.

Diferentes estilos de liderança são o assunto do revelador livro chamado *A certain trumpet* [*Um certo trompete*], de Garry Wills. Em seu livro, Wills descreve diferentes estilos de liderança e apresenta a teoria de que, historicamente, certos líderes tiveram uma influência incomum porque seus estilos pessoais de liderança combinavam perfeitamente com uma necessidade específica na sociedade.

Ele afirma, por exemplo, que quando um determinado segmento da sociedade precisa se libertar do jugo da opressão, um líder radical é convocado para isso — um líder transformador.

Na cultura americana, Harriet Tubman foi exemplo de líder dessa estirpe. Como uma escrava fugitiva, ela se tornou, ao lado de outras pessoas, uma guia ativa, ou condutora, da "Underground Railroad".* Respeitosamente conhecida como "Moisés", ela teve grande impacto, porque seu estilo de liderar satisfez a necessidade emancipacionista da sociedade, de uma liderança ousada o suficiente para abraçar o ideal da libertação.

Qual o tipo de líder que melhor se ajusta às necessidades de uma complexa democracia pluralista como a dos Estados Unidos? Wills argumenta que pessoas como Lee Iacocca ou Norman Schwarzkopf — líderes com um estilo autocrático de liderança — seriam desastrosos. O mais adequado seria alguém que pudesse formar gradualmente um consenso ao longo de uma ampla base eleitoral, formando finalmente uma coalizão nacional. É por isso que homens como Washington, Lincoln e Roosevelt foram líderes tão populares e eficientes; seus estilos de liderança combinavam bem com as necessidades de uma complexa sociedade pluralista.

Wills afirma que em tempos de guerra, um estilo militar de liderança funciona melhor; por isso, um Napoleão vai direto ao topo. Em épocas de intensa luta ideológica, uma nação é melhor servida por um líder intelectual, que pode ajudar a sociedade a refletir sobre questões complicadas de forma coletiva. Um exemplo de líder intelectual é Vaclav Havel, o escritor e ativista social, que após o colapso do comunismo, foi eleito presidente da Checoslováquia, e mais tarde da República Checa, servindo como uma força ética e moral na política da nação.

A fascinante abordagem de Wills apoia uma observação que tenho feito, há muitos anos, a respeito de líderes de igrejas. Líderes diferentes, freqüentemente lideram com estilos totalmente diferentes. Conforme o meu entendimento, todos possuem o dom espiritual da liderança, mas expressam esse dom de várias formas.

---

*Complexo sistema de fuga de escravos, montado pelos estados do Norte, antes e durante a guerra civil americana. (N. do T.)

Ademais, certos estilos de liderança adaptam-se melhor que outros às necessidades específicas do Reino de Deus. Estou cada vez mais convencido de que líderes altamente eficientes são freqüentemente influentes não apenas por serem altamente talentosos, mas também porque seus estilos de liderança combinam perfeitamente com específicas necessidades ministeriais. Conseqüentemente, descobrir e desenvolver estilos de liderança específicos é outro importante segredo da eficiência na liderança.

Ao ler este capítulo, eu o convido a tentar identificar seu estilo de liderança e o estilo de outros líderes da sua equipe. Assim, imagine como você e os membros da sua equipe poderiam ter um impacto ainda maior se combinassem seus estilos particulares com as específicas necessidades de liderança na sua igreja.

1. O ESTILO DE LIDERANÇA VISIONÁRIO

O QUE DIFERENCIA O LÍDER visionário é o fato de ter em mente uma figura cristalina do que o futuro pode guardar. Esse tipo de líder prega poderosas visões e possui um entusiasmo infatigável para tornar essas visões em realidade.

Líderes visionários não sentem qualquer inibição em apelar a toda e qualquer pessoa para subir a bordo de sua visão. Eles falam e escrevem sobre ela e inflamam-se em si mesmos. São líderes idealistas e cheios de fé, que crêem de todo o coração que, se pregarem sua visão com clareza e freqüência suficiente, *ela vai se tornar realidade*. Eles não são facilmente desencorajados ou dissuadidos. Pessoas que lhes dizem que sua visão não é possível, apenas alimentam o fogo do seu espírito. Eles respondem à oposição batendo o pé e aumentando ainda mais a sua voz. Ponha-os diante de um grande número de pessoas e eles exibirão a visão para todo mundo.

Líderes visionários podem, ou não, possuir a habilidade natural para formar equipes, alinhar talentos, estabelecer metas, ou administrar o progresso em direção à realização de sua visão. Para serem eficientes ao longo do extenso caminho, ou terão de achar outras pessoas que possam ajudá-los, ou terão de trabalhar arduamente para desenvolver as habilidades que não lhes são naturais. Mas uma coisa é certa: eles transmitem a visão e pregam a visão, atraem as pessoas para ela, e morrerão tentando realizá-la.

Você conhece alguém com o estilo de liderança visionário? Seria você ou alguém na sua equipe?

2. O ESTILO DE LIDERANÇA DIRECIONAL

O ESTILO DE LIDERANÇA DIRECIONAL não carece de longa definição, mas é sumamente importante. A força desse líder é sua misteriosa habilidade, dada por Deus para escolher o caminho certo para uma organização quando ela chega a um impasse decisivo.

O que quero dizer com isso?

Um impasse decisivo é quando uma organização, um departamento, ou uma igreja começa a perguntar: "Devemos manter esse curso ou é hora de mudança total de rumo? Devemos nos concentrar no crescimento ou na consolidação? Devemos começar novos ministérios ou devemos aprofundar e melhorar os existentes? Devemos construir novas instalações, reformar as antigas ou nos mudar? Devemos iniciar um estilo moderno de culto ou atualizar nosso culto tradicional? Devemos iniciar um ministério direcionado para pessoas entre 18 e 29 anos de idade ou trabalhar mais ativamente para integrar visitantes mais jovens nos ministérios existentes? Devemos fazer uma alteração de quinze graus no curso que estamos trilhando, para um dos lados? É o momento de renovar o *staff* ou devemos seguir em frente com os que nos trouxeram até aqui? Qual curso devemos tomar?".

Essas são perguntas direcionais e são imensas; tão grandes que freqüentemente imobilizam uma igreja ou um subministério. Mas um líder com estilo direcional tem a capacidade de escolher entre todas as opções. Ele ou ela pode avaliar cuidadosamente os valores da organização, a missão, os pontos fortes e os fracos, os recursos, o pessoal e a capacidade de aceitação para mudanças. Com extraordinária sabedoria, o líder direcional coloca a igreja ou um subministério na direção correta.

Esse estilo de liderança é extremamente importante porque erros em momentos decisivos podem arruinar organizações. No Antigo Testamento, logo após a morte de Salomão, seu filho Roboão tornou-se rei. Quase que imediatamente, o novo rei enfrentou seu primeiro impasse decisivo. Representantes do povo do seu reino vieram requisitar que a carga de trabalho fosse reduzida. Salomão havia feito o povo trabalhar quase até a exaustão. Deveria Roboão fazer o mesmo?

Quando Roboão consultou seus conselheiros, recebeu um conselho confuso. Enquanto os conselheiros mais velhos o aconselharam a reduzir a carga de trabalho, os mais novos reagiam com "Aumente-a!". Infelizmente, ele deu ouvido às vozes mais jovens e tomou a decisão errada em um momento crítico. Isso destruiu o reino.

Um impasse. Uma escolha. Mas muito pode estar na balança, para uma igreja ou um ministério, nesses momentos decisivos.

Líderes direcionais podem ou não ser conhecidos em uma organização. Podem ter ou não a capacidade de enfrentar o público e se destacar em uma liderança pública. Mas seu estilo exclusivo traz uma contribuição extremamente importante para o todo.

Existem duas pessoas da nossa diretoria às quais consulto particularmente, antes de tomar uma decisão em um momento crítico. Ainda que valorize as observações de todos os membros da diretoria, sinto-me muito desconfortável em tomar uma decisão sobre questões importantes, sem que esses dois membros tenham me dado luz verde. Por duas vezes, nos primeiros anos da minha liderança, antes que compreendesse a contribuição desse estilo de liderar, recusei os conselhos desses dois homens. Nas duas vezes, a Willow pagou caro. Desde esse momento, aprendi a acatar líderes direcionais experientes.

Surpreendentemente, nenhum desses líderes direcionais se sente confortável falando em público. Nem exibem muitos outros sinais de liderança. Mas são gigantes direcionais, dois dos heróis secretos da Willow.

3. O ESTILO DE LIDERANÇA ESTRATÉGICA

LÍDERES ESTRATÉGICOS POSSUEM A habilidade divinal de pegar uma empolgante visão e fragmentá-la em uma série de fases alcançáveis e seqüenciais. Esse dom de liderança possibilita a uma organização marchar de forma consciente para a concretização de sua missão.

Visões empolgam e inspiram as pessoas. Elas impelem à ação. Mas a menos que as pessoas vejam algum progresso rumo a concretização dessa visão, concluirão que o pregador dela não passa de um sonhador que constrói castelos na areia, e seu moral irá despencar.

Líderes orientados estrategicamente formam um plano estratégico que todos podem compreender e do qual todos podem participar. Em seguida, desafiam os membros da equipe a "realizar o plano". Eles dizem: "Não saiam pela tangente. Não se distraiam. Apenas ponham um pé na frente do outro de acordo com o plano. Então, amanhã, dêem o próximo passo, e em seguida, o próximo. Sigam o plano e alcançarão o objetivo". E é isso o que acontece sob uma liderança estratégica: o plano estratégico faz da visão uma realidade.

Um líder estratégico também vai se esforçar para alinhar os vários subgrupos de uma organização, de forma que toda a energia da organização se concentre na realização da visão.

Como mencionei anteriormente, em meados de 1990, senti a necessidade de desenvolver um planejamento estratégico de cinco anos para a Willow. Sabia, todavia, que não era o líder para organizar aquele esforço. Por quê? Eu não sou um estrategista muito forte. Por isso, pedi ao meu pastor-executivo, Greg Hawkins, para encabeçar aquele esforço, uma vez que ele é o líder estratégico mais bem preparado da nossa equipe. Greg não somente desenvolveu e apresentou o plano, mas o gerenciou até ser concluído. Ninguém na nossa equipe era mais bem qualificado para assumir aquele papel.

Toda igreja e toda organização precisam de alguém que forneça esse crítico componente estratégico para a equipe.

4. O ESTILO DE LIDERANÇA GERENCIAL

DE ACORDO COM ALGUNS LIVROS SOBRE LIDERANÇA, o termo "líder-gerente" é um paradoxo. Isso porque alguns especialistas em liderança traçam cuidadosas distinções entre o que gerentes e líderes fazem. É freqüentemente mencionado que "líderes fazem coisas certas, enquanto gerentes fazem as coisas da forma correta". Concordo com determinadas diferenças geralmente formuladas entre gerentes e líderes. Mas ao me referir ao estilo de liderança gerencial, estou descrevendo um líder que possui a habilidade de organizar pessoas, processos e recursos, no esforço de cumprir uma missão.

O líder-gerente fica com água na boca ao pensar em trazer ordem ao caos. Ele ou ela sente uma profunda satisfação em monitorar e em ajustar processos, motivando os membros da equipe ao estabelecer as devidas marcações pelo caminho até o destino.

É surpreendente a quantidade de líderes visionários inaptos para o gerenciamento de pessoas, processos e dinheiro. Também é surpreendente a quantidade de líderes estratégicos e direcionais que são incapazes de, efetivamente, organizar os participantes, os planos e os recursos a fim de alcançar os objetivos da organização. Nas esferas da liderança da Willow, freqüentemente digo: "Cedo ou tarde, alguém vai ter de gerenciar tudo isso!". Pelo fato de sempre termos tido em grande quantidade líderes visionários, direcionais e estratégicos e escassez de líderes-gerentes temos a tendência de apresentar uma infinita variedade de idéias que ninguém tem capacidade ou inclinação para realizar.

Líderes-gerentes raramente captam a atenção das pessoas como os pregadores inspirados da visão, ou tomam as decisões críticas, ou estabelecem o plano estratégico. Mas no mundo operacional do dia-a-dia, alguém tem de gerenciar as pessoas e progredir com a igreja em direção aos seus objetivos.

Tenho um crescente apreço pelos líderes-gerentes. Atualmente, estou em constante busca de pessoas que possam dar esse tipo de contribuição na liderança, tanto para a igreja como para a Willow Creek Association.

Creio que José, do Antigo Testamento, foi um excelente líder-gerente. Neemias também. Esses dois homens organizaram e realizaram, eficientemente, tarefas enormes.

5. O ESTILO DE LIDERANÇA MOTIVACIONAL

LÍDERES COM O ESTILO MOTIVACIONAL são os Vince Lombardis de hoje em dia. Possuem aquela habilidade divinal de manter seus companheiros de equipe empolgados. Estão em constante procura de "ombros encurvados e olhos embotados" e são rápidos em injetar o tipo certo de inspiração nos que mais precisam. Possuem um senso aguçado sobre quem precisa de reconhecimento público, e quem precisa apenas de uma palavra de encorajamento em particular. Parecem saber, exatamente, quando um membro da equipe em particular iria conseguir o impulso necessário com um dia de folga, uma mudança de escritório, uma mudança de cargo ou uma oportunidade de treinamento.

Alguns líderes vêem a abordagem motivacional como uma forma supérflua de liderança. Entretanto, é um grande erro subestimar o valor desse estilo. Como membro de uma equipe, ficaria feliz em me contentar com alguém que pregasse timidamente a visão, fizesse eventualmente uma escolha errada numa situação de impasse, ou cometesse deslizes periódicos na eficiência gerencial, mas que, ao mesmo tempo, fosse um líder a quem eu pudesse me reportar, que buscasse continuamente me animar, que me fizesse dar o melhor de mim, que encorajasse o meu progresso, que comemorasse as minhas realizações e que me dissesse que eu era importante para a causa.

Eu seguiria um líder como esse até morrer!

Líderes motivacionais percebem que mesmo nossos melhores companheiros de equipe ficam cansados e se desconcentram. Algumas vezes, nossos colegas mais confiáveis experimentam uma sensação de indefinição ou começam a imaginar se o que fazem realmente importa para Deus ou para alguém mais.

Líderes motivacionais não ficam amargos ou vingativos quando o moral afunda. Eles vêem isso como uma oportunidade para sonhar com novas formas de inspirar e de erguer o espírito de todos na equipe.

Jesus motivou sistematicamente seus discípulos com promessas de recompensas nesta vida e na próxima. Ele planejou descansos e retiros.

Você sabe o que muitos membros de equipes desejam mais que qualquer coisa? Uma hora ou duas para passar com seus líderes quando não há nenhum programa urgente no *flip chart*. Uma oportunidade esporádica de interagir com seu líder como um ser humano, em vez de como um trabalhador sob o seu comando. De vez em quando, Jesus apanhava os discípulos e se afastava momentaneamente das preocupações ministeriais. Ele diria: "Agora não é hora de escalar um monte. É tempo de dormir na sua base. Vamos". Ou: "Este seria um belo entardecer para confraternização. Vamos pescar; depois, voltaremos para jantar na praia". Você pode imaginar quanto os discípulos apreciavam esses momentos?

Jesus também motivava seus discípulos pela maneira que os treinava. Após tê-los orientado, mandou-os aos pares para exercerem o ministério. Quando retornaram, revisou o que tinham experimentado e lhes deu sua opinião. É provável que teria dito algo assim: "Quero chamá-los de amigos. Sei que esta não é uma organização empresarial impessoal e tradicional, mas é assim mesmo que desejo. Pensem em nós como uma família". Imagine o poder motivacional do dom de amizade de Jesus.

John Maxwell, presidente da Injoy, é um dos mais eficientes líderes motivacionais que já conheci. Minha mulher zomba de mim quando eu e John viajamos pela estrada para fazer conferências juntos. Ela diz: "Ah, não! Você vai voltar para casa cheio de adrenalina". E quando telefono para ela à noite, do hotel, ela sempre pergunta: "Então, vocês dois se divertiram muito hoje?".

E eu sempre fico feliz em contar: "Muito, Lynne. Até demais". A alegria vem, em parte, pelo tanto que inspiramos um ao outro.

Quando estou me preparando para falar em uma conferência, John, às vezes, sussurra para mim: "Esta vai ser a melhor palestra que você já deu na sua vida". Ou quando ele vai orar por mim: "Ó Deus, leve o Bill a um nível totalmente novo nesta manhã". Freqüentemente faço uma oração similar por ele.

Em uma ocasião, John usou uma abordagem motivacional singular. Eu estava ficando doente, numa de nossas viagens, lutando contra náuseas e febre alta. Encontrei uma poltrona na sala dos fundos do centro de conferência, e nela tive um colapso, desejando que pudesse passar o próximo dia e meio ali. Mas, tanto eu como John, sentimos que a palestra programada para eu fazer, era muito importante para todos. Conhecendo minha incapacidade para retroceder diante de um desafio, John se ajoelhou ao lado do sofá e sussurrou: "Acho que você está muito doente para fazer essa última palestra... Mas não se preocupe, posso fazê-la para você... Trate de se encolher embaixo daqueles cobertores e chupar o dedo... Vou remendar uma palestra e salvar a sua pele".

A minha resposta foi imediata. "Saia da minha frente. Caio e morro antes de deixar você fazer isso!".

John é um motivador incrível — às vezes perverso, mas ainda assim um maravilhoso líder motivacional.

Se você é esse tipo de líder, jamais subestime a contribuição que traz para sua equipe. Deus lhe deu uma habilidade especial. Use-a! Pelo tanto que vale a pena, entro para a sua equipe um dia desses.

6. O ESTILO DE LIDERANÇA PASTORAL

O LÍDER PASTORAL É um homem ou mulher que monta uma equipe lentamente, ama os membros da equipe profundamente, acalenta-os gentilmente, apoia-os firmemente, escuta-os pacientemente e ora por eles constantemente. Esse tipo de líder traz os membros da equipe para uma tão rica experiência comunitária, que o coração deles começa a transbordar boa vontade que os estimula a realizar sua missão.

Enquanto líderes visionários tendem a atrair pessoas em razão da natureza irresistível da sua causa, líderes pastorais tendem a unir as pessoas quase que a despeito da sua causa. Em outras palavras, líderes pastorais tendem a apascentar e a acalentar um grupo de pessoas tão perfeita e profundamente, que quando a questão é a causa, os colegas de equipe normalmente dizem: "Essa causa não tem tanta importância assim. Se é uma missão honrosa para Deus, que podemos fazer juntos, conte comigo. Enquanto pudermos estar em comunidade, mantendo o nosso pastor, o faremos".

Sob liderança pastoral, o alcance da visão pode ser bastante amplo. O que realmente importa é a dinâmica da comunidade.

Em 2Samuel 23, lemos que Davi, no princípio da sua carreira de líder, reuniu um grupo de seguidores solitários e desgostosos. Ele entrou profundamente no coração deles e os apascentou com amor. Uma noite, num período de intensa luta com seus inimigos, os filisteus, aconteceu de Davi mencionar que tinha sede e ansiava por água dos poços de Belém. Em resposta ao anseio de Davi, e sem que ele soubesse, três membros de sua equipe arrastaram-se por trás das linhas inimigas, arriscando a vida para trazer água dos poços de Belém para Davi. O imenso carinho que os membros da equipe de Davi recebiam dele fez que desejassem servi-lo e amá-lo em retorno.

Quando apresentaram a água a Davi, ele ficou extremamente emocionado, percebendo que os homens tinham arriscado a vida por ele. Na verdade, ficou tão emocionado que se recusou a bebê-la. Ele disse: "O Senhor me livre de beber desta água" (v. 17). Em outras palavras: "Eu não posso beber a água pela qual estes homens arriscaram a vida". Em vez disso, a Bíblia nos diz que Davi "derramou-a como uma oferta ao Senhor" (v. 16). Não posso deixar de pensar que, nessa oferta de adoração, Davi não estava apenas celebrando a grandeza do seu Deus, mas também o amor da sua equipe.

Os líderes devem se lembrar de que, embora existam muitas pessoas motivadas pela causa, que esperam ser atraídas para uma missão por um líder visionário, existem também muitas pessoas privadas do convívio em comunidade que precisam ser bem recebidas em uma equipe onde possam ser acalentadas e amadas. Somente então estarão motivadas para responder ao chamado de uma causa. Sem cuidado amável, apresentarão resistência, mas se forem apascentadas com amor, vão perseguir alegremente, quase que qualquer propósito do Reino de Deus, com leal dedicação.

Você conhece algum líder pastoral? Respeite o que eles trazem para o Reino de Deus. Eles podem não se destacar na pregação de visões ou na montagem de planos estratégicos, mas sua habilidade singular de apascentar pessoas, coloca-os em posição de fazer grande diferença para o Reino de Deus.

7. O estilo de liderança que forma equipes

O líder que forma equipes conhece a visão e compreende como alcançá-la, mas percebe que será necessário uma equipe de líderes e trabalhadores para executar o objetivo. Formadores de equipes possuem uma percepção sobrenatural para pessoas, o que lhes permite ter êxito em achar e desenvolver as pessoas certas, com as habilidades certas, o caráter certo e a apropriada combinação com os outros membros. Em seguida, bons formadores de equipes sabem como dispor essas pessoas nas posições corretas, pelos motivos corretos, liberando-os assim para que produzam os resultados certos.

Quando as pessoas apropriadas são colocadas nas posições apropriadas, o líder formador de equipes diz para a equipe nomeada: "Vocês sabem o que estamos tentando fazer; por qual parte da missão vocês e os demais, que estão na mesmo barco, são responsáveis. Então, vão embora! Vão em frente com isso! Trabalhem duro no seu departamento. Comuniquem-se com seus colaboradores. Criem ação. Concluam a tarefa!".

A diferença entre o líder pastoral e o líder formador de equipes é que o último é movido mais por uma clara compreensão da visão que pelo desejo de cuidar e criar um ambiente comunitário. É claro que formar equipes sempre envolve a formação de uma comunidade, mas o ponto forte próprio dos formadores de equipes é o seu completo domínio da estratégia e uma arguta percepção sobre as pessoas, que permite colocar as pessoas certas nas posições de liderança mais críticas.

Líderes com o dom de formar equipes podem ou não ser hábeis no gerenciamento delas. Na verdade, muitos deles ponderam que o gerenciamento não é assim tão crítico; se as pessoas corretas estiverem nas posições certas, fazendo as coisas certas pelas razões certas, essas pessoas alcançarão seus objetivos independentemente de terem alguém monitorando o que fazem.

Quando Phil Jackson treinava a equipe do Chicago Bulls nos seus anos de glória, ele demonstrava esse estilo de liderança. Ele selecionou as pessoas certas para papéis específicos e esclareceu as suas expectativas: "Michael Jordan, você marca trinta ou quarenta pontos por jogo, lidera e inspira os seus companheiros. Dennis Rodman, você pega vinte rebotes por jogo e confunde a mente do adversário. (E depois do jogo, vista-se como uma *drag queen* e confunda a mente de todo mundo.) Scottie Pippen, você marca quinze pontos, pega dez rebotes, e joga muito bem na defesa. Luke Longley, basta que você cole no cara alto do outro time. Ron Harper, você intercepta o melhor arremessador deles e manda a bola para Michael e Scottie. Tony Kukoc, você sai do banco e estimula a equipe".

Encontrar as pessoas certas para as tarefas certas, em concordância com seus melhores talentos, é a marca inconfundível do estilo de líder que forma equipes.

Embora tenha relutado em mencionar meus estilos de liderança, suspeito que agora tenha ficado óbvio que amo formar equipes. Ao longo da minha vida como líder, tenho sido motivado pelo objetivo de montar um time dos sonhos do Reino de Deus. Como mencionei anteriormente, parte do que me traz uma enorme alegria, e uma energia quase ilimitada a esta altura da minha vida, é saber que estou em meio à realização desse sonho.

Os comunicadores que partilham comigo a responsabilidade do ensino na Willow são fenomenais. As equipes de música, teatro e dança são maravilhosas. A equipe de administração da Willow, o corpo de diretores e os pastores auxiliares juntamente com a diretoria e a liderança da Willow Creek Association — são todos times dos sonhos do Reino de Deus!

Enquanto escrevia este capítulo numa lanchonete , em South Haven, Michigan, lágrimas rolavam pelo meu rosto e pensei: "Não há nada como reunir as pessoas certas, e colocá-las nas posições certas. Não há nada como formar um time dos sonhos do Reino e Deus, e vê-lo decolar em direção a impactos cada vez maiores". Não tenho como negar: o coração de um formador de equipes bate no meu peito. Talvez bata no seu também.

8. O ESTILO DE LIDERANÇA EMPREENDEDOR

O ESTILO DE LIDERANÇA empreendedor possui um aspecto singular. Líderes empreendedores podem possuir qualquer um dos outros estilos de liderança, mas o que diferencia esses líderes dos outros é que funcionam otimamente já no início das atividades. Se esses líderes não puderem iniciar algo novo regularmente, começam a perder energia. Uma vez que um projeto esteja em funcionamento e operando plenamente, passando a exigir um gerenciamento estável e contínuo, ou, logo que ocorram complicações, exigindo a necessidade de intermináveis discussões a respeito de políticas, sistemas e controles, a maioria dos líderes empreendedores perdem o entusiasmo, a concentração, e às vezes até mesmo a confiança.

A essa altura, começam a olhar por cima do muro, imaginando se não seria tempo de começar algo novo. Devem se sentir extremamente culpados ao pensar em deixar o ministério, a organização ou o departamento que começaram, mas no fim das contas, têm de enfrentar a verdade: se não puderem começar algo totalmente novo de tempos em tempos, algo dentro deles começa a morrer.

Não é nada mais que o seu estilo. E é importante no Reino de Deus.

Acredito que o apóstolo Paulo era um líder empreendedor. Fundou e edificou igrejas, nas quais o nome de Cristo não era nem conhecido. Após fundadas, ele as entregava aos cuidados de outras pessoas, para que pudessem administrá-las a fim de que ele pudesse seguir em frente — sem se sentir culpado. Ele pode não ter descrito a si mesmo exatamente com essas palavras, mas obviamente sabia quais eram seus talentos e como poderia servir mais eficientemente o Reino de Deus.

Existem líderes empreendedores na Willow, que iniciam ministérios, fazem que cresçam por algum tempo, e em seguida avisam que é hora de outra pessoa assumir o comando. A próxima coisa que ficamos sabendo é que esses mesmos líderes estão começando novos ministérios e que temos de nos virar para achar pessoas que assumam esses programas também. Algumas vezes eu fui obrigado a dar um ultimato: "Não comece mais nada!". Na realidade, tivemos de convidar alguns líderes a nos deixar, porque não conseguiam resistir à tentação de iniciar novos ministérios. Tivemos, afinal, de dizer: "Vá iniciar novas ações em algum outro lugar; precisamos de quinze líderes-gerentes para estabilizar e fazer crescer os ministérios que você já começou. A última coisa da qual precisamos agora é de outro ministério desenvolvido pela metade!".

Mas como o Reino diminuiria se líderes empreendedores cessassem de ter novos sonhos e iniciar novos empreendimentos.

9. O ESTILO DE LIDERANÇA REFORMISTA

ENQUANTO LÍDERES EMPREENDEDORES AMAM começar novas iniciativas, o ponto forte dos líderes reformistas é alterar ambientes. Esses líderes possuem o dom divinal de serem bem-sucedidos em situações turbulentas — uma equipe que perdeu sua visão, um ministério em que as pessoas estão nas posições erradas, um departamento que tenta progredir sem estratégia — conseguindo resolvê-las. "Este é o meu dia de sorte. Tenho de começar a reorganizar esta bagunça."

Esses líderes cavam entusiasticamente a fim de descobrir a missão original e o motivo pelo qual a equipe se desviou dela. Reavaliam pessoal, estratégia e valores. Reúnem-se constantemente com membros da equipe para ajudá-los a compreender onde o "antigo" deu errado e como o "novo" deve ser. Desse modo, incitam os membros da equipe a agir.

Líderes reformistas gostam de arrumar, ajustar e revitalizar departamentos ou organizações danificadas. Mas quando tudo volta aos eixos e a funcionar suavemente, esses líderes podem ou não sentir motivação para continuar engajados. Alguns se contentam em relaxar e desfrutar dos frutos do seu trabalho, mas muitos preferem achar outros departamentos ou organizações que necessitam reestruturação. Quando acham um, começam a ficar com água na boca. Eles dizem: "Você viu aquele trem arruinado? Se pudesse pôr as minhas mãos em todo aquele metal retorcido, sei que poderia transformá-lo em algo realmente importante para Deus".

Desconhecia esse estilo de liderança até cerca de quinze anos na liderança da Willow. Naquela época, enfrentávamos um enorme desafio. Após ter crescido rapidamente por uma década e meia, todos os nossos sistemas pareciam estar degringolando ao mesmo tempo. A analogia que usávamos para descrever a situação é que havíamos construído inadvertidamente um prédio de vinte andares sobre um alicerce para dez andares. O prédio havia conseguido se manter em pé por algum tempo, mas, agora, a infra-estrutura estava cedendo perante nossos olhos. Os subministérios estavam se esfacelando um após o outro.

Naquele momento, um líder muito talentoso se juntou à equipe. Quanto mais o conhecia, mais gostava dele. O único problema é que ele não queria começar nada, apascentar nada, nem gerenciar qualquer coisa a longo prazo. Apesar disso, tinha forte sensação de que aquele rapaz era um líder. Então, sem saber mais como utilizá-lo, nós o designamos para ajudar na reorganização de alguns departamentos muito confusos. Dez anos mais tarde, ficamos admirados com o que esse indivíduo havia realizado, ao reformar alguns dos mais vitais ministérios da Willow — assistência pastoral, ministério infantil, programação, operações e muitos outros. Esse homem se tornou uma lenda na Willow sem jamais ter começado um único ministério ou ter liderado algo por longo tempo. Todas as vezes que o vemos caminhando pelos corredores da Willow, dizemos "Amém, Senhor!", conscientes de que sua habilidade reformista livrou da morte prematura alguns dos nossos ministérios mais estratégicos.

Creio que Deus colocou líderes reformistas em todas as igrejas. É trabalho meu e seu achá-los e colocá-los para trabalhar.

10. O ESTILO DE LIDERANÇA CONSENSUAL

Embora existam outros estilos de liderança que poderiam ser mencionados, para os propósitos deste livro, gostaria de encerrar com o estilo consensual. Enquanto o escritor Garry Wills o chama "estilo eleitoral" ou "político", o chamo "consensual", porque me refiro a ele fora da esfera política.

Líderes consensuais dão importantes contribuições a organizações de grande porte, como ministérios pareclesiásticos, denominações e instituições educacionais porque possuem extraordinária habilidade de reunir, sob o guarda-chuva de uma única liderança, uma ampla gama de grupos. Isso possibilita que uma organização complexa se concentre em uma única missão.

O dom singular que torna os líderes consensuais capazes dessa façanha é uma enorme flexibilidade. São diplomatas, que possuem uma habilidade sobrenaturalmente inspirada para contemporizar e negociar. São especialmente talentosos para ouvir, compreender e raciocinar de forma ampla. Mas, acima de tudo, consensuais amam o desafio de se relacionar com diversos grupos de pessoas.

Quando as iniciativas começam a surgir, os líderes estão normalmente cercados por membros da família e amigos íntimos, que partilham de sua nova e estimulante visão. Tudo vai bem, até que o pequeno grupo inicial dobra ou triplica de tamanho. Pessoas novas trazem novos desafios para a liderança. Como todas estas pessoas vão se encaixar no grupo original? O que acontece quando a equipe da liderança tem de ser dividida? Como você mantém a dinâmica do grupo otimizada? Como o líder principal deve se relacionar com todas essas pessoas?

Agora, imagine-se liderando uma mega-igreja, ou uma enorme organização pareclesiástica, formada por uma grande quantidade de grupos bem definidos. Muitos desses grupos de interesses restritos mal se importam com a visão global do ministério em geral. Apenas querem ter certeza de que suas preocupações particulares sejam atendidas.

Recentemente, conversei com um pastor que estava arrancando os poucos fios de cabelo que lhe restavam. "Estou morrendo", disse. "O coral quer um novo modelo de túnicas, e o grupo jovem quer um novo ginásio. O departamento de missões quer gastar outro milhão de dólares, e o ministério infantil quer mais salas de aula. O pessoal da produção quer mais equipamento, e as pessoas de mais idade querem um hinário impresso com letras maiores. O grupo da geração x quer transformar a sala da diretoria em um café, e o departamento dos adolescentes quer uma pista de *skate*".

A variedade dessas solicitações e a velocidade com que estavam vindo o estavam oprimindo. Ele tinha começado a ver cada um daqueles subministérios como inimigos. O que se lia nas entrelinhas da sua reclamação era: "Não posso viver minha vida dessa forma. Não posso suportar ser puxado em tantas direções".

Ao escutá-lo, percebi que ele não havia sido feito para liderar uma organização daquela complexidade. Liderar em tal ambiente, jamais o empolgaria; o mais provável é que continuasse a ser uma experiência decepcionante. Para maximizar seu potencial de liderança, ele provavelmente teria de se transferir para uma situação menos complexa.

Líderes consensuais, em contrapartida, sentem-se mais empolgados ao enfrentar o desafio de unir e satisfazer as necessidades de vários grupos. Alegremente se reuniriam privadamente com os diretores de vários subministérios, a fim de compreender suas paixões e seus objetivos. Após ter desenvolvido relacionamentos de confiança, os consensuais tentariam refinar a visão de cada sublíder, negociando com eles, até que seus objetivos coadunassem com a visão e a missão geral da organização maior.

O objetivo de um líder consensual é se tornar um eficiente advogado de cada grupo integrante, conseguindo, no final, unir e concentrar os esforços de todos os grupos, de forma a criar uma situação em que todos os envolvidos sairão ganhando. O consensual faz isso ao ajudar cada grupo a desenvolver uma perspectiva mais saudável e a perceber que podem alcançar as necessidades de seus subministérios, e também contribuir para a realização da missão global.

Lidar com a complexidade é o ponto forte do líder consensual. Grandes organizações devem ser lideradas por esse tipo de líder.

QUATRO PASSOS PARA DESCOBRIR E DESENVOLVER SEU ESTILO DE LIDERANÇA

O PRIMEIRO PASSO PARA identificar seu estilo de liderança é rever a descrição de estilos descrita neste capítulo. Você poderá achar que reflete um ou vários estilos de liderança.

Após você ter identificado seu estilo, ou estilos, partilhe a descoberta com pessoas acostumadas a sua liderança. Pergunte se concordam com a sua conclusão. A auto-avaliação pode ser confusa, por isso é importante buscar informações de outras pessoas.

Em segundo lugar, você deve determinar se seu estilo se encaixa, ou não, na sua atual situação de liderança. Esse pode ser um processo delicado e potencialmente doloroso, mas é extremamente importante para distinguir se suas características de liderança realmente se encaixam no papel que se espera que você cumpra. Por exemplo: se você é um líder empreendedor em uma igreja de cem anos de idade, que *nunca* está interessada em começar algo novo, provavelmente você acabará por demolir o lugar. Se você é um líder gerencial, em uma organização que está morrendo por falta de visão, acabará por se achar sem nada para liderar. Em ambos os casos, você tem algumas decisões difíceis a tomar.

Mas saiba disto: existem, indubitavelmente, inúmeras situações em que seu estilo de liderança se encaixaria perfeitamente nas necessidades determinadas. Seu desafio é determinar se, neste momento, você está ou não nesse tipo de situação.

O terceiro passo é determinar o estilo de liderança de cada pessoa da sua equipe. Faça isso em conjunto, lendo as descrições dos estilos de liderança e fazendo um círculo onde cada pessoa é forte ou fraca. Existem duas razões pelas quais você deve compreender o estilo de liderança de cada membro da sua equipe. Primeiro isso vai ajudá-lo a ter certeza de que cada membro da equipe é adequado à necessidade de liderança da função que ocupa; o que vai permitir que ele ou ela tenha o maior impacto possível. E, em segundo lugar, isso lhe possibilitará determinar que tipo de função de liderança está faltando na sua equipe e que estilo de líder será adicionado a seguir, seja como membro permanente ou como colaborador externo.

Acredito existir alguns estilos de liderança sem os quais uma organização não consegue sobreviver e estou certo que muitas organizações sofrem por não ter consciência disso. Toda organização (igreja, faculdade, universidade, hospital ou empresa) precisa de um líder visionário, que possa comunicar uma visão clara, de forma convincente. Organizações que não são sustentadas por uma visão cativante, extinguem-se com o tempo.

Toda organização também precisa de uma estratégia viável. Se não existe ninguém na sua equipe que possa montar um planejamento passo a passo para transformar a visão em realidade, então é melhor você achar um líder estratégico disposto a se juntar a você ou contratar um consultor que possa assisti-lo. Você não vai progredir sem alguém que possa lhe oferecer, sistematicamente, experiência nessa área.

Talvez você pense que a sua equipe pode funcionar bem, sem que alguém traga uma contribuição motivacional ou pastoral, mas pense sobre isso novamente. Toda equipe precisa de alguém que possua o talento de erguer o espírito humano.

O último passo é o seu compromisso de não apenas desenvolver seu mais destacado estilo de liderança, mas também de crescer nas áreas nas quais você é fraco. Sei que há discussão a esse respeito. Alguns especialistas dizem: "Esqueça as fraquezas, concentre-se apenas nos pontos fortes". Discordo.

Eis o porquê: por mais que sejam magníficos em seus estilos de liderança, negligenciar completamente as áreas em que são fracos, acabará por comprometer a sua capacidade de liderança.

Por exemplo: sou fraco no estilo gerencial. Felizmente, tenho a capacidade de delegar a maioria das responsabilidades gerenciais da Willow. Entretanto, existem ao menos uma dúzia de pessoas que se reportam a mim. Tenho de gerenciar aquelas doze pessoas com algum grau de habilidade. Caso contrário, começarão a trabalhar em objetivos que se cruzam, acabando confusas e desencorajadas. Com o tempo, os relacionamentos começam a sofrer. Então, pelo bem da igreja, preciso assumir a responsabilidade de melhorar minhas habilidades gerenciais, independentemente do meu estilo de liderança preferido.

Outro exemplo: se você é o líder principal, mas é fraco em motivar as pessoas, você serviria melhor os membros da sua equipe se aprendesse a motivar e inspirar. Por quê? Porque eles merecem isso. Não importa quantas pessoas os animem em outros ambientes, eles precisam receber certa quantidade de "parabéns" diretamente de você.

Aqui estão novamente, pois, as minhas sugestões para combinar os estilos de liderança com as necessidades organizacionais a fim de que você lidere com alto impacto:

1. Identificar seu estilo, ou estilos, de liderança.
2. Determinar se o seu estilo é adequado a sua atual situação de liderança.
3. Identificar o estilo de liderança de cada membro da sua equipe.

Certifique-se de que cada pessoa esteja encaixada na necessidade de liderança correta e determine se existem lacunas na liderança da sua equipe que precisem ser preenchidas.

4. Comprometa-se a desenvolver o seu estilo de liderança mais forte *e* a crescer nos estilos de liderança em que é mais fraco.

Recomendo-lhe, encarecidamente, que aja de acordo com essas sugestões. Quando os líderes se posicionam do modo mais eficiente, para que seus pontos fortes na liderança combinem perfeitamente com as necessidades específicas de uma igreja ou organização, eles podem ter imenso impacto. Sob tais lideranças, as tropas podem ser mobilizadas, a missão pode ser executada e o Reino de Deus pode avançar como nunca avançou.

CAPÍTULO OITO

O SEXTO SENTIDO DE UM LÍDER

Recursos para tomar decisões

HÁ POUCO TEMPO, O FILME *O SEXTO SENTIDO* foi sucesso de bilheteria por todo o mundo. A história girava em torno de um garoto, que possuía a misteriosa capacidade de ver e perceber o que as outras pessoas não podiam. A mais memorável, e agora famosa, frase do garoto foi: "Vejo pessoas mortas andando". Um pastor me disse: "Grande coisa. Vejo isso em todas as reuniões com os diáconos". Mas, no filme, isso era decididamente assustador.

Normalmente, quando as pessoas falam sobre *sexto sentido*, estão se referindo a um tipo de saber mais perspicaz e intuitivo que o normal.

Por exemplo: conheço uma mulher cujo sentido de direção para a liderança parece freqüentemente funcionar melhor que o de qualquer outra pessoa na sala. De tempos em tempos, a sua equipe enfrenta dificuldades para decidir o rumo a ser tomado pela organização no futuro. Tudo parece obscuro e confuso. Então, essa bússola humana, que permaneceu escutando calmamente o tempo todo, sugere um determinado curso de ação. Os membros da equipe ponderam sobre a idéia por alguns momentos e então as cabeças começam a concordar. "É isso. É claro que é isso!" No íntimo, pensam: "Como é que ela faz isso? De onde ela tira essas idéias? O que ela tem que nós não temos?".

Conheço líderes que parecem ser capazes de prever o futuro. É como se pudessem adiantar a fita de vídeo, que os demais estão assistindo na velocidade normal. Parecem possuir uma habilidade especial para perceber as implicações futuras das decisões tomadas no presente.

Alguns líderes parecem extraordinariamente dotados para reconhecer um único diamante brilhante de oportunidade, enterrado em uma mina de carvão de problemas. Todos os demais ficam oprimidos e desencorajados, mas esses líderes não se deixam intimidar; vêem o que mais ninguém consegue ver — possibilidades em meio ao desastre.

Outros líderes conseguem enxergar potencial de liderança em pessoas que a maioria de nós consideraria sem valor. Eles aparentemente apostam em um perdedor, mas no fim demonstram estar certos. Todos ficamos assistindo, enquanto a pessoa escolhida por eles decola em uma posição de liderança.

Como podemos explicar essa misteriosa habilidade que alguns líderes possuem? Será que vem automaticamente com o dom espiritual da liderança? Será que surge do nada? Será que alguns líderes realmente possuem uma intuição mais aguda? Ou todos os líderes a possuem uniformemente? Ela pode ser desenvolvida?

Deixe-me explicar o que despertou meu raciocínio a respeito do lado intuitivo da liderança. Estava em uma reunião com os funcionários, na qual deveriam ser tomadas uma série de decisões importantes. Outros membros do quadro funcional estavam ansiosamente aguardando essas decisões para que pudessem seguir adiante com seus ministérios. Prazos finais estavam chegando. Cronogramas publicados nos pressionavam.

A despeito dos altos riscos que acompanhavam algumas dessas decisões, nenhuma delas me pareceu difícil de ser tomada. Simplesmente ouvia cada proposta e pedia informações aos meus colegas e conselheiros de confiança, que estavam sentados em torno da mesa. Durante a reunião, orava silenciosamente, pedindo que o Espírito Santo me desse sabedoria, como Tiago 1.5 ensina a fazer. Então, próximo ao fim da reunião, tomei as decisões que considerei mais apropriadas.

Após a reunião, um antigo funcionário deu-me uma leve cotovelada nas costelas e brincou: "Isso não passa de brincadeira para você, não é mesmo? Tenho visto você fazer isso durante anos, e simplesmente não é justo. Você faz isso parecer tão fácil". E quando ele já ia saindo, virou-se, sorriu e disse: "E o que é realmente impressionante é a freqüência com que você está certo!".

Eu disse: "Isso não é nada, até mesmo um relógio quebrado acerta duas vezes por dia!". Mas aquela conversa fez-me pensar sobre o processo de tomada de decisões de um líder. Quão intuitivo ele realmente é?

EXPLORANDO MEU PROCESSO DE TOMADA DE DECISÕES

DURANTE OS TRINTA DIAS que se seguiram, fiz uma experiência que jamais tinha tentado anteriormente. Guardei comigo um bloco de notas, e todas as vezes que tomava uma decisão de liderança — grande ou pequena, tomada precipitadamente ou cuidadosamente ponderada — anotava a decisão no meu bloco.

Quando terminaram os trinta dias, avaliei cada decisão. Queria determinar quais fatores fundamentavam meu processo de tomada de decisão. Quis tentar compreender esse rumor sobre o "sexto sentido" dos líderes.

Permita-me apresentar, em primeiro lugar, minha conclusão, e em seguida, apresentarei os detalhes. Acredito que líderes, cheios de aptidões espirituais, constroem ao longo do tempo um sistema de valores e um embasamento de experiência, que sabiamente fundamenta cada decisão que é tomada subseqüentemente. À medida que diligentemente vão enriquecendo sua base de dados, ano após ano, automaticamente melhoram o índice de decisões corretas na liderança. Logo, não se trata de nenhum misterioso "sexto sentido" ou fenômeno sobrenatural, que provê sabedoria e discernimento incomuns e eficientes. Mais exatamente, a sua habilidade para ver o que os outros deixam escapar é um resultado razoavelmente previsível, de se adotar valores corretos e deixar que esses fundamentem a percepção da realidade e as escolhas que fazem baseados nessa percepção.

Antes dessa experiência de trinta dias, não havia pensado muito sobre as fontes que fundamentavam minhas tomadas de decisão. Mas, após refletir sobre o que guiou cada decisão do mês anterior, pude ver que a maioria das minhas decisões foram baseadas em quatro distintas fontes de dados.

PRIMEIRA FONTE DE DADOS: "EM QUE CREIO?"

DEIXE-ME USAR UMA ilustração para explicar como funciona a fonte de dados "Em que creio?". Uma decisão que caiu sobre minha mesa, nesse período de trinta dias, envolvia um dos escritórios internacionais da Willow Creek Association. Um líder veterano daquela filial havia recém-saído de nossos quadros para trabalhar em outro local, mas, antes de sair, tinha feito alguns compromissos financeiros discutíveis, envolvendo dinheiro suficiente para a questão chegar a minha mesa.

Várias pessoas da comunidade empresarial haviam comparecido no escritório da filial, reclamando pagamento por trabalhos que já haviam sido pagos. O líder que deixara o escritório, havia pouco tempo, afirmava que tinha realizado todos aqueles pagamentos, mas não havia registros que comprovassem suas alegações. Solicitaram-me que decidisse o que fazer naquela situação. Respondi imediatamente: "Paguem a eles. Paguem a todos eles. Paguem tudo o que pedirem". Não gastei três segundos ponderando sobre aquela decisão. Nem mesmo me incomodei em fazer uma oração. Aquela decisão não foi raciocinada.

Sendo holandês, considero a separação de qualquer quantia de dinheiro uma experiência emocional; se houver qualquer dúvida sobre se devo me separar dele, é ainda pior. Entretanto, aquela decisão foi fácil, devido a certas convicções que carrego comigo. Essas são as convicções "em que eu creio", que operam sob a superfície da minha liderança. Elas fundamentam diariamente meu processo de tomada de decisões.

Posso dividir com você algumas dessas convicções?

1. DEUS ME HONRARÁ SE EU O HONRAR EM TUDO

Creio que se fizer o melhor que puder para honrar a Deus em tudo que faço, ele honrará a minha liderança e ele honrará o ministério que confiou aos meus cuidados. Isso não é uma requintada placa comemorativa para mim e não é apenas uma frase espiritualmente correta para escrever a líderes cristãos. Isso é um alicerce inabalável, uma crença que brota do âmago do meu ser, que carrego comigo onde quer que vá.

Realmente creio que o soberano Deus derramará sua divina bênção e virá em socorro de qualquer líder, que perseverantemente se esforçar em honrá-lo em tudo.

Também creio que o contrário é igualmente verdadeiro. Acredito que se desonrarmos a Deus, tomando atalhos na vida ou no ministério, ou comprometermos nosso caráter, ou nos recusarmos a obedecer ao estímulo do Espírito Santo, então não deveríamos esperar receber qualquer ajuda do céu. Na sua graça, Deus poderia ainda conceder o seu favor, mas não deveríamos contar com isso.

Aprendi, ao longo dos anos, que realmente preciso da ajuda do céu para fazer o que faço. Não sou um líder suficientemente bom para liderar o que me foi confiado sem intervenção divina. Preciso desesperadamente das bênçãos de Deus. Assim, sempre que tiver de tomar decisão, farei a escolha que julgar ser mais honrosa para Deus.

Como isso influenciou a minha decisão de pagar os trabalhadores? Acreditei que a reputação de Deus estava em risco, na dependência de como responderíamos às reclamações da comunidade empresarial. Era preferível arriscar pagar os trabalhadores duas vezes a negar-lhes o que era devido.

2. As pessoas importam

Creio que é seguro dizer que Deus possui somente um tesouro verdadeiro em todo o cosmo: as pessoas. Então, a segunda crença fundamental que alicerça a minha tomada de decisão é que as pessoas importam para Deus.

As Escrituras ensinam que se demonstrarmos sensibilidade e respeito ao que Deus mais aprecia neste mundo — pessoas — em troca ele demonstrará misericórdia e consideração por nós (1Sm 2.30; Mt 22.37-39). Creio do fundo do meu ser que, se honrar as pessoas e tratá-las bondosamente, Deus mostrará o seu favor a mim e aos que lidero.

Sempre que houver, portanto, um componente humano em uma decisão que cruzar o meu caminho, fico de antenas ligadas. Quando sei que o bem-estar de alguém está pendendo na balança, faço hora-extra para decidir corretamente. Tenho dito aos pastores auxiliares e ao corpo de diretores que, se vou errar, é melhor que erre sendo bondoso com as pessoas. Prefiro ficar perante Deus um dia e ser punido por ter sido muito misericordioso, a ter sido muito rude.

3. A igreja local é a esperança do mundo

Como você já deve ter compreendido a esta altura, essa terceira crença fundamental é o meu "mantra" favorito. Creio do mais íntimo do meu ser que a igreja local é a esperança do mundo.

A maioria das pessoas presume erradamente que sou muito intenso a respeito de tudo. Mas não sou. Pergunte aos meus amigos mais íntimos. Existem muitas coisas que não me deixam entusiasmado. Não tenho qualquer preocupação especial a respeito dos restaurantes que freqüento, ou das atividades noturnas da qual me ocupo. Não me interesso muito por carros, roupas, mobília, ou em ser "socialmente correto". Não penso muito nem concentro minhas energias em política, ou em quem será o vencedor da Copa do Mundo.

Mas se você me acusa de ser apaixonado pela igreja, então me declaro culpado da acusação. Admito, de livre e espontânea vontade, que levo extremamente a sério qualquer decisão que tenha maiores implicações para a futura saúde, unidade ou eficiência da Willow ou principalmente da Igreja de Cristo como um todo. Faço minhas as palavras favoritas de um dos tripulantes do meu barco: "Estou nisso como um rato no meio do queijo!". Faria quase tudo para me certificar de que a igreja seja bem liderada e, que as decisões tomadas a seu respeito, sejam tomadas com cuidado e sabedoria.

NOTA: PARA QUE VOCÊ NÃO DEIXE NADA ESCAPAR...

Permita-me, por gentileza, esta breve observação: tenho muita dificuldade para compreender, como alguns empresários cristãos se afligem tão profundamente com decisões corporativas — como conseguem suportar intermináveis reuniões de estratégia, contratar consultores caríssimos e ir para a cama com planejamentos para cinco anos — e, apesar disso, quando se trata de decisões que afetem a igreja que freqüentam, ficam passíveis e indiferentes. Eles deveriam estar oferecendo sua perícia à igreja, como diretores, pastores ou chefes de projetos especiais. As oportunidades voluntárias de alto impacto são ilimitadas na maioria das igrejas, mas esses homens e mulheres competentes, dotados e talentosos, preferem devotar cada partícula do seu tempo, vigor e perícia ao mundo corporativo. Não consigo compreender isso e provavelmente nunca conseguirei.

Algumas vezes, quero dizer a esses cristãos: "Escutem! O que os estimula tanto no trabalho é apenas dinheiro. Isso não vale toda a ansiedade que produz em vocês. Não vale a pena passar a noite em claro por causa disso, produzindo úlceras. Todo esse esforço não fará efeito na eternidade. Vamos manter um pouco de perspectiva!".

A igreja local é a esperança do mundo, porque oferece a única mensagem que pode influenciar o destino eterno de uma pessoa. Se realmente acreditamos nisso, como podemos não querer empregar o melhor da nossa capacidade para tomada de decisões no corpo da igreja local, para onde Deus nos chamou, sejamos pastores ou homens de negócios?

Às vezes, um membro novato da diretoria, liga para mim no dia de uma reunião e me pergunta sobre a programação daquela noite. Esse é normalmente o código para: "As coisas estão muito agitadas no trabalho. Estou pensando em faltar à reunião da diretoria esta noite".

Embora esteja sempre preocupado com as dificuldades de mercado dos nossos diretores — cresci na casa de um homem de negócios e realmente gosto dos momentos que passo discutindo questões relacionadas ao trabalho com os membros da diretoria — os veteranos não se incomodam de me ligar para mencionar que faltarão a uma reunião. Eles sabem que a minha resposta será algo como: "É uma pena que as coisas estejam tão complicadas no trabalho. Vamos orar agora mesmo a respeito desses desafios que você está enfrentando. Mas não se esqueça de que as milhares de pessoas da Willow Creek precisam que você apareça esta noite, revigorado, em comunhão com Deus e pronto para dar o melhor da sua criatividade e energia aos desafios que afetam o futuro da igreja".

Eu não creio que o meu pensamento a esse respeito venha a mudar algum dia. Quando se trata de tomar decisões relativas à igreja, há muita coisa em risco para considerar o assunto levianamente.

Mas, tudo bem, agora podemos voltar ao tópico principal.

QUAIS SÃO SUAS CRENÇAS FUNDAMENTAIS?

VOCÊ CONHECE A ESSÊNCIA das convicções que fundamentam a sua tomada de decisões? Quando estava tentando chegar às raízes das minhas convicções mais íntimas, pensei que as tivesse na ponta da língua. Mas não as tinha. Tive de pôr meus pés sobre a mesa e o jornal e orar por várias horas antes que pudesse desvendar os conceitos mais íntimos que fundamentam as decisões que tomo. A fim de revisá-los, deixe-me listá-los novamente.

1. Honre a Deus em tudo, e ele honrará você.
2. As pessoas importam para Deus.
3. A igreja local é a esperança do mundo.

É bem provável que eu pudesse encontrar uma quarta, quinta, ou sexta convicção, se continuasse a cavar, mas a maioria dos líderes se identificará facilmente com as três acima relacionadas.

Tenha cuidado com sistemas errôneos de crenças. Certifique-se de que suas convicções são bíblicas. Caso contrário, poderão ser perigosas para a integridade das suas decisões.

Você se lembra do líder em Lucas 18? Nessa parábola, Jesus descreve um juiz injusto que era perturbado por uma mulher. Lemos no versículo 2 que esse líder "não temia a Deus nem se importava com os homens". Ele não se preocupava em honrar a Deus na sua vida diária. Ele simplesmente dizia: "Qualquer decisão que tomar, será a meu favor. Como Deus se sente a esse respeito, não me importa em absoluto". Além disso, ele também não tinha nenhum respeito pelas pessoas. "Não estou nem aí se as pessoas importam para Deus. Elas não importam para mim".

Suas decisões se baseavam em uma estrutura de fé estragada, que levava a todo o tipo de corrupção. O que você acredita ser verdade, no fundo do seu coração, influenciará as decisões que tomar durante toda a sua vida na liderança.

Se você tem tomado algumas decisões equivocadas e tem criado uma enorme confusão na sua igreja, no seu trabalho ou na sua família pare um pouco e pergunte: O que está acontecendo aqui? Que estrutura de convicções está fundamentando essas decisões ruins? Talvez esteja na hora de reformular as convicções essenciais da sua vida.

SEGUNDA FONTE DE DADOS: AQUILO QUE SEI QUE OUTROS LÍDERES FARIAM

FIQUEI DE CERTA FORMA SURPRESO ao descobrir uma segunda fonte de dados que me inspirava. À medida que avaliava as decisões que havia tomado durante aqueles trinta dias, fiquei fascinado pela freqüência com que minhas decisões se baseavam em outros líderes. Naquilo que sabia que esses outros líderes, que merecem o meu respeito, fariam ao enfrentar uma decisão como aquela.

Esses "outros líderes" são homens e mulheres que considero mais sábios, mais talentosos ou mais experientes que eu. Alguns desses líderes experimen-tados são pessoas que conheço bem; são íntimos amigos pessoais, e mentores com quem passei muito tempo. Mas, surpreendentemente, alguns dos líderes que influenciaram as minhas decisões durante aquele período de trinta dias eram pessoas que jamais havia encontrado. Elas haviam me orientado, à distância, por meio de suas palestras, fitas ou livros.

Durante esse período de reflexão, listei os tipos de decisões que vieram parar na minha mesa e então os relacionei com o orientador que havia abordado aquele tipo de decisão a ser tomada. Aquele foi um exercício fascinante.

Consultando um conselheiro sobre avaliação de riscos

Meus colegas me pedem freqüentemente que opine sobre decisões que envolvem um substancial risco de perda financeira. Pelo fato de haver um enorme potencial de lucro, não querem descartar a idéia, mas o risco de perda os mantêm paralisados. Por isso, eles vêm a mim.

O mentor que mais me influencia quando estou avaliando riscos é o meu pai. Embora já esteja morto há quase 25 anos, sua liderança ainda afeta profundamente a minha tomada de decisão. Meu pai era uma pessoa que estava disposta a correr riscos calculados e ele foi uma das pessoas mais talentosas neste aspecto que já conheci.

Tome todas as pessoas dispostas a correr riscos. Em uma ponta da escala fica o tipo de pessoa que aceita riscos extravagantes (o tipo que aposta a fazenda constantemente). Esses acabam por perder a fazenda. E no outro extremo estão os líderes que possuem aversão ao risco; não assumiriam um risco nem se sua vida dependesse disso.

Meu pai não estava em nenhum dos dois extremos. Ele mantinha firme e constante vigilância da sua atividade principal, mas não se opunha a correr um risco adicional. Ele costumava me dizer, enquanto ainda estava crescendo: "Bill, se você não alçar vôo de vez em quando, nunca vai aprender nada novo, e a vida vai ficar muito chata".

Quando pilotos levam uma aeronave nova para um vôo de teste, estão "alçando vôo". Meu pai acreditava que podia voar e fazia isso de vez em quando. Testou novas idéias nos negócios, experimentou novas estratégias e tentou novos produtos. Correu um certo número de riscos com as pessoas e com os investimentos.

Alguns vôos deram certo para ele e foram bem rentáveis. Outros foram desastrosos, e ele pagou caro por isso. Mas quando ocorria um desastre, ele me contava sobre as lições que tinha aprendido e da alegria que havia sentido durante a aventura. "É apenas dinheiro", ele dizia. "Não é o fim do mundo".

Ele não ficava nem um pouco intimidado quando as pessoas se exasperavam por causa de alguns dos seus tiros no escuro. Ele parecia quase impenetrável a objeções. Quando as pessoas lhe diziam que estava doido por pensar em uma nova aventura ou "vôo", ele apenas lhes dava um amplo sorriso e respondia com base em alguma segurança interior: "Você provavelmente está certo. Mas todos vamos descobrir isso em alguns meses, não é mesmo?" Mas ele nunca deixou que a taxa de aprovação dos seus colegas afetasse sua capacidade de avaliação de riscos. Ele não era nem imprudente nem avesso ao risco. Acreditava somente que um risco calculado, aqui e ali, iria mantê-lo na vanguarda do crescimento.

Há alguns anos, a Willow decidiu assumir um risco calculado e iniciar um ministério direcionado à geração entre 18 e 28 anos de idade. O ministério foi chadado "Eixo". Não entendíamos muito disso, mas contratamos alguns funcionários, fizemos algumas orações e decolamos. Atualmente, existem perto de 2 000 desses jovens comparecendo aos cultos do "Eixo". É um dos mais estimulantes ministérios da nossa igreja. Fico muito satisfeito de termos assumido aquele risco.

Como já mencionei no capítulo anterior, recentemente fizemos isso de novo, quando tentamos levantar 70 milhões de dólares — 50 milhões em dinheiro, com mais 20 milhões que já havíamos separado — para serem utilizados para as futuras necessidades de construção. Sim, havia um enorme risco envolvido. Mas Deus abençoou enormemente nossos esforços. Fico feliz por termos assumido aquele risco.

Atualmente, estamos assumindo um novo risco com os novos Centros Ministeriais Regionais. Não sabemos se esses centros vão funcionar corretamente; podem falhar. Mas como acreditamos que são riscos calculados conforme a direção do Espírito Santo, estamos optando por investir neles, tanto pessoas como recursos.

Eis a questão: alguns líderes assumem riscos de forma imprudente e estão matando suas igrejas. Estão arriscando muito e com muita freqüência. O problema deve ser a existência de algum inconseqüente "apostador-de-fazendas", alimentando seu processo de tomada de decisões, convencendo-os de que quanto maior o risco, melhor.

Outros líderes, em contrapartida, são quase que totalmente contrários ao risco. Jamais assumiram um risco na sua vida adulta. Provavelmente possuem alguém por trás dos bastidores, que fica sussurrando no ouvido: "Arriscar é ruim. Se você falhar, será o fim do mundo".

Quem está inspirando sua avaliação de riscos? Você sabe quem é? Está na hora de rever a sua lista de mentores? Será que não é o momento de definir novos conselheiros, que pudessem aumentar ou diminuir seu perfil de risco, de acordo com a sua necessidade?

CONSULTANDO CONSELHEIROS SOBRE AVALIAÇÃO DE DESEMPENHO ·

Uma das mais complexas questões que enfrento na Willow é saber como lidar com uma equipe que não possui um bom desempenho. No minuto em que percebo que terei de tomar uma decisão relativa a isso, fico de prontidão. Por quê? Porque isso envolve pessoas, e como acabei de mencionar, uma das minhas convicções básicas é que as pessoas são o maior tesouro de Deus. Conseqüentemente, jamais considero esses assuntos leviana-mente. É comum que durante conversações a respeito do desempenho dos funcionários, fique meditando silenciosamente sobre os ensinamentos dos dois homens que mais influenciaram meu raciocínio a respeito dessa questão. Quem são eles? Jesus e Peter Drucker — nessa ordem, é lógico.

Ecoando em minha mente, durante essas discussões, fica a expressão de Jesus: "... o trabalhador merece o seu salário" (Lc 10.7). Isso significa que o empregador, que esteja recebendo um serviço valioso, eficiente e regular de um empregado, deveria oferecer um salário conveniente e honrar tal empregado. Esse mesmo ensinamento, entretanto, implica que, se um empregador *não* estiver recebendo um serviço valioso, eficiente e regular de um trabalhador, então o trabalhador já não é mais digno do seu salário. Os rendimentos deveriam cessar ou ao menos serem reduzidos.

Peter Drucker certa vez me disse: "Bill, quando se trata de pagar funcionários, mesmo funcionários de igrejas, um baixo desempenho é inaceitável". Nunca esqueci aquilo. Por isso, quando é trazido à minha atenção que temos um funcionário com baixo desempenho, agimos rapidamente. Chamamos isso pelo que realmente é: inaceitável.

Em seguida, imediatamente, tentamos discernir a causa do baixo desempenho. Trata-se de uma má adaptação à função ou foi um treinamento inadequado? Os nossos objetivos ou expectativas para essa pessoa são irreais? Ele ou ela está sendo mal gerenciado? Se assim for, a igreja está falhando e, nesse caso, deve ser responsabilizada? É terrivelmente injusto culpar empregados por um baixo desempenho, quando não estão recebendo a orientação, o aconselhamento, o treinamento ou o gerenciamento que precisam. Na verdade, se houver uma série de empregados com uma baixa performance, pode ser prudente examinar seu supervisor, para verificar se é um problema de liderança, em vez de uma dificuldade com a performance do empregado.

Entretanto, se a baixa performance de um empregado for derivada de um padrão de relacionamento pernicioso, problemas com autoridade, desonestidade ou a velha e antiquada preguiça, devemos chamar a atenção do empregado de forma direta e dispor um plano de aprimoramento imediatamente.

É de esperar que possamos resolver a situação. Mas se após muitos meses de um esforço consciente por ambos os lados, o funcionário segue não sendo capaz de fornecer um serviço valioso, eficiente e regular para a igreja, até mesmo conversas mais duras ocorrerão. Se essas conversas não levarem a uma solução, o empregado será certamente demitido.

Sempre que somos forçados a dispensar funcionários, oferecemos generosos pacotes de desligamento e qualquer suporte necessário para a transição. Mas, generosidade não significa fechar os nossos olhos à verdade, a fim de sermos "bonzinhos", ou de evitarmos conversas desagradáveis e decisões duras. Generosidade não significa que devemos manter um funcionário que não possui um desempenho adequado. "O trabalhador merece o seu salário", mas se não estivermos recebendo o trabalho adequado, o acordo está cancelado. Baixo desempenho é inaceitável.

Certa vez, estava abordando questões relativas aos funcionários para um grupo que estava aconselhando. Em determinado momento, um pastor mais experiente de uma importante denominação começou a balançar a cabeça e a dizer: "Você faz soar como se realmente pudesse demitir um funcionário que estivesse causando problemas".

"Bem", respondi. "Não sei se devo resumir assim, mas certamente podemos, e o faremos, se necessário".

Ele disse: "Eu jamais poderia fazer isso".

"Por que não?", perguntei.

"Porque minha denominação torna quase impossível eliminar um funcionário. Na verdade, provavelmente não poderia demitir meu pastor-associado se ele estivesse fazendo sexo com a organista, em cima do órgão, durante o culto das dez horas da manhã!".

"Bem...", respondi, "isso é um problema — e ainda bem que é seu, e não meu!". Prossegui, sugerindo que aquela denominação, como um todo, devia rever sua política de pessoal.

Na minha opinião, muitas igrejas e líderes de igrejas precisam fazer isso. E deve-se começar refletindo sobre quem fundamenta a sua tomada de decisão, no que se refere à contratação e ao gerenciamento de funcionários pagos. Você sabe? São as influências corretas? Estaria na hora de uma mudança?

CONSULTANDO MEU CONSELHEIRO SOBRE EXCELÊNCIA

A Bíblia tem muito a dizer sobre o valor da excelência. Por isso, afirmamos que isso é um dos dez maiores valores da nossa igreja. Dizemos desta forma: "A excelência honra a Deus e inspira as pessoas".

Quando tenho de tomar uma decisão, que envolve o valor da excelência, penso em dois empresários de Michigan. Um é Ed Prince. Ele já morreu há vários anos, mas era a força impulsora da Prince Corporation, uma das principais fábricas de componentes automotivos. O outro é Rich DeVos, co-fundador da Amway.

Os níveis de excelência que esses dois empresários holandeses e cristãos reformados estabeleceram em seus negócios e vida pessoal sempre me inspiraram. Muitas vezes, quando tenho de tomar uma decisão relativa ao nível de excelência, penso: "Puxa, queria que o Ed ainda estivesse por aqui". Ou: "Queria poder ligar para o Rich agora mesmo e saber a sua opinião". Então, reflito sobre as escolhas que vi esses homens fazerem em situações parecidas ao longo dos anos. As atitudes que tomaram no passado ajudam a formar as minhas decisões de hoje. Quem faz isso por você? Você possui um conselheiro sobre excelência?

CONSIDERANDO MEU CONSULTOR SOBRE O MORAL

Meu amigo, John Maxwell, a quem me referi no último capítulo, sempre vem à minha mente quando estou tentando melhorar o moral dos funcionários da Willow. Sempre que vejo funcionários com os ombros para baixo, simplesmente me pergunto: "O que John faria nesse momento?". Então, puxo na memória o que o vi fazer centenas de vezes em outros ambientes, onde as pessoas estavam desanimadas para a batalha. Ele põe seus braços ao redor delas e agradece por estarem na equipe. Ele ouve pacientemente, enquanto descrevem seus desgostos. Daí, oferece uma sincera oração de encorajamento de trinta segundos. No momento que ele se retira, o espírito foi verdadeiramente erguido.

Caso você ainda não tenha percebido isso, o moral é muito importante. Na minha opinião, milhares de congregações ao redor do mundo estão sofrendo de "subnutrição motivacional". Em conferências de treinamento, às vezes pergunto aos voluntários das igrejas quando foi a última vez que receberam um bilhete de encorajamento de seu pastor ou supervisor. Com muita freqüência, dizem algo como: "Nunca recebi. Venho servindo por vinte anos, e jamais recebi um elogio pessoal de alguém da nossa equipe de liderança. Tenho certeza que eles gostam do que faço, mas ninguém nunca realmente me disse".

Nós, líderes, precisamos melhorar. Nossos devotados obreiros merecem receber regularmente um "parabéns".

Na Willow, melhoramos a esse respeito nos últimos anos. Tentamos oferecer agradecimentos pessoais durante o ano, mas além disso, paramos tudo para dizer um "obrigado" publicamente, em nosso Agradecimento Anual ao Voluntariado. Como mencionei em um capítulo anterior, esse evento se transformou em algo realmente impressionante. Todos os anos, tentamos fazer algo um pouco diferente para honrar nosso quadro não-remunerado.

Recentemente, abusamos da criatividade em nosso evento anual. Durante o culto semanal da Nova Comunidade, alinhamos centenas dos voluntários e simulamos uma parada militar. John Ortberg e Nancy Beach foram os mestres-de-cerimônias, descrevendo cada diferente grupo ministerial conforme desfilava sobre o palco. Os voluntários acenavam e a congregação aplaudia. A música retumbava, e fotografias dos voluntários trabalhando ficavam aparecendo nas telas.

Mais tarde, admiti a um dos participantes que a idéia da parada era um pouco maluca. Para minha surpresa, essa pessoa disse: "Tenho sido voluntário aqui por dezoito anos. Eu amo isso e trabalharia quer alguém notasse, quer não. Mas tenho de confessar: ter toda a igreja aplaudindo a mim e a meus colegas voluntários foi como... bem... deixe-me apenas dizer que você pode vir com quantas idéias malucas quiser, mesmo semelhantes a essa. Por mim, está tudo bem!".

O moral é muito importante. Quando o moral está afundando, é tarefa do líder localizá-lo e levantá-lo. Quem vem a sua mente como um modelo para esse papel? Quem você conhece que reanima o espírito e encoraja o coração dos funcionários e dos voluntários? Deixe-os embasar as suas decisões relativas ao moral. A equipes, pagas ou não, ficarão satisfeitas se você o fizer.

Poderia falar sobre muitos outros líderes que confirmam a minha tomada de decisão. Para questões teológicas, tenho o dr. Bilezikian. Tenho vários outros conselheiros, que me ajudam nas áreas das finanças, psicologia e relacionamentos. Estaria perdido sem a sabedoria que essas pessoas me oferecem.

Por que você não tem mentores em algumas dessas áreas? Minha recomendação seria ler com freqüência e extensamente, além de tentar passar algum tempo com outros líderes sempre que possível. Isso irá expô-lo a pessoas e a princípios que irão, gradualmente, formar as suas decisões diárias. Ao longo do tempo, Deus o ajudará a identificar o núcleo central de consultores, que poderá melhor ajudá-lo a tomar decisões que honrem a Deus.

TERCEIRA FONTE DE DADOS: SOFRIMENTO

POR MUITAS VEZES, FUNCIONÁRIOS VÊM a minha sala para anunciar planos ministeriais para os quais querem meu apoio. De vez em quando, para sua enorme surpresa, eu os corto no meio da frase: "Já ouvi o bastante. Estou fora". Pensando que estou brincando, continuam a tentar me convencer. Então, intervenho de novo: "Não. Não enquanto eu estiver vivo. Isso não vai acontecer".

A essa altura, eles percebem que estou falando sério. Se eles perguntam "Por quê?", possivelmente digo algo mais ou menos assim: "Tentamos essa mesma coisa há quinze anos. Pensamos que éramos espertos, mas nos arrebentamos. Tentamos de novo há anos e apanhamos de novo. Há três anos, investimos novamente e apanhamos de verdade. Assim, já ultrapassamos todos os limites. Entendo por que a sua proposta parece boa; também pareceu boa para nós. Mas não é boa. Por isso, falo sério quando digo que essa idéia é natimorta. Isso não vai ser feito. Por isso, deixe para lá".

Uma das vantagens da experiência é que ela faz que os líderes veteranos tenham um "arquivo de dores" de lembranças pungentes. As lições reunidas nesse arquivo ajuda os líderes a discernir o nível de aflição potencial, inerente a cada nova idéia. Se o nível for muito alto, as sirenes de alerta começam a fazer barulho e eles sabem que têm de parar tudo. Líderes mais jovens e menos experientes seguem fazendo tentativas imprudentes, e levando surra.

Há vários anos, na reunião de cúpula da liderança da Willow Creek Association, da primeira vez em que apresentei os "três Cs" — caráter, competência e combinação — como as bases para a contratação de pessoal, eu disse: "Nunca abra mão do caráter. E quando se tratar de competência, busque o melhor; vá atrás das melhores pessoas ao seu alcance. Quanto à combinação, certifique-se de que a pessoa tenha uma boa 'química' com os outros membros da equipe". Terminei aquela palestra dizendo: "Já tive muitas derrotas. Já vi e causei muito derramamento de sangue. Nunca mais vou violar conscientemente os três Cs".

Após aquela reunião, vários pastores me escreveram, contestando a minha posição a respeito daqueles três Cs. Quando recebi as cartas, apenas sorri e as arquivei. Não estou tentando ser arrogante, mas sabia o que ia acontecer. Como previsto, alguns meses depois, recebi uma segunda carta de um daqueles pastores. Embaraçado, ele admitiu que o caráter era de fato o mais importante e que ele deveria ter pensado nele. Ele passou então a descrever a história de horror que tinha sido recentemente descoberta no seu quadro de funcionários, terminando sua carta com estas palavras: "Nunca mais abrirei mão do caráter na seleção de um líder".

Outro pastor escreveu: "Odiei a idéia de qualificar ou desqualificar alguém com base no seu relacionamento com os membros já existentes na equipe — aquele negócio de combinação. Então, apesar de uma óbvia 'poda' na sua personalidade, trouxe um empreiteiro local, extremamente competente para a equipe de construção. Em meses, ele conseguiu polarizar todos no comitê e alterar a dinâmica da equipe. Agora, tenho uma respeitável bagunça em minhas mãos. Tenho ótimos voluntários abandonando a equipe, e o prédio está só pela metade".

Minhas respostas àqueles pastores buscavam o seguinte efeito: "Sinto a sua dor. Pessoalmente, já tive muita. Só há uma coisa a fazer em momentos como esses: aprender com os seus erros".

A dor é um professor muito eficaz e um fantástico formador do seu processo de tomada de decisão.

Levo um arquivo de dores em branco comigo onde quer que vá. E se, por alguma razão, sentir-me tentado a fazer outro pagamento ao flautista da dor, eu pergunto se quero realmente levar pancadas na cabeça novamente. *Eu realmente preciso somar mais dor a minha vida?*

Você alguma vez já separou algum tempo para fazer a sua "Lista das dez maiores dores"? Algumas vezes, em sessões de orientação com pastores, sentamo-nos em uma roda após o jantar e contamos uns aos outros as lições que aprendemos da maneira mais difícil. Algumas vezes, com detalhes engraçados, descrevemos as coisas que jamais faremos novamente. Ouvi algumas muito engraçadas.

Um deles disse: "Nunca mais deixarei minha sogra ser a pastora principal novamente". Outro pastor falou: "Nunca mais vou deixar um pregador convidado ensinar sobre sinais e maravilhas enquanto estou de férias". Um pastor, particularmente descontraído, disse: "Nunca mais vou dizer para uma bailarina que vai se apresentar no culto: 'Pode vestir qualquer coisa que você quiser para o culto da manhã'. Foi um grande erro!".

Todas essas histórias são verdadeiras. Histórias repletas de dor. Mas, potencialmente, fontes de dados muito valiosas.

Nós, líderes, precisamos manter arquivos de tais histórias e revisá-las freqüentemente a fim de que não venhamos a infligir dores desnecessárias a nós mesmos ou a nossas igrejas, ao repetir os erros do passado. A dor pode ser um professor muito eficiente, mas somente se prestarmos atenção e aprendermos as difíceis lições.

Uma última palavra a respeito da dor. Provérbios 13.20 diz: "Aquele que anda com os sábios será cada vez mais sábio". Se formos sábios, aprenderemos com as experiências dos outros, incluindo a sua dor. Essa é outra razão por que é tão importante reunir-se com outros líderes e perguntar: "O que funciona para você? O que não funciona? Em que ponto você sofre? O quanto você sofreu?". A razão pela qual jamais tentei esconder os erros do meu ministério é que tenho a esperança de que outros líderes venham a aprender com as minhas freqüentes trapalhadas, poupando seu povo da dor que causei à Willow.

UMA ÚLTIMA FONTE DE DADOS: O ESPÍRITO SANTO

O ESPÍRITO SANTO É, de longe, a mais valiosa fonte de dados que temos. Treinamento para a liderança, assim como orientação, é bom. Aguçar as habilidades é admirável. Buscar conselhos sábios é proveitoso. Desenvolver a mente é essencial. Mas, no final das contas, andamos pela fé, e não pelo que vemos. Existe uma dimensão sobrenatural da liderança, da qual só tomamos conhecimento ao escutar atentamente o Espírito Santo.

Num determinado mês de dezembro, a equipe de programação estava torcendo o meu braço, para que decidisse o tópico da nossa programação de fim de semana para o mês seguinte. Assim, quando minha agenda permitiu, sai para um dia de dedicação, para que pudesse pensar, orar e pedir a orientação de Deus. Tão claramente, como se já tivesse recebido um estímulo para uma programação de fim de semana, senti o Espírito Santo sussurrar: "Bill, nesse janeiro pregue sobre o amor". Sendo o grande homem de fé que sou, contestei em meu espírito: "Você deve estar brincando. Amor é muito suave para janeiro. As pessoas precisam da sacudida anual de janeiro: andar corretamente no novo ano, perder peso, diminuir o ritmo, livrar-se das dívidas, parar de pecar, crescer em Deus. Existe uma enorme variedade de temas que se "encaixam bem" na pregação de janeiro — mas 'amor' não é uma delas".

O Espírito Santo, porém, acabou me vencendo pelo cansaço e levantei a bandeira branca de rendição. Algumas semanas depois, lancei uma programação chamada "Graduação em amor". A partir do momento em que abri a boca para proferir a primeira palestra daquela série, ficou óbvio que o Espírito de Deus estava fazendo hora-extra. "Opa", pensei. "Algo grande está acontecendo aqui."

Foi uma das séries de pregações que mais teve efeito nas pessoas nos últimos anos até hoje. Foi usada por igrejas em todo o mundo. Todas as vezes que fico sabendo de uma outra igreja que se beneficiou daquela série, sou humilhado e relembrado de que aquelas mensagens não foram determinadas por um bom senso pastoral, mas por um claro estímulo de Deus. Quando olho para trás, durante esses quase trinta anos de liderança cristã, posso facilmente evocar um grande número de decisões que me fizeram parecer esperto, mas que não se relacionam com a minha percepção ou com as inteligentes maquinações da minha mente. Em vez disso, aquelas decisões se relacionam com a graciosa orientação do Espírito Santo.

Quer alguns exemplos? A decisão de iniciar a Willow salta à minha mente. A maioria das pessoas presume que a Willow era o cumprimento de uma ambição pessoal ou de um calculado plano de *marketing*. Na realidade, ela cresceu com base num extremamente claro estímulo de Deus para que se começasse uma igreja que alcançasse os pais dos garotos que freqüentavam o nosso ministério jovem. O mesmo poderia ser dito sobre a ênfase da Willow em alcançar novos convertidos. Essa sempre foi uma escolha impelida pelo Espírito Santo. E isso também se aplica às decisões de utilizar as artes e de fazer os cultos dos fiéis no meio da semana. Todas essas decisões desafiavam a sabedoria convencional à época. Foram estritamente o resultado de seguirmos a orientação do Espírito Santo.

Sem dúvida, devemos utilizar a sabedoria e o bom senso ao liderar as igrejas. Mas também, sem nenhuma dúvida, devemos estar sempre com um ouvido voltado para o céu. Devemos ouvir quando o Espírito Santo, a nossa fonte de dados sobrenatural, fala ao nosso processo de tomada de decisão, o conhecimento de que mais precisamos.

Costumava supor que todos os líderes cristãos se viravam para o Espírito Santo como a fonte de dados que se sobrepunha a todas as outras. Através dos anos, porém, descobri que não é bem assim. Por isso, deixe-me terminar este capítulo propondo umas poucas perguntas que podem nos ajudar a concentrar nossa atenção na suprema fonte de dados.

Existe tranqüilidade suficiente na sua vida para que você possa ouvir os sussurros do Espírito Santo? Você tem coragem para realizar aquilo que o Espírito Santo sugere no seu coração, mesmo que não tenha entendido completamente e até pense que a sua equipe poderá questionar o seu bom senso? Você está determinado a andar pela fé? Você vai se comprometer a permitir que o Espírito Santo fundamente de modo completo a sua tomada de decisões?

Quando um líder combina os estímulos do Espírito Santo com as outras fontes de dados para a tomada de decisões — convicções essenciais, influências de mentores e as lições da dor — tal líder vai operar em níveis cada vez maiores de destreza na tomada de decisões.

Se você não soubesse disso, poderia até pensar que os líderes tinham um sexto sentido!

CAPÍTULO NOVE

A ARTE DA AUTOLIDERANÇA

O líder 360 graus

IMAGINE UMA BÚSSOLA NUM ESTOJO DE PRATA, com um redondo fundo branco, uma delgada agulha negra e quatro letras dispostas em intervalos de noventa graus — N, S, L e O. Quase todas as vezes em que a palavra *liderança* é mencionada, em qual direção os líderes pensam instintivamente?

Sul.

Diga a palavra liderança, e a mente da maioria dos líderes se reporta imediatamente para as pessoas que estão sob seus cuidados. Quando vão a conferências sobre liderança, presumem ter somente um objetivo: melhorar sua habilidade a fim de liderar as pessoas, que Deus confiou a eles.

Sul. Eis o primeiro instinto do líder.

O que a maioria das pessoas não compreende é que, para liderar bem, um líder na verdade precisa poder liderar em todas as direções — norte, sul, leste e oeste.

Por exemplo, líderes eficientes têm de liderar para o norte, o que significa liderar os que estão acima deles. Mediante o relacionamento e a influência, bons líderes lideram as pessoas que os supervisionam. Muito do que faço na Willow Creek, por meio do relacionamento, da oração e da pregação da visão é tentar influenciar gentilmente os que possuem autoridade sobre mim: a diretoria e os pastores auxiliares.

Líderes eficientes também devem aprender a liderar para o leste e para o oeste, em ambientes de colegas. Se não aprendermos a liderar lateralmente e a criar uma situação com nossos colegas em que ambos os lados saiam ganhando, toda a cultura de uma igreja pode deteriorar-se.

Por essa razão, um líder deve aprender como liderar para baixo, para cima e lateralmente. Mas talvez o desafio da liderança mais negligenciado seja o do meio.

QUEM É O MAIS DIFÍCIL DESAFIO DE LIDERANÇA?

VOCÊ.

Vejamos 1Samuel 30. Davi, o futuro rei de Israel, é um jovem líder que ainda estava aprendendo a liderar suas tropas em batalha. Embora Davi fosse novato, Deus derrama do seu favor sobre ele a ponto de Davi vencer a maioria das batalhas. Então, num dia aparentemente normal, o padrão se altera. Após voltar para casa de uma frente de batalha, Davi e seus homens descobrem que soldados inimigos haviam passado pelos seus flancos, atacado e destruído seu acampamento, arrastado suas mulheres e crianças, e queimado todos os seus pertences.

Isso seria a definição de um dia ruim para qualquer líder, mas ainda não acabou. Os soldados de Davi estão cansados, furiosos e extremamente preocupados com suas famílias. Estavam amargurados com Deus. Enfim, uma facção deles começa a falar que aquilo havia acontecido sob a liderança de Davi. Resolvem que toda a tragédia é culpa de Davi e decidem apedrejá-lo até a morte.

Subitamente, Davi está enfrentando uma grave crise de liderança. Ele tem de decidir, imediatamente, para onde direcionar a liderança. Quem tem mais necessidade? Seus soldados? Os oficiais? A facção dos rebeldes?

Sua resposta? Nenhuma das anteriores.

Nesse momento crítico, Davi se dá conta de uma verdade fundamental: precisa liderar a si mesmo antes de liderar qualquer outra pessoa. A menos que se acerte internamente, não terá muito a oferecer a sua equipe. Então, achou um local solitário, e lá "Davi [...] fortaleceu-se no SENHOR, o seu Deus" (1Sm 30.6). Somente então, ele tentou animar a sua equipe a ir resgatar suas famílias e o que havia restado de seus pertences.

Davi compreendeu a importância da autoliderança. Embora esse assunto seja raramente discutido, não se engane, é uma parte essencial da liderança.

Como qualquer um de nós poderá liderar outras pessoas com eficiência, se o espírito estiver esgotado e a coragem estiver vacilante?

Li, não faz muito tempo, um artigo que realmente bagunçou minha cabeça. Dee Hock, o aclamado especialista em liderança, desafiou os líderes a calcular quanto tempo e energia investiam em cada uma dessas direções: na liderança de pessoas sob seus cuidados (s), na liderança de pessoas acima deles (N), na liderança de pessoas lateralmente (L—O) e na liderança de si mesmos. Uma vez que ele vem pensando e escrevendo sobre liderança há mais de vinte anos, e foi laureado pela Business Hall of Fame, estava ávido para adquirir a sabedoria dele.

A sua recomendação? "É o gerenciamento de si mesmo que deveria ocupar 50% do nosso tempo e o melhor das nossas habilidades. E quando fazemos isso, os elementos éticos, morais e espirituais do gerenciamento não têm como ser ignorados".[1] Estava aturdido. Ele realmente queria dizer isso? Que deveríamos dedicar 50% do nosso tempo a autoliderança, e dividir os 50% restantes entre liderar acima, abaixo e lateralmente? As porcentagens que sugeriu me incomodaram tanto, que não consegui terminar de ler o artigo. Enfiei na gaveta da minha mesa, para que as suas idéias descansassem por um pouco na minha mente.

Enquanto descansavam, li um artigo de Daniel Goleman, autor do livro de enorme sucesso, *Inteligência emocional*. Desde o lançamento daquele livro, Goleman tem passado a maior parte do seu tempo analisando por que uma pequena porcentagem dos líderes desenvolve todo o seu potencial, enquanto a maioria atinge um patamar muito aquém do que se espera deles.

Sua conclusão? A diferença tem que ver com (você acertou) a autoliderança. Ele chama isso "autocontrole emocional". De acordo com Goleman, essa forma de autocontrole é exibida pelos líderes quando perseveram na liderança, apesar de uma esmagadora oposição e do desencorajamento; quando se recusam a desistir em momentos de crise; quando conseguem controlar um ego angustiado e quando se mantêm

---

[1] The art of chaordic leadership, *Leader to leader* (Inverno 2000), p. 22.

concentrados na sua missão, em vez de serem distraídos pelos planos de outras pessoas.

Goleman sustenta que líderes excepcionais se distinguem dos outros porque "conhecem seus pontos fortes, seus limites e suas fraquezas".[2] Enquanto lia os dados corroborantes de Goleman, pensei: "Talvez as porcentagens de Dee Hoock não sejam assim tão absurdas!".

Relembre os cinco primeiros capítulos do evangelho de Marcos. Lembra-se do padrão de Jesus: uma atividade ministerial intensa, rapidamente seguida de momentos reservados para reflexão, oração, jejum e solidão? Jesus repetiu esse padrão ao longo de todo o seu ministério. Nas nossas palavras, Jesus estava praticando a arte da autoliderança. Ele sabia que precisava ir a um lugar calmo e se reajustar. Sabia que precisava lembrar a si mesmo quem ele era e o quanto o Pai o amava. Mesmo Jesus precisava se dedicar regularmente a manter claro o seu chamado, evitar desvios em sua missão e a manter a distração, o desencorajamento e a tentação à distância.

Isso é autoliderança. E ninguém — digo ninguém — pode fazer isso por nós. Todo líder tem de fazer esse trabalho sozinho, e isso não é fácil. Na verdade, Dee Hock afirma que, por ser um trabalho tão duro, é evitado pela maioria dos líderes. Preferimos tentar inspirar ou controlar o comportamento dos outros a enfrentar a rigorosa tarefa de refletir a nosso respeito e de crescer interiormente.

Há alguns anos, um destacado líder cristão desqualificou-se para o ministério. Um artigo publicado descreveu a sua renuncia: "[Ele] afundou como uma pedra, derrotado, desiludido, zangado e deprimido; não sendo bom nem para si, nem para as pessoas que amava". Quando esse pastor finalmente escreveu publicamente sobre a sua experiência, ele disse: "No final, já não podia nem dormir a noite. Outra onda de vidas destruídas bateria na porta da igreja; descobri que já não tinha mais compaixão suficiente por elas. Tornei-me, por dentro, furioso, furioso e furioso. Muitas pessoas ainda tentam imaginar o que pode ter me acontecido. Ela pensam que tive uma crise de fé. Na verdade, simplesmente tive um colapso interno".

[2]The emotional intelligence of leaders, *Leader to leader* (Outono 1998), p. 22.

Dee Hock, provavelmente, sugeriria que ele havia falhado no teste de autoliderança. Antes do seu desastre, ele deveria ter separado um tempo para reagrupar, refletir e reajustar. Ele deveria ter tirado uma licença e buscado aconselhamento cristão. Daniel Goleman teria dito que essa pessoa perdeu seu autocontrole emocional. E ele acabou pagando um alto preço.

Nunca vou me esquecer o dia em que três sábios conselheiros vieram falar comigo em nome da igreja. Eles disseram: "Bill, houve dois períodos nos vinte primeiros anos da história da Willow Creek em que você admitiu não estar na sua melhor forma como líder: uma nos anos finais de 1970, e outra no início da década de 1990. Os dados dizem que a Willow Creek pagou muito caro pelo seu infortúnio na liderança. Custou a todos nós mais do que você jamais saberá".

Em seguida, disseram as palavras que jamais esquecerei: "O melhor presente que você pode dar às pessoas que lidera aqui na Willow é você mesmo, saudável, vigoroso, completamente dedicado e concentrado. E ninguém pode fazer isso acontecer na sua vida além de você. Cabe a você fazer as escolhas certas, para poder dar o melhor de si". Enquanto falavam, o Espírito Santo estava dizendo: "Eles estão certos, Bill. Eles estão certos".

Uma vez que sei o que está em risco, agora pergunto regularmente a mim mesmo, várias coisas relativas à autoliderança.

TENHO CERTEZA DO MEU CHAMADO?

NO QUE SE REFERE A ESSE ASSUNTO, sou da velha-guarda. Creio realmente que, qualquer um que levar sobre si o nome de Jesus, seja pastor ou seja leigo, possui um chamado. Todos devemos nos render e nos disponibilizar por completo para Deus. Devemos todos nos perguntar: "Qual é a minha missão, Deus? Onde você quer que eu sirva? Qual papel você quer que eu assuma, em seu grande espetáculo do Reino de Deus?".

Lembra-se do que Paulo disse a respeito do seu chamado? "Não [...] considero a minha vida de valor algum para mim mesmo, se tão-somente puder terminar a corrida e completar o ministério que o Senhor Jesus me confiou" (At 20.24). Para Paulo, não havia prioridade maior que a realização do ministério que Deus havia lhe dado.

É um grande privilégio e uma grande bênção receber um chamado do santo Deus. Nossa vida passa a ter uma clara orientação. Nosso vigor se torna mais intenso e a nossa confiança cresce. Sabermos que estamos em uma missão importante, adiciona propósito e significado a cada um dos nossos dias. Mas só podemos usufruir esses benefícios, se nos mantivermos seguros do nosso chamado.

Nos últimos anos, passei a entender que é meu trabalho fazer exatamente isso. Então, pergunto regularmente: "Deus, você ainda está me chamando para ser pastor da Willow Creek e para ajudar as igrejas ao redor do mundo?". Quando recebo a confirmação divina desse chamado, digo: "Então, vamos lá. Vamos ignorar todas as outras distrações e tentações. Vamos esquecer todo o resto e continuar com isso!".

Se você foi chamado para ser um líder, é sua a responsabilidade de estar certo a esse respeito. Com seu coração aberto, busque a confirmação de Deus. Se você não recebê-la, faça tudo o que puder para discernir o que Deus está tentando lhe dizer. Se você receber a contínua confirmação do seu chamado, faça o que tiver de fazer para se manter concentrado nele. Cole-o na sua geladeira. Ponha em uma moldura sobre a sua mesa. Mantenha-o em primeiro lugar na sua mente.

A MINHA VISÃO É CLARA?

COMO POSSO LIDERAR as pessoas para o futuro se a minha imagem do futuro é confusa? Todos os anos, temos uma Noite da Visão na Willow Creek. Você sabe quem começou a Noite da Visão? Eu. Você sabe para quem faço em primeiro lugar? Para mim. Sabe por quê? Porque a Noite da Visão me força a ser claro como o cristal quanto à minha visão para a Willow.

Acredito que todo líder precisa de uma Noite da Visão regularmente programada. Naquela noite, dizemos: "Esta é a imagem do futuro que acreditamos Deus tem nos concedido; isto é o que faremos; este é o porquê do que vamos fazer; e esta é a forma como vamos fazer. E se orarmos muito, e dermos nossas mãos em união, e nos concentrarmos em nossa missão, daqui a um ano, seremos uma igreja diferente e melhor".

Na Willow, nos preparamos com muito zelo para a Noite da Visão. Com semanas de antecedência, os líderes principais se reúnem para discutir planos futuros. Escrevemos as idéias principais em *flip charts* e *laptops*, então as detalhamos e fazemos um rascunho da sua distribuição. Cada um de nós passa horas orando sobre esses rascunhos e buscando apoio nas Escrituras. Finalmente, perguntamos: "Deus, seria isso o que você tem para nós?". Quando chega o dia da Noite da Visão, a visão está novamente clara como cristal. Sou a primeira pessoa a insistir que passemos por esse processo todos os anos, pois, como pastor-presidente, preciso ter a visão absolutamente clara em minha mente.

A MINHA PAIXÃO ESTÁ ACESA?

VOCÊ ALGUMA VEZ IMAGINOU de quem é a responsabilidade por manter a paixão de um líder acesa? Acertou. Esse é um fundamento da autoliderança.

Em 2001, numa reunião com os pastores auxiliares, um deles me perguntou: "Ocupado como você é, por que sai para viajar em noites de sexta-feira para ir falar em alguma igreja pequena em algum lugar remoto? É para ajudar a levantar fundos ou para consagrar alguma nova instalação? Por que você faz isso?".

Minha resposta: "Porque isso mantém minha paixão acesa".

Expliquei isso no início do mesmo ano quando ajudei uma igreja da Califórnia a consagrar seu novo edifício. Ao entrar em seu novo auditório, um rapaz me levou para o canto de seu espaçoso local e levantou o carpete para me mostrar um local no concreto, onde todos os que pertenciam ao núcleo da igreja haviam escrito os nomes de seus amigos e familiares que estavam longe de Deus. Quando o cimento fresco secou, eles o cobriram com o carpete. Agora, todos os meses, o núcleo dos fiéis fica sobre os nomes escritos de seus familiares e amigos e ora fervorosamente pela sua salvação. Expliquei para os pastores auxiliares que estava enlevado durante todo o vôo de volta para Chicago.

Aquela igreja me animou e me inspirou. Preguei melhor no sábado e no domingo seguintes, por ter feito aquela visita de sexta-feira à noite. Compreendi que minha paixão tem de estar incandescente antes que possa querer que a Willow a entenda. Por isso, tenho de mantê-la acesa. Se ajudar igrejas esforçadas nas sextas-feiras, à noite, ajuda-me a mantê-la acesa — então é melhor limpar minha agenda e fazer disso uma prioridade.

Fazemos centenas de conferências por intermédio da Willow Creek Association. Algumas vezes, os pastores-presidentes de igrejas emergentes me puxam para o lado e cochicham: "Tenho de vir aqui uma ou duas vezes por ano, só para manter minha chama acesa". Parecem envergonhados de ir à Willow tão freqüentemente, como se fosse um sinal de fraqueza.

Digo a eles: "Você é um líder. Faz parte do seu trabalho manter sua paixão acesa. Faça o que tiver de fazer, leia o que tiver de ler, vá onde você tiver de ir para fazer isso. E não se desculpe com ninguém".

ESTOU DESENVOLVENDO MEUS DONS?

TESTE SURPRESA: Quais são seus três principais dons espirituais? Se você não puder enunciá-los tão rapidamente quanto seu nome, endereço e número de telefone, sou tentado a dizer: "Você precisa levar uma sacudida!". Antes de você escrever um bilhete, dizendo-me que fiz você se sentir mal, preciso lhe explicar que, quando se trata dessa questão, sofro de "síndrome de deficiência de compaixão". Talvez precise de remédios, ou de um tempo de análise, mas tenho muito pouca compaixão por líderes confusos a respeito de seus dons espirituais. Líderes devem saber quais dons lhes foram concedidos, e em que ordem.

A Bíblia ensina que todos os líderes terão de prestar contas diante de Deus, pelo desenvolvimento de cada um dos seus dons ao máximo do potencial que lhe foi concedido.

Deus me confiou três dons. Algumas pessoas receberam cinco, seis ou sete. Tenho apenas três — liderança, evangelismo e ensino — mas sei que fui chamado por Deus para desenvolvê-los e expandi-los da melhor forma que puder. É por isso que leio tudo que posso e que diga respeito a esses dons; e passo o maior tempo possível com pessoas que sejam melhores do que eu nessas três áreas.

Nunca me esqueço disto: algum dia, vou estar perante Deus e prestar contas sobre como desenvolvi o que ele me confiou. Quando essa hora chegar, realmente quero receber seu elogio por ter sido fiel em cada uma dessas áreas.

Companheiros líderes, vocês estão se aplicando para desenvolver seus dons da melhor forma que podem? A autoliderança exige que o façamos.

Meu caráter está submisso a Cristo?

A LIDERANÇA TAMBÉM REQUER qualidade moral. Os seguidores só acreditarão em líderes que exibirem o mais alto nível de integridade. As pessoas não seguirão um líder com inconsistências morais por muito tempo. Todas as vezes que você compromete o caráter, compromete também a liderança.

Algum tempo atrás, um dos nossos funcionários ficou frustrado em seu papel de liderança porque algumas pessoas sob sua liderança pareciam não querer cooperar. Comecei a bisbilhotar seu departamento a fim de entender o que estava errado. Então, a verdade surgiu. Uma pessoa disse: "Ele marca reuniões e não aparece". Outra disse: "Ele raramente retorna ligações". E ainda outra disse: "É normal não saber onde ele está".

Marquei uma reunião com aquele líder e verifiquei a avaliação de seus companheiros de equipe. Eu o olhei diretamente nos olhos, e disse: "Vamos deixar uma coisa clara. Quando você diz aos seus companheiros que vai estar em um certo local e numa certa hora mas se atrasa ou não aparece, trata-se de um problema de caráter. Quando você promete retornar uma ligação e então se esquece de fazê-lo, isso faz as pessoas se sentirem desvalorizadas. Quando seus companheiros de equipe não sabem onde você está durante o expediente, isso corrói a confiança. Você tem de dar um jeito nisso ou teremos de transferi-lo". Através dos anos, tenho visto que se a questão do caráter fica comprometida, isso prejudica toda a equipe e acaba por abalar a missão.

Quem quer ser um líder que desmoraliza as tropas e prejudica a causa? Certamente não quero. Por isso, regularmente canto a canção de Rory Noland, nos momentos que fico a sós com Deus:

> Espírito Santo, assuma o controle
> Assuma meu corpo, mente e alma.
> Mostre-me qualquer coisa que não o agrade,
> Qualquer coisa que o entristecer.
> Espírito Santo, assuma o controle.[3]

[3] *Holy Spirit take control*, Ever Devoted Music, 1984.

De quem é a tarefa de preservar o caráter de um líder? É tarefa do líder, é claro.

MEU ORGULHO FOI SUBJUGADO?

1PEDRO 5.5 DIZ: "Deus se opõe aos orgulhosos, mas concede graça aos humildes". Você sabe do que Pedro está falando? De que, como líderes, temos uma escolha. Queremos a oposição de Deus, enquanto lideramos, ou queremos sua graça e seu favor?

Se você for um marinheiro, sabe como é difícil navegar de barlavento. E você também sabe quão maravilhoso e relaxante é navegar de sotavento. Pedro está dizendo: "De que forma você quer? Barlavento ou sotavento? Se você se cobrir de humildade, o favor de Deus o conduzirá. Se for orgulhoso, estará navegando contra o vento".

Você quer saber qual a melhor forma de descobrir se o seu orgulho está afetando a sua liderança?

Pergunte.

Pergunte aos colegas de equipe. Pergunte às pessoas em seu grupo menor. Pergunte ao seu cônjuge. Pergunte aos pastores auxiliares ou a sua diretoria. Pergunto aos seus amigos: "Você alguma vez já sentiu um espírito orgulhoso na minha liderança? As palavras que falo, transmitem um espírito de arrogância?". Se você não puder nem fazer uma pergunta como essa, então provavelmente tem um problema com o orgulho. Isso não é problema se você gosta de navegar contra uma parede de vento. Como é melhor ter um espírito humilde e ser levado por Deus!

Se você possui um problema com o orgulho, não o ignore. Ore pela ajuda do Espírito Santo. Converse com mentores sábios. Visite um conselheiro. Faça o que tiver de fazer para subjugar seu orgulho. Faz parte do seu trabalho.

ESTOU DERROTANDO O MEDO?

O MEDO PODE SER IMOBILIZADOR. Algumas vezes, pergunto a pastores que estão aflitos pelo fato de suas igrejas estarem morrendo: "Por que você não introduziu mudanças?". Pergunto a líderes empresariais que estão hesitando em lançar um novo produto: "Por que você não foi adiante?". Pergunto a líderes políticos que ficam falando bobagens a respeito de assuntos sobre os quais dizem possuir uma opinião firme: "Por que você não toma uma postura pública?". Freqüentemente, a resposta é: "Porque tenho medo". O medo imobiliza e neutraliza os líderes.

Acredite-me, não estou livre de que o medo venha a bagunçar as decisões que tomo. Lembro-me de uma manhã de 2000 quando ficou claro para mim que precisávamos lançar uma programação de construção de 70 milhões de dólares. Nossa visão para o futuro era clara. Os pastores auxiliares, o corpo de diretores e a equipe de administração já haviam aprovado. O próximo passo da equação era eu ter a coragem de lançar a fase pública do empreendimento. Mas você sabe o que estava girando na minha cabeça? "No instante em que você for a público, com uma campanha de 70 milhões de dólares, não há como voltar atrás. Ou vai ou racha." Atinei que tudo pelo qual tínhamos trabalhado nos últimos 25 anos estava em risco. Toda a credibilidade que a nossa congregação havia conquistado na nossa comunidade — e por todo o mundo — estava em jogo. O medo foi crescendo. "E se não chegarmos a 20 milhões? Por que expor a Willow a esse tipo de decepção? Estamos indo tranqüilos. Estamos crescendo e batizando mil pessoas por ano. Um enorme passo em falso, poderia acabar com tudo. Por que assumir o risco?"

Em determinado momento, porém, percebi o que estava fazendo: deixando o medo sabotar a minha liderança. Citei para mim mesmo aquele pequeno versículo em 1João 4.4: "Aquele que está em vocês é maior do que aquele que está no mundo". Perguntei a mim mesmo: "Deus falou comigo? Ele deixou clara essa direção? Ele ainda vai me amar se eu falhar? Ainda vou para o céu se tudo isso der errado?". Não foi fácil, mas no final, encontrei coragem para seguir na fé.

É função do líder lidar com o medo, de forma que ele não sabote a nossa missão.

OS PROBLEMAS INTERIORES ESTÃO PREJUDICANDO MINHA LIDERANÇA?

TODOS NÓS JÁ experimentamos ofensas, perdas e decepções no passado. Essas rupturas ajudaram a formar — ou deformar — que somos hoje.

Acho graça das pessoas que dizem: "Os problemas da minha família de origem não me afetaram". Ou: "Nada no meu passado influencia a minha vida atual".

Líderes que ignoram a sua realidade interior, tomam freqüentemente decisões insensatas que trazem graves conseqüências para as pessoas que lideram. Freqüentemente, não se apercebem do que os levou a tais decisões. Alguns pastores não percebem que sua luta com a grandiosidade os leva a tomar decisões que escravizam toda a congregação a uma programação que não pertence a Deus. É uma programação que sai da sua necessidade para ser maior que algo, melhor que alguma coisa e mais grandiosa que tudo.

Outros líderes não resistem a ânsia de agradar a todos. Toda semana fazem uma pesquisa para saber a sua avaliação e então se comportam de acordo.

Quem é responsável pelo tratamento e pela solução de nossos problemas interiores de modo que as nossas igrejas não sejam influenciadas negativamente pelo nosso lixo? Você é. Eu sou.

Já passei muito tempo em um consultório de aconselhamento cristão. Ainda mantenho contato com dois conselheiros cristãos. Até hoje, mantenho uma lista de indagações a respeito de meus aspectos confusos.

Perguntas como: "Por que eu disse isso? Por que fui autoritário com aquela pessoa? Por que cedi naquela situação, quando precisava ser firme?". É minha responsabilidade resolver essas coisas com um amigo, um diretor espiritual ou um conselheiro cristão. A autoliderança também exige isso.

Meu ritmo é sustentável?

Como mencionei anteriormente, cheguei perto de uma sobrecarga emocional no início de 1990. Basta dizer que não estava praticando a autoliderança. Não compreendia o princípio da sustentabilidade. Por isso, fritei minhas emoções. Abusei dos meus dons espirituais. Danifiquei o meu corpo. Negligenciei a minha família e amigos. E fiquei por um fio, para me tornar uma estatística ministerial.

Lembro-me de estar sentado em um restaurante e escrever: "O ritmo no qual estou fazendo a obra de Deus está destruindo a obra de Deus em mim".

Então, ainda sentado, abaixei a minha cabeça sobre o meu caderno e chorei inconsolavelmente.

Após ter secado minhas lágrimas, disse: "Deus, o que está acontecendo aqui?". Senti o Espírito Santo dizendo: "Bill, quem tem uma arma na sua cabeça? Quem está lhe forçando a morder além do que pode mastigar? Quem o está obrigando a se comprometer mais que o necessário? De quem você espera aprovação, confirmação e aplauso, além de Deus? O que o faz viver dessa forma?". As respostas eram mais que preocupantes. Eram devastadoras.

Os pastores auxiliares, a quem presto contas, não eram a causa do meu problema de ritmo. Nem era o corpo de diretores, o *staff*, a minha família, ou os meus amigos. Todo o meu problema de ritmo era causado por mim mesmo.

Senti-me completamente só naquele restaurante barato em South Haven, Michigan, louco da vida, por não poder culpar mais ninguém pela minha exaustão e pelo meu entorpecimento emocional. É um sentimento terrivelmente solitário, não ter ninguém a quem culpar. É muito desagradável perceber que para achar o cara mau, basta você olhar no espelho.

A verdade, que todos temos de aceitar, é que a única pessoa que pode montar uma programação sustentável para nós, somos nós mesmos. Todos os meses, durante quinze anos, estive assoberbado, e a minha vida esteve fora de controle. Bem no fundo, ficava pensando: "Por que os pastores auxiliares não me salvam? Por que os meus amigos não me salvam? As pessoas não vêem que estou morrendo?".

Por fim, a voz da autoliderança falou a verdade ao meu ouvido: "É sua a responsabilidade de criar um planejamento sustentável e se prender a ele todos os dias". Pela graça de Deus, acabei resolvendo como proceder, e agora, doze anos mais tarde, posso honestamente dizer que o ritmo do meu ministério e da minha vida é sustentável; e sou mais feliz que em qualquer outra época da minha vida.

Sou grato pelo meu ritmo mais realista, não apenas por minha causa, mas também por causa da minha esposa. Nós, líderes, seremos ingênuos, se acreditarmos que podemos viver em um ritmo doentio, sem causarmos dor aos que nos são mais próximos. Pelo fato de Lynne ser comprometida de todo o coração com o ministério da igreja local, ela sempre deu o melhor de si para suportar tanto o meu trabalho na Willow como minhas viagens domésticas e internacionais. Entretanto, o desequilíbrio na minha vida, fez que a tarefa de me apoiar fosse muito mais árdua do que devia ser. Ela acabou arcando sozinha com demasiadas responsabilidades da família e do lar, limitando consideravelmente o tempo e a energia de que dispunha para desenvolver seus dons e seu ministério.

Conscientemente, comprometi meu tempo com meus filhos, sabendo que não podia esperar que aceitassem um pai ausente; mas como muitos pastores, esperei que a minha esposa compreendesse e aceitasse meu extremo comprometimento com a "obra de Deus". Aquilo foi um erro, uma mancada da minha autoliderança. O nosso casamento sofreu, como qualquer casamento preso na pressão de um ritmo insano.

Pela graça de Deus, aquela época já passou. Nós nos alegramos nos vínculos estreitos que temos com nossos filhos adolescentes, bem como no verdadeiro renovo do nosso relacionamento. Para nós, os "bons e velhos tempos" são hoje, e o futuro parece brilhante.

Não teríamos chegado onde chegamos, entretanto, se eu não tivesse enfrentado a minha agenda. Líderes, ouçam-me, por favor. Vocês têm de esquecer a ilusão de que alguém "lá fora" tem o dever de resgatar vocês. Estabelecer um ritmo sustentável para suas vidas não é trabalho para mais ninguém além de vocês. Então, façam-no. A sua vida, o seu ministério, o seu casamento, a sua família — todos dependem disso.

MEU AMOR POR DEUS E PELAS PESSOAS ESTÁ AUMENTANDO?

VOCÊ TEM SE LEMBRADO, recentemente, de quem é o trabalho de avivar as chamas do seu amor? É trabalho da igreja? É trabalho da sua esposa? É trabalho do seu grupo menor? Não. É *seu* trabalho, e *meu* trabalho, nos certificarmos de que o amor que temos por Deus e pelas outras pessoas esteja aumentando. Ninguém pode fazer isso por nós.

O capítulo 11 é dedicado à questão de aprofundarmos nosso relacionamento de amor com Deus. Por isso, nas últimas páginas deste capítulo, gostaria de abordar a segunda parte da questão do amor: amar os outros.

Se é verdade, como afirmei no capítulo 8, que as pessoas são o maior tesouro de Deus, logo, conclui-se que também devem ser nosso maior tesouro. E se são nosso maior tesouro, nosso coração deve estar transbordante de amor por elas. O trabalho da igreja, em essência, deve ser amar as pessoas como Deus as ama.

Alcancei um ponto na minha vida no qual percebi que meu entusiasmo pelas pessoas não estava aumentando, mas murchando. Não estava amando as pessoas de mais, mas de menos.

Por mais estranho que possa soar, freqüentemente posso medir o tamanho do meu entusiasmo pelo que acontece nos primeiros dias das minhas férias anuais de estudo no verão. Por muitos anos, após terminar uma intensa temporada ministerial na Willow, quando ia para a pequena cidade onde minha família e eu passamos o verão, honestamente não dava a mínima pelas pessoas daquela cidade. A minha atitude era: "Ei, até que eu tenha voltado ao escritório em Chicago, você não é problema meu". Triste dizer, mas meu coração estava muito mesquinho naquela época.

Tentava justificar a minha indiferença, mas sabia que estava errado. Então, decidi fazer alguns ajustes no gerenciamento da minha vida, durante meu ano ministerial, em uma tentativa de evitar que meu coração encolhesse e meu espírito ficasse calejado. Comecei a tirar folgas regulares, a programar mais solidão durante a minha semana, e a incluir na minha leitura mais livros que convidassem a um aprofundamento espiritual.

Vários anos atrás, quando já estava de férias há alguns dias, um jovem que havia ouvido que eu era pastor, me localizou na marina onde mantenho meu barco. Ele tinha 25 anos de idade, havia acabado de sair da prisão e tinha uma lista de problemas tão longa como o seu braço. Após contar seus infortúnios, ele ousadamente me pediu orientação, dinheiro e qualquer outra coisa que tivesse para dar.

Senti realmente que ele estava, com sinceridade, esperando fazer algumas mudanças em sua vida. Daí, escutei pacientemente e então falei: "Deixe-me pensar nisso por essa noite e lhe darei um retorno". Mais tarde, naquela noite, tentei explicar a Lynne o que estava sentindo: "Todas as oportunidades estão contra esse rapaz", disse. "Pelo resto da sua vida, ele irá provavelmente enfrentar dificuldades por causa de seus erros do passado. E talvez ele apenas continue cometendo os mesmos erros. Mas se talvez alguém lhe desse alguma ajuda, poderia fazer algum progresso. Vamos tentar fazer alguma coisa por ele".

Não fiquei surpreso por Lynne apoiar a minha idéia. Fiquei surpreso por *eu* apoiar a minha idéia. Sinto ter de confessar, mas fiquei chocado com a compaixão que brotou no meu coração por aquele rapaz. É assim que tem sido, desde que passei a encerrar uma longa temporada ministerial, com energia suficiente para me importar verdadeiramente com os problemas de outro ser humano.

Então, nós lhe demos algum dinheiro para ajudá-lo a superar a crise do momento e o ajudamos a encontrar alguns trabalhos ocasionais que o supriram com algum rendimento fixo. Relacionar-me com ele naquele verão representou um tipo de vitória da autoliderança para mim. Mais e mais, o Espírito Santo falava em meu ouvido: "Você está crescendo, Bill. O seu coração está ficando maior. Parabéns!".

Não quero que o meu coração volte jamais a murchar. Agora, estou mais determinado que nunca, a me certificar de que o meu coração continue crescendo, durante o restante da minha aventura na liderança. Que vantagem há em ser um líder cristão, se minhas habilidades, meus discernimentos, minhas decisões e minha energia não fluírem de um profundo amor por Deus e pelas outras pessoas?

Como está o seu coração? Se você continuar no caminho em que está, o seu coração irá crescer conforme forem passando os anos do seu ministério? Ou as suas margens estão muito finas? Você está indo tão rápido, que a cada vez que você alcança sucessivas linhas de chegada, está totalmente acabado? Por favor, enfrente o que você tiver de enfrentar. Mude o que você tiver de mudar. Experimente as práticas de gerenciamento da vida, que lhe permitirão se destacar na liderança *e* no amor.

Norte, sul, leste e oeste — um líder deve aprender a liderar em todas essas direções. Mas, se você não estiver firme no meio da bússola, não importa quantos pontos você conseguirá ao ter sucesso em torno dela. Se ler este capítulo fez que você se contorcesse internamente, então, leia-o de novo. Faça a si mesmo as perguntas que fiz neste capítulo. Ponha diante do Espírito de Deus o seu chamado, a sua visão, a sua paixão, os seus dons, o seu caráter, o seu orgulho, os seus medos, os seus problemas interiores, o seu ritmo e o seu coração. Deixe Deus revelar a verdade sobre a sua vida. Em seguida, tome todas as providências que forem necessárias para se tornar perito no único aspecto da liderança que possui importância destacada: a autoliderança.

CAPÍTULO DEZ

A ORAÇÃO DO LÍDER

*"Deus, molde e forme o meu ser, para que alcance
meu pleno potencial de liderança"*

ALGUNS DOS MAIS PROFUNDOS MOMENTOS que passei com Deus ocorreram quando estava sozinho em um barco. Certo dia, ancorado ao largo da costa do lago Michigan, comecei a registrar alguns pensamentos, sobre o meu potencial de liderança. Escrevi: "Deus, quero ser um líder melhor que sou agora. Não quero estar diante do Senhor algum dia e ter de admitir que desperdicei as oportunidades que me deste. Quero desenvolver minhas habilidades de liderança ao máximo do meu potencial. Mas preciso da sua ajuda. Por favor, oriente o meu crescimento e me ensine o caminho pelo qual devo seguir".

Conforme escrevia essa oração, senti-me orientado pelo Espírito Santo a examinar a vida de alguns de meus líderes favoritos no Antigo e no Novo Testamento. Após refletir sobre a vida desses diversos homens e mulheres e identificar os louváveis componentes da sua liderança, comecei a orar para que seus pontos fortes se tornassem realidade na minha vida.

"DEUS, FAÇA-ME COMO DAVI"

O PRIMEIRO LÍDER QUE VEIO à mente foi o rei Davi. Uma razão pela qual ele é um dos meus líderes favoritos de todos os tempos é o seu otimismo. Naquele dia, no barco, orei: "Ó Deus, dê-me o otimismo de Davi. Preciso da capacidade de Davi para perceber o que pode acontecer quando se está em meio a uma situação difícil".

Desde o primeiro dia, Davi vestiu o manto da liderança. Seu otimismo, baseado na fé, moveu-o a intentar proezas por Deus, que líderes mais cautelosos não teriam sequer levado em consideração. Davi acreditava tão profundamente no poder de Deus, que um gigante não pôde intimidá-lo, um rei assassino não pôde paralizá-lo, e inimigos genocidas não puderam derrotá-lo. Davi marchava confiantemente em qualquer direção que Deus lhe apontasse, totalmente confiante de que a graça e o poder de Deus seriam manifestados pelo caminho. "Ó Deus", pensei, "preciso ter mais disso na minha vida, quando estiver liderando".

Mesmo em seus piores momentos, o otimismo, baseado na fé, que havia no coração de Davi, era forte. Quando falhou moralmente com Bate-Seba e Deus fez morrer seu filho primogênito com uma doença, Davi não desistiu do seu otimismo. Muito embora Deus tivesse dito que a vida da criança seria requerida pelos pecados do pai, Davi agarrou-se a esperança. Ele caiu sobre sua face; jejuou e orou por seis dias e seis noites. Não podia abandonar a tênue possibilidade de que Deus pudesse poupar seu filho recém-nascido.

Mas, como você sabe, Deus não poupou seu filho. O bebê morreu.

Mais tarde, quando lhe perguntaram por que havia jejuado e orado, Davi disse: "Eu pensava: Quem sabe? Talvez o SENHOR tenha misericórdia de mim e deixe a criança viver" (2Sm 12.22). O coração otimista de Davi bate fortíssimo nessas palavras.

- Quem sabe? Deus pode ser misericordioso.
- Quem sabe? Deus pode usar o seu poder em meu favor.
- Quem sabe? Deus pode me surpreender com algo sobrenatural.

Otimistas esperam experimentar a grandeza e o amor de Deus, mesmo quando enfrentam circunstâncias desoladoras.

Preciso daquele tipo de otimismo na minha liderança. Não precisamos todos?

As pessoas que lideramos também precisam ver esse tipo de otimismo em nós. Elas levam um invariável jato sólido de pessimismo todos os dias. Seja através da televisão, dos jornais, das revistas ou dos noticiários criminais elas ouvem o mesmo e persistente zumbido: "As coisas estão sombrias e piorando. Não há nenhum sinal de luz no horizonte. Não há nenhum motivo para ter esperança".

As pessoas precisam ouvir um líder, com convicções baseadas na fé, dizer: "Espere um minuto. As coisas podem melhorar. As vidas humanas podem ser transformadas pelo poder de Cristo. O sofrimento pode ser aliviado pela misericórdia de Deus. A opressão pode ser retirada. O pecado pode ser derrotado. A igreja pode fazer os portões do inferno recuar".

Durante as repercussões do 11 de setembro e a recessão decorrente, orei todos os dias: "Deus, dê-me o otimismo de Davi. Ajude-me a lembrar que o Senhor está vivo, poderoso, generoso e misericordioso. Ajude-me a crer, além de qualquer sombra de dúvida, que o Senhor tem o poder e está pronto e desejoso de levar a minha vida, a sua igreja e o mundo a uma nova forma de vida.

"Faça-me como Davi, para que possa ser um líder que inspire esperança. Ajude-me a soerguer outras pessoas para um otimismo baseado na fé. Se eu e as pessoas que lidero já precisamos algum dia do espírito de Davi, a hora é essa."

Você necessita fazer essa oração?

"DEUS, FAÇA-ME COMO JÔNATAS"

ERA NATURAL, APÓS ter refletido sobre Davi, buscar nas Escrituras pelo bom amigo de Davi, Jônatas. Uma vez que o pai de Jônatas era o rei Saul, ele, evidentemente, era o herdeiro do trono. Também era um jovem líder extremamente talentoso e brilhante. Mas a posição de Jônatas na vida não conseguia ser tão esplêndida quanto a condição do seu coração. Quando pensei em Jônatas, orei: "Deus, dê-me a capacidade de Jônatas para amar".

Jônatas tinha uma enorme capacidade de amar. Na sua juventude, Davi foi o alvo do genuíno amor de Jônatas, embora Jônatas pudesse ter considerado Davi uma ameaça a sua herança. Jônatas, todavia, jamais sacrificou o seu relacionamento com Davi para proteger o próprio futuro. Pelo contrário, pôs seu coração em uma bandeja e ofereceu a Davi.

Naquele dia, no meu barco, orei: "Deus, não quero ser um líder que sacrifique a comunidade no altar da causa do Reino de Deus. Não quero usar as pessoas, vendo-as como meras ferramentas. Quero ter um coração como o de Jônatas com enorme capacidade de amar". Com um coração como o de Jônatas, nunca mais vou ter de me preocupar sobre ter ou não um coração murcho como o descrito no capítulo anterior.

De tempos em tempos, tenho de me lembrar que Jesus ensinou que o teste decisivo do nosso discipulado é o teste do amor. A medida que vai, em última análise, avaliar minha vida e minha liderança, é o amor. Quando raciocino de forma clara, percebo que seria melhor ser conhecido por um homem de amor, que por um homem de visão. Ser considerado um homem de amor, em vez de um homem com intenções estratégicas. Preferiria ser lembrado como um homem de amor a ser lembrado como um homem que alcançou muitos objetivos.

Naquele dia, comecei a orar ardentemente: "Deus, dê-me a capacidade de Jônatas para amar".

"DEUS, FAÇA-ME COMO JOSÉ"

CONFORME ORAVA, MINHA mente foi levada até José. Ele é meu herói por causa da sua integridade. Eu orei: "Deus, dê-me a santidade pessoal de José".

A escalada de poder e influência de José só pode ser descrita como meteórica. Tal ascensão freqüentemente leva ao orgulho e à suposição de que tal pessoa é uma exceção à regra. Todos sabemos que o poder tende a corromper. Como líder, você já deve ter sentido essas garras da corrupção na própria carne.

Mas José permaneceu livre da corrupção do poder. Com base no que as Escrituras dizem, ele evitou impropriedade financeira, escândalo político e sedução sexual. Permaneceu imaculado até o fim.

Qual era a chave da integridade de José? Acredito que ele via a sua liderança como uma administração sagrada, pela qual ele ia algum dia prestar contas a Deus. Creio que José viveu com a consciência diária de que os líderes devem possuir um alto grau de autoridade moral se quiserem liderar bem. Autoridade moral vem de um coração completamente entregue, uma mente impoluta e uma consciência limpa perante Deus. José possuía o tipo de integridade que leva à autoridade moral e ele a manteve por toda a sua vida.

Preciso desse tipo de integridade. As pessoas que seguem a minha liderança devem possuir a confiança de que não vou acabar na sarjeta; de que não vou levar uma vida dupla; de que não vou brincar com a caixa registradora; de que não vou me vender aos valores do mundo; de que não vou ser seduzido pelas tentações. As pessoas precisam ter segurança da minha integridade.

Sei, contudo, que a única forma de evitar escorregar para a depravação e me apresentar perante Deus, todo e cada dia da minha vida, é orar para que seu poder me capacite.

Lembro-me de um antigo hino que descreve a minha vida, além do que gostaria:

> Propenso a desviar, Senhor, eu me sinto.
> Propenso a abandonar o Deus que amo.[1]

Odeio esse espírito errante e rebelde que brota em mim de tempos em tempos. Mas não posso ignorá-lo ou simplesmente me recusar a lidar com ele. Ele está lá, é real e tenho de admitir isso. Tenho, então, de combatê-lo com toda uma série de práticas espirituais. Essas práticas podem, confesso, tornar-se fatigantes. Mas conheço o seu valor, então agarro-me a elas como um homem se afogando se agarra a um salva-vidas.

Preciso da disciplina diária de transcrever minhas orações à mão a fim de me manter concentrado. Deus o abençoe se você não precisa desse exercício tedioso, mas eu preciso.

Necessito exercitar diariamente a solidão para que possa ouvir a Deus, mesmo que as demandas do dia berrem na minha cabeça como animais feridos.

Careço da disciplina de prestar contas às pessoas na minha vida as quais têm coragem de me dizer as palavras duras que preciso ouvir.

Pelo fato de grande parte da minha vida ser passada diante de câmeras e luzes, preciso servir secretamente de forma regular e prometer a Deus e a mim mesmo, que essas boas ações não serão usadas na ilustração de sermões.

---

[1]*Come, thou fount of every blessing*, de John Wyeth e Robert Robinson.

Todo o líder deve descobrir quais rigores, práticas e exercícios espirituais são necessários para a sujeição das suas tendências ao desvio. E é perda de tempo comparar seu regime de práticas espirituais com a de qualquer outro. Toda a rotina de um líder precisa ser projetada especificamente para ele.

Naquele dia, orei: "Ó Deus, quero terminar a minha atribuição como José terminou a dele, sem ser censurável perante ti. Por favor, dá-me a integridade de José".

Creio que muitos líderes precisam fazer essa oração. O que você acha?

"Deus, faça-me como Josué"

Em seguida, orei: "Deus, dê-me a determinação de Josué". Na minha opinião, o momento mais magnífico de Josué foi quando ele ficou diante do povo e falou: "... escolham hoje a quem irão servir [...] Mas, eu e a minha família serviremos ao Senhor" (Js 24.15).

Liderar consiste, em grande parte, em tomar as decisões certas e convidar outros a fazer o mesmo. Líderes devem chegar a uma certeza quanto às principais questões da vida e então chamar as pessoas que lideram para fazer o mesmo.

Josué fez isso.

Se Josué estivesse liderando a minha igreja ou a sua, ele teria pregado uma visão para o futuro, que honra a Deus, e concluiria dizendo: "Muito bem, vocês ouviram o plano. Agora é a hora da decisão. Você precisa subir a bordo ou se afastar, porque o trem está partindo".

Se Josué estivesse liderando a sua igreja, ou a minha, no encerramento de cada mensagem de salvação, diria: "Vocês, que estão buscando a salvação, cedo ou tarde, terão de decidir. Vão admitir o seu pecado e receber a graça? Ou vão abandonar o maior ato de amor já demonstrado neste mundo manchado pelo pecado? Você tem de decidir. Você tem de escolher".

Josué pediria ao nosso povo para tomar decisões ousadas sobre questões relativas aos membros, voluntariado, envolvimento em pequenos grupos, administração e solução de conflitos. Josué acreditava que ninguém pode honrar a Deus inadvertidamente; as pessoas devem escolher seguir a Deus. Também acredito nisso. As pessoas devem tomar decisões ponderadas;

devem fazer escolhas difíceis e, freqüentemente, custosas. E são os líderes que normalmente estimulam essas decisões heróicas.

Cada vez mais, nós, líderes, devemos assumir a responsabilidade de liderar as pessoas a momentos de decisão, referentes a importantes questões da vida. Devemos lembrar as pessoas que a vida não é um jogo, nem deve o crescimento espiritual ser encarado de forma superficial. As questões em torno das quais giram nossos ministérios são eternas e, por isso, dignas de decisões ousadas.

Ao pensar sobre Josué, naquele dia, no barco, orei: "Deus, dê-me a determinação de Josué. Eu preciso!". Talvez você também precise.

"DEUS, FAÇA-ME COMO ESTER"

VOCÊ SE LEMBRA dessa notável jovem? Após ter refletido sobre a sua história, orei: "Ó Deus, dê-me a coragem de Ester".

Levada a uma posição de liderança, mais por causa da sua beleza, que por habilidades que possuísse, Ester acabou no centro do destino do seu povo — e do seu também. Ela podia arriscar a sua vida, suplicando perante um perigoso rei, pela situação do seu povo, ou podia proteger sua posição e se afastar da crise em questão. Você recorda o que ela fez? Após pedir a toda a comunidade judaica local que jejuasse e orasse por ela durante três dias e três noites, ela disse: "Depois disso irei ao rei, ainda que seja contra a lei. Se eu tiver que morrer, morrerei" (Et 4.16).

"Vou fazer a coisa certa... E se tiver que morrer, morrerei". Ester arriscou tudo. Estava disposta a perder *status*, posição, privilégios, segurança e até mesmo a sua vida, para fazer o que Deus havia determinado para ela.

"Se eu tiver que morrer, morrerei".

A sua coragem não foi uma manifestação imprudentemente insana e, obviamente, não foi resultado de excesso de testosterona. Ester simplesmente acreditava que valia a pena viver — e morrer — por determinados valores.

Às vezes, quando olho a condição enfraquecida da igreja ao redor do mundo, vejo-me pensando que, para ocorrer uma renovação na igreja, toda uma geração de líderes terá de manifestar a coragem de Ester. Terão de dizer: "Chega. Este é um novo dia. Há uma nova realidade lá fora. Vamos ter de conduzir a igreja de uma nova forma — mais bíblica, pertinente, ponderada e criativa — diferente de tudo o que jamais fizemos. Se nesse empenho, perdermos reputação, *status* ou segurança, que seja, temos de fazer o que Deus nos chamou para fazer — e se tivermos de morrer, morreremos".

Dói em mim quando, às vezes, observo o enorme potencial para a renovação da igreja, que não é realizado por falta de coragem na liderança. Por vezes, tenho de resistir à compulsão de agarrar os líderes pela lapela e perguntar: "Quando é que você vai se fazer notar? Por qual vida você está esperando? Você pensa que vai reencarnar para finalmente fazer aquilo que Deus lhe dotou? Quando é que você vai começar a liderar corajosamente?".

Tenho vontade, algumas vezes, de suplicar aos pastores: "Você poderia, por gentileza, ou tomar uma atitude, ou ficar de lado, para que outra pessoa a tome? Faça uma coisa ou outra. Mas alguém tem de liderar esta igreja com coragem".

Espero não parecer altivo quando digo isso. Você ficaria chocado em descobrir quão freqüentemente confesso medo e covardia em minhas orações. Tremo quando penso em quanto sofrimento já causei à Willow por me faltar o que sobejava àquela linda rainha — coragem!

Foram muitas as ocorrências em que hesitei tomar uma atitude corajosa porque não queria arriscar décadas de trabalho. Algumas vezes, disse a mim mesmo: "Já apanhei bastante. Não quero correr mais riscos. Não quero ir ao meu limite mais uma vez".

Mas quando me sinto assim, tento me lembrar de Ester, que disse: "Vou fazer a coisa certa... E se tiver que morrer, morrerei".

Preciso da coragem de Ester. Muitos de nós precisamos.

"DEUS, FAÇA-ME COMO SALOMÃO"

AO CONTINUAR REFLETINDO sobre diferentes líderes, pensei sobre Salomão e a sua legendária sabedoria e, logo após, orei: "Ó Deus, se o senhor pudesse ao menos me conceder uma porção da sabedoria de Salomão".

Se você fosse descascar o verniz de confiança da maioria dos líderes, você acharia homens e mulheres, que se deitam freqüentemente com insônia, lutando contra suas dúvidas. Eles são assombrados por perguntas que não possuem uma resposta fácil: "É tempo de ir adiante com um novo planejamento ou devemos buscar consolidação e deixar a poeira assentar por algum tempo? É momento de inspirar a congregação ou devemos trazer uma palavra de repreensão? É o momento de dar uma oportunidade, para que um novo funcionário prove o seu valor ou devemos achar um novo lugar para ele?".

De vez em quando, as pessoas perguntam generosamente sobre como devem orar por mim. Minha resposta é sempre a mesma: "Por favor, ore para que eu tenha sabedoria; para que minha liderança seja caracterizada por uma sensatez divina e para que eu possa discernir a vontade de Deus em cada assunto".

A cada ano, levo mais a sério as trágicas implicações da minha liderança na Willow, ou, logicamente, na Willow Creek Association. As pessoas buscam os líderes para obter direção. Como podemos escolher o curso correto, afastados da sabedoria de Deus?

Preciso desesperadamente da sabedoria de Salomão. E você também.

"DEUS, FAÇA-ME COMO JEREMIAS"

A SEGUIR, CONSIDEREI A AUTENTICIDADE emocional de Jeremias. Quando seu ministério não estava indo bem, Jeremias derramou seu desapontamento diante de Deus. Quando tudo virou de cabeça para baixo e as pessoas não respondiam à sua pregação; quando o maligno parecia estar levando vantagem, Jeremias não ficou cínico, nem resvalou para a amargura. Com rara honestidade, expressou a Deus seus verdadeiros sentimentos. Admitiu que se sentia abandonado e com medo do futuro. Então, Deus restaurou seu coração partido.

De acordo com a avaliação humana, o ministério de Jeremias nunca foi bem durante toda sua vida. Mas ele permaneceu fiel ao chamado. Ele não negava a suas decepções. Mas, devido ao fato de, em meio às decepções, virar-se para Deus honestamente e abrir o coração para receber a força e o encorajamento divinos, ele podia sair do desespero para a esperança. A despeito dos seus desapontamentos e das expectativas frustradas, tanto na vida como no ministério, ele jamais perdeu a confiança na fidelidade de Deus. Em Lamentações 3.22,23, ele escreveu palavras inesquecíveis sobre

Deus: "... pois as suas misericórdias são inesgotáveis. Renovam-se cada manhã; grande é a sua fidelidade!".

Eu costumava ser muito bom em simular uma "cara de jogador". Quando o ministério estava duro, e a vida decepcionante, sabia quais as palavras que tinha de dizer e quão sabiamente tinha de sorrir, para convencer as pessoas de que tudo estava bem. Com o passar do tempo, porém, compreendi que algumas vezes era mais fácil convencer as outras pessoas de que tudo estava bem, que convencer meu próprio coração. Descobri que o tipo de esperança e confiança em Deus que caracterizaram Jeremias não tinham nada que ver com simular uma cara de jogador. Isso só acontece com os que derramam a verdade de seu coração partidos perante Deus e deixam que ele os toque com seu bálsamo consolador.

Imagino quantos de nós precisam orar desta forma para que possamos experimentar a autêntica lealdade de Deus: "Senhor, dê-me a autenticidade emocional de Jeremias".

"Deus, faça-me como Neemias"

Neemias é um dos maiores líderes do Antigo Testamento. Enquanto a liderança de Neemias tem muito a nos ensinar, o que mais precisei aprender dele foi sobre seu comprometimento com a comemoração.

Você conhece a história. Após cinqüenta e dois dias reconstruindo continuamente os muros de Jerusalém, Neemias organizou uma enorme comemoração para todos os fiéis trabalhadores. Queria que saboreassem a realização coletiva; que homenageassem uns aos outros, pelo trabalho duro e que louvassem a Deus por tê-los sustentado durante os heróicos esforços na construção. As Escrituras descrevem, de forma detalhada, como foi boa essa festa em particular.

Neemias foi muito instrutivo para mim no que se refere à comemoração. Ele me lembrou o seguinte: muito trabalho, sem nenhum diversão, forma pessoas e igrejas banais. Somente cultos, sem nenhuma comemoração, é a fórmula para desgastar as pessoas e sugar sua alegria. Nós, líderes, não podemos deixar isso acontecer. Precisamos planejar as comemorações de vitórias, com o mesmo cuidado que estabelecemos e alcançamos os objetivos da organização.

Uma forma de os líderes manterem elevado o moral dos liderados é pontilhar extensas temporadas de cultos, com enlevantes e clamorosas comemorações para a honra de Deus. Naquele dia, orei no barco: "Deus, que eu nunca esqueça como é importante festejar. Como Neemias, ajude-me a lembrar de celebrar".

Temos tido algumas boas festas na Willow desde aquele dia na água. Tornou-se um costume, entre as equipes ministeriais, encerrar toda conferência de maior porte com um evento festivo que nos lembre quanto somos privilegiados por fazer o que fazemos e por fazê-lo com as pessoas que amamos. Algumas vezes, fechamos restaurantes inteiros e seguimos apreciando maravilhosas comidas e bebidas até tarde da noite. Rimos enquanto contamos histórias de atrás dos bastidores. Relembramos a incrível graça de Deus a nos ajudar através dos maiores desafios e problemas inesperados. Encorajamos e agradecemos uns aos outros pelas variadas contribuições. Em meio a todo esse maravilhoso espírito de equipe, os rigores do ministério de repente parecem suáveis.

Líderes, vocês têm planejado alguma festa ultimamente?

"Deus, faça-me como Pedro"

Após ter meditado sobre Neemias, minha mente voou para o Novo Testamento, até Pedro. As Escrituras cobrem os aspectos bons, maus e repulsivos da liderança de Pedro. Ao mesmo tempo em que há muita coisa em Pedro que, nós, líderes, precisamos evitar, também há muito a ser admirado. Quando penso na disposição de Pedro para se adiantar e agir, oro: "Deus, faça de mim o tipo de líder que reconhece a importância de tomar a iniciativa".

Embora Pedro tenha sucumbido ao sentir medo e afundar quando tentou andar sobre a água, não deveria levar o crédito por ter sido o *único* discípulo a sair do barco? Foi necessário iniciativa para isso.

É verdade também que Pedro assumiu compromissos verbais que nem sempre pôde cumprir. Mas, algumas vezes, ele era o *único*, entre os doze, disposto a falar. Ele foi o primeiro a identificar o tão esperado Messias. Tomou a iniciativa de honrar o Senhor Jesus com esse título.

E, é claro, todos sabemos que ele se entusiasmou um pouco demais no Getsêmani ao arrancar a orelha de um rapaz. Mas Pedro não conseguia ficar sentado inutilmente, sem fazer nada enquanto seu salvador e amigo era deslealmente preso. Ele tinha de fazer *alguma coisa*!

Até mesmo eu, sendo um ativista, ainda resisto à iniciativa de tempos em tempos. E vejo outros líderes de igrejas fazerem o mesmo. Nós nos escondemos em nossos gabinetes, enquanto nossas igrejas seguem à deriva ou decaem. Ou nos sentamos em cafés, analisando e criticando outros líderes que saem na frente e assumem riscos. É lógico que eles podem estragar tudo de vez em quando, mas ao menos estão tentando fazer alguma diferença. Como seria melhor, se nós, como Pedro, nos juntássemos aos que estão iniciando ações pelo Reino de Deus, tentando algo novo e pondo-se em marcha, de uma forma que mantêm o inimigo acossado.

Como seria melhor se orássemos pela coragem de Pedro para tomar a iniciativa.

"Deus, faça-me como Paulo"

Por fim, naquele dia, como poderia deixar de fazer breve oração referente a liderança do apóstolo Paulo? Quando pensei em Paulo, orei: "Deus, dê-me a intensidade de Paulo".

Os nativos de Chicago possuem uma enorme vantagem quando se trata de compreender o conceito de intensidade. Por anos, ocupamos os assentos da primeira fila para assistir a um dos mais notáveis atletas do esporte profissional: Michael Jordan. O legado que ele deixou para Chicago vai muito além do seu destacado talento ou do seu incrível atletismo. O que o colocou muito acima de outros talentosos atletas profissionais foi sua inacreditável intensidade, concentração, ética de trabalho, competitividade e garra para vencer.

A intensidade de Michael era tão poderosa, que ele puxou todos os companheiros de equipe para um nível mais alto. Freqüentemente, conforme o jogo transcorria, podia-se assistir o time adversário começar a encolher e a derreter sob a incessante pressão da garra de Michael. Já no fim do quarto tempo, Michael havia tão-somente assumido o controle. A sua mensagem era clara: "Não serei derrotado. Esse time não vai desistir da vitória". Normalmente, os outros times não acabavam apenas derrotados, mas também desmoralizados.

O apóstolo Paulo é o único seguidor de Cristo que já conheci, cuja intensidade a respeito de Jesus poderia se igualar à intensidade de Michael Jordan pelo basquete. Quando você lê a história do apóstolo Paulo, a intensidade do seu compromisso é, por demais, óbvia:

- "... não me importo, nem considero a minha vida de valor algum para mim mesmo, se tão-somente puder terminar a corrida e completar o ministério que o Senhor Jesus me confiou" (At 20.24).
- "Mas uma coisa eu faço [...] prossigo para o alvo, a fim de ganhar o prêmio do chamado celestial de Deus em Cristo Jesus" (Fp 3.13,14).
- "Assim, de boa vontade, por amor de vocês, gastarei tudo o que tenho e também me desgastarei pessoalmente" (2Co 12.15).
- "... porque para mim o viver é Cristo e o morrer é lucro" (Fp 1.21).
- "Vocês não sabem que de todos os que correm no estádio, apenas um ganha o prêmio? Corram de tal modo que alcancem o prêmio" (1Co 9.24).
- E então suas famosas palavras, próximo do fim da sua vida: "Combati o bom combate, terminei a corrida, guardei a fé" (2Tm 4.7).
- E, finalmente, ele direciona suas palavras aos seguidores de Cristo pelos séculos que virão: "Agora me está reservada a coroa da justiça, que o Senhor, justo juiz, me dará naquele dia; e não somente a mim, mas também a todos os que amam a sua vinda" (2Tm 4.8).

Lute! Mantenha a fé! Acabou! Quando ouço essas palavras de Paulo, mal posso conter minhas emoções. Quero mais dessa intensidade na minha vida. No barco, naquele dia, orei: "Deus, ajude-me a ficar concentrado. Ajude-me a manter meus olhos no prêmio do chamado celestial de Deus em Cristo Jesus. Ajude-me a correr a mais importante corrida do mundo, com toda a energia que eu puder reunir. Ajude-me a vencê-la, pela glória daquele que vou adorar nos céus para sempre. Ajude-me a chegar ao fim da minha vida, sabendo que combati o bom combate com todas as forças que possuía; que terminei o ministério que me foi confiado; que guardei a fé, e nunca fiz concessões".

O desejo do meu coração é perseguir uma coroa que não perece com a mesma intensidade que Michael Jordan persegue uma que perece. Os riscos do Reino de Deus são, incomensuravelmente, maiores que os riscos do esporte profissional. O resultado do nosso jogo tem importância eterna. O benefício é eterno.

Penso que é tempo de todos nós pedirmos a Deus por mais intensidade. Não estou falando sobre algo frenético, mas sim, sobre a intensidade inteligente, honrosa a Cristo, do apóstolo Paulo. E que tal buscarmos profundamente, agora mesmo e orarmos as palavras de Paulo? Repita-as com uma espécie de determinação na liderança. Diga-as, até que as palavras estejam consolidadas em sua mente.

> Não considero a minha vida de valor algum para mim mesmo, se tão-somente puder terminar a corrida e completar o ministério que o Senhor Jesus me confiou.
>
> Mas uma coisa eu faço: prossigo para o alvo, a fim de ganhar o prêmio do chamado celestial de Deus em Cristo Jesus.
>
> Eu de boa vontade, por amor da igreja, gastarei tudo o que tenho e também me desgastarei pessoalmente.
>
> Porque para mim o viver é Cristo e o morrer é lucro.
>
> Vocês não sabem que de todos os que correm no estádio, apenas um ganha o prêmio? Corram de tal modo que alcancem o prêmio.
>
> Combati o bom combate, terminei a corrida, guardei a fé.
>
> Ó Deus, faça-me como Paulo. Dê-me a sua intensidade, para que tenha o poder do seu Espírito Santo, força no meio da batalha e coragem para perdurar.

Que nossas orações nos moldem, e que a graça de Deus nos leve ao nosso pleno potencial de liderança.

CAPÍTULO ONZE

A TRILHA DO LÍDER

Uma caminhada vital com Deus

QUAL A IMPORTÂNCIA DO COMPONENTE SOBRENATURAL da liderança, à "parte de Deus"? Além do dom da liderança, das habilidades e dos talentos necessários, de décadas de experiências, existe alguma outra coisa de que nós, líderes, precisamos? É *realmente* tão importante para os líderes andar imprescindivelmente unidos com Jesus?

Examinar 1Coríntios 13, à luz dessa pergunta, revela uma perspectiva interessante:

Ainda que pregasse a visão na língua dos homens e dos anjos, mas liderasse sem o amor de Deus no meu íntimo, seria um telefone celular fazendo barulho, ou pior, uma multidão vociferando palavras sem conteúdo.

Ainda que tivesse o dom da liderança, e pudesse suprir a direção, montar equipes e estabelecer metas, mas falhasse em exibir bondade à semelhança de Cristo ou deixasse de creditar a Cristo os méritos das minhas realizações, perante os olhos de Deus, todos os meus feitos nada valeriam.

Ainda que desse meu salário para os pobres, a minha vaga de estacionamento na igreja para um estagiário de verão ou o corpo dos diáconos para ser queimado mas fosse negligente em me relacionar e trabalhar de uma forma digna daquele cujo no nome carrego, no exame final, tudo isso nada valeria.

Um caminhar humilde e íntimo com Cristo, nunca falha.

Fortalece o coração e redireciona a vontade, reprime o ego e purifica os motivos.

Isso nunca falha.

Quando era um jovem líder, independente e muito ocupado para orar, tinha ataques e magoava uma em cada três pessoas que eu liderava.

Mas agora, sou maduro e abandonei minhas criancices...

Faço isso bem menos!

E agora, estas três coisas permanecem:

A fé, para seguir ousadamente a Deus; a esperança, para seguir em frente, mesmo quando o meu coração está partido e o amor, para enriquecer o coração dos que lidero.

Mas a maior destas é o amor — o amor que só pode vir de uma caminhada calma, íntima e diária com Cristo.

O MAIOR DOM DO LÍDER: UM CORAÇÃO TOTALMENTE CONSAGRADO

Todos nós conhecemos as palavras de Jesus em João 15.5: "Eu sou a videira; vocês são os ramos. Se alguém permanecer em mim e eu nele, este dará muito fruto". A sua promessa nos lembra que, se estivermos intimamente ligados a ele, ele vai infundir na nossa liderança, poder, criatividade, coragem e o que mais for necessário para que venhamos a dar frutos para a glória de Deus. Mas ainda encontro líderes de igreja por todo o mundo que admitem privadamente, entre sussurros, que nunca foram capazes de estabelecer e sustentar uma caminhada íntima, constante e vivificante com Jesus Cristo.

Eles me contam quanto se sentem envergonhados quando os outros líderes descrevem suas constantes práticas de exercício como solidão, jejum, oração, o registro de suas orações, ou a memorização da Bíblia. Esses líderes, freqüentemente, terminam suas confissões particulares de incapacidade, perguntando-me: "Há algo de errado comigo? Tenho uma falha de caráter ou um defeito espiritual? Por que não consigo estabelecer e manter uma vivificante caminhada com Cristo?".

Sugiro, com freqüência, que ele talvez nunca tenha descoberto seu caminho espiritual — seu único recurso para se mover em direção a uma união vital com Cristo.

Há anos, comecei a perceber que vários líderes a quem respeitava, empreendiam suas caminhadas com Cristo, de modos amplamente variados. A variedade me deixava atônito. Comecei a fazer uma lista mental de todas as suas diferentes abordagens. Então, topei com um livro chamado *Sacred pathways* [*Caminhos secretos*], escrito por Gary Thomas, que impulsionou o meu pensamento sobre esse assunto. Recomendo enfaticamente que os líderes arrumem um lugar na biblioteca para esse profundo e proveitoso livro.

Caminhos secretos são como portas que levam a uma sala onde você pode se sentir particularmente próximo de Deus. Assim como diferentes líderes possuem muitas diferentes personalidades e combinações de dons, também possuem diferentes caminhos espirituais. Neste capítulo, quero discutir uma série desses caminhos, na esperança que os líderes identifiquem seu caminho particular e, desse modo, revitalizem sua caminhada pessoal com Deus.

O CAMINHO RELACIONAL

VOCÊ JÁ NOTOU como é difícil para algumas pessoas prosperarem em seu caminhar com Cristo, quando empreendem esse esforço sozinhas?

Para essas pessoas, a solidão parece uma cela solitária. Ela os frustra. Parece sufocá-las. Estudos bíblicos feitos em isolamento parecem para elas como um dever de casa vazio e produzem um crescimento muito reduzido. Sentar sozinho em um culto de adoração é o suficiente para estragar toda a experiência, e trabalhar sozinho é um destino pior que a morte. As pessoas que melhor se relacionam com Deus no caminho relacional, sentem uma espécie de embotamento espiritual quando tentam andar sozinhas com Deus.

Mas injete uma forte dose de relacionamento em sua busca por Deus, e veja o que acontece! Quase que, imediatamente, esses indivíduos começam a prosperar espiritualmente. Quando oram com um grupo de pessoas, podem quase sentir fisicamente a presença de Deus. Quando estudam a Bíblia com outros cristãos animados, eles se enriquecem e se apaixonam. Quando trabalham em uma equipe, servir é uma das maiores alegrias da sua vida. Quando louvam publicamente a Deus com outros crentes, a sua adoração se torna duas vezes mais significativa.

É óbvio. Seu caminho principal para Deus é o relacional. Quando líderes, mediante o caminho relacional, reconhecem isso e se firmam nele, começam a florescer espiritualmente, de forma que jamais conseguiriam se tentassem isoladamente.

Meu palpite é que muitos líderes se encaixam nesse perfil. O que aconteceria se tais líderes projetassem seus planos pessoais, de formação espiritual, em torno dessa realidade?

Conheço um pastor que costumava se espancar, impiedosamente, por não passar tempo suficiente em solidão. E por mais estranho que pareça, quando conseguia ficar só por longos períodos de tempo, ele se tornava taciturno e mal-humorado. Pensamentos sombrios preenchiam a sua mente. Embora buscasse a solidão para se colocar diante de Deus, a experiência sempre fez com que ele regredisse espiritualmente.

Algum tempo atrás, sugeri que ele resolvesse o seu problema, levando dois ou três homens com ele para seu retiro espiritual. O seu olhar dizia tudo: "Isso seria válido? Isso corresponderia às exigências de um retiro espiritual?". Ele havia se convencido de que o verdadeiro teste de espiritualidade consistia na habilidade de se empenhar em longos períodos de solidão. Mas no seu caso, a fórmula era uma preparação para frustração espiritual porque o seu caminho é principalmente relacional. Como ele agora convida outras pessoas para se juntar a ele em seus retiros, ele está crescendo como erva daninha e encorajando outros a crescer espiritualmente.

Que bênção esse líder teria perdido se tivesse continuado a se envergonhar por não se sair bem com a solidão! No caminho relacional, ele está descobrindo a proximidade com Deus pela qual sempre anelou.

O CAMINHO INTELECTUAL

PESSOAS QUE PROSPERAM no caminho intelectual são aquelas cujas mentes precisam estar totalmente empenhadas, antes que possam fazer substanciais progressos espirituais. Quando essas pessoas assistem a cultos de testemunho, nos quais as pessoas descrevem apaixonadamente a maravilhosa operação de Deus em sua vida, elas se pegam pensando: "Cadê o bife? Essas emocionantes histórias são boas e tudo mais, mas onde está a substância? Onde estão as informações teológicas? Preciso de algo para mastigar. Não agüento mais!".

Essas pessoas não podem passar seus momentos matinais de comunhão sem fazer dois ou três comentários nas margens de suas bíblias. Carregam livros de exegese a todos os lugares. Ficam gravitando ao redor de aulas, seminários e eventos especiais que venham a desafiar seu raciocínio. Por quê? Porque sabem que seu coração jamais vai se envolver, até que sua mente esteja preenchida com a verdade.

Mas quando isso acontece, não há nada que os segure! Quando Martinho Lutero percebeu a verdade do evangelho, quando João Calvino captou a doutrina da soberania de Deus, quando Chuck Colson compreendeu completamente a supremacia intelectual do ponto de vista cristão — *nada* os parou.

Para pessoas com esse tipo de postura, uma vez que sua mente esteja totalmente convencida, seu coração e sua vontade seguirão rapidamente, e suas convicções se tornarão sólidas como a rocha. Creio que é bem possível que o apóstolo Paulo tenha trilhado o caminho intelectual. Para ele, a transformação do mundo dependia da "renovação [da nossa] mente" (Rm 12.2). Paulo era rápido em apelar para o lado racional da natureza humana, aparentemente convencido de que uma vez que a mente do indivíduo pertencesse a Deus, todo o restante iria atrás. Ganhe a discussão intelectual, e será gol. Vitória!

Conheci muitos líderes que se sentem culpados por causa de suas tendências intelectuais. Não querem que ninguém fique sabendo que, de vez em quando, dedicam-se à leitura com mais profundidade. Eles se sentem "antilíderes" se passam muito tempo pesquisando e estudando. A verdade da questão é: se não mantiverem a mente em movimento, vão provavelmente ressecar espiritualmente.

Lembro-me do professor e escritor Lee Strobel, quando penso em um líder que trilha um caminho intelectual. Ele pesquisou o cristianismo a fundo, por dois anos, antes que pudesse dobrar seus joelhos perante Cristo. Sua mente precisou ser convencida, antes que pudesse abrir o coração. Agora, anos após a sua conversão, ele lê teologia, arqueologia, filosofia e história, recreativamente. Isto alimenta a sua alma.

Quando Lee trabalhou na minha equipe, rompia pelo meu escritório balbuciando entusiasticamente, porque algum arqueólogo, de alguma parte do Oriente Médio, havia feito uma descoberta que Lee pensava, forçaria todos os céticos a cair de joelhos. "A evidência é avassaladora!", gritava. "Como alguém com cérebro pode crer o contrário?"

Eu apenas sorria.

Mas creio que no dia em que Lee parar de se esforçar intelectualmente, será o dia em que sua vida espiritual começará e esmorecer. É nisso que se resume o caminho intelectual.

Se você possui uma orientação intelectual como Lee, pare de se desculpar por isso e comece a desenvolver um plano de formação espiritual que enfoque o desenvolvimento de sua mente. Ame a Deus com toda a sua *mente* e veja o que acontece na sua caminhada com Deus.

O caminho do trabalho

Algumas pessoas parecem não conseguir achar seu caminho espiritual ou se sentir conscientemente próximas de Deus se não estiverem tranqüilas e sistematicamente trabalhando nas vinhas do Reino de Deus. Quando falamos dos que pensam e dos que executam, essas são as pessoas que executam.

Elas lêem a Bíblia, oram e comparecem aos cultos de adoração, tal qual os demais de nós. Mas, se você lhes perguntar quando se sentem mais próximas de Deus ou quando se sentem mais integradas, centradas, felizes e vivas em Cristo, não espere que lhe respondam "Durante a oração" ou "Quando estou cantando um louvor de adoração". Se forem honestas, vão responder: "Quando estou servindo. Quando sou voluntário em um ministério. Quando sei que estou ajudando a realizar a obra de Deus".

Um dos membros da nossa diretoria na Willow, trilha o caminho do trabalho. Servir é tão fundamental na sua caminhada com Deus que ele antecipou a sua aposentadoria e se mudou para uma casa do outro lado da rua da igreja. Todas as semanas, ele passa várias horas trabalhando como voluntário na igreja. Se você lhe perguntar por que faz isso, ele abre um sorriso e diz: "Porque nunca me sinto tão próximo de Deus como quando sou um instrumento em suas mãos, servindo os outros em seu Reino".

Em um recente culto de batismo, eu o vi sentado na multidão, derramando-se em lágrimas ao ver centenas de pessoas recém-redimidas. Ele sabia que o seu trabalho havia sido uma parte no amplo esquema de redenção. Se você lhe tirasse o trabalho, estaria fechando a porta do seu caminho para Deus.

Se você é alguém que se sente mais próximo de Deus quando está fazendo alguma coisa por ele, então pegue o caminho do trabalho. Organize um plano de formação espiritual, centrado no trabalho, e afirmo que a sua percepção da presença de Deus aumentará tremendamente.

O CAMINHO CONTEMPLATIVO

AO LONGO DA HISTÓRIA DA IGREJA, sempre houve alguns cristãos que queriam marchar em ritmo diferente. Enquanto os outros fiéis enchem alegremente sua agenda, firmando compromissos com outras pessoas ou abraçando oportunidades de servir ao próximo, esses sinceros cristãos preservam cuidadosamente seu cronograma, evitando, a qualquer custo, o padrão de atividades que vêem à sua volta. Por razões que podem não compreender inteiramente, essas pessoas são facilmente exauridas por relacionamentos e atividades. Mas podem passar um tempo quase ilimitado em solidão. Dê-lhes uma Bíblia, uma boa peça literária, um poema e um jornal, e elas desaparecerão por dias.

Essas pessoas prosperam no caminho contemplativo. Para elas, estar a sós com Deus, é o suficiente. Passam horas refletindo sobre a bondade de Deus, e possuem enorme capacidade para orar e adorar privadamente. Atuam como antenas espiritualmente sensíveis e podem discernir atividade de Deus onde quer que forem.

Mas a desvantagem desse maravilhoso caminho é que algumas vezes a pessoa contemplativa se sente fora do ritmo do restante da comunidade cristã. Sua sensibilidade faz que levem certas coisas muito a sério, diferentemente das outras pessoas. Observam a beleza do reino natural e se admiram das outras pessoas da comunidade cristã poderem seguir em frente sem sequer interromper o passo. Freqüentemente, servem como consciência de fé da comunidade, chamando-a para o ministério de compaixão e inclusão. Ponderam sobre a quantidade de pessoas sofrendo pelo mundo e se espantam com o fato de tão poucas pessoas se importarem. Idealistas, normalmente, nos ajudam a enfocar como deveria ser o Reino de Deus sobre a terra.

Pessoas contemplativas também tendem a ter uma rica vida interior. Podem parecer dispersos, mas na verdade, estão com freqüência arquitetando idéias criativas. Embora essas pessoas possam parecer um pouco fora de sincronia com o restante de nós, são aquelas que compõem as canções que emocionam nosso coração ou escrevem os livros que despertam novos pensamentos sobre Deus.

Se você conhece tipos contemplativos, relacione-se com eles de forma extremamente cautelosa. Líderes imaturos, normalmente, pensam que as pessoas contemplativas estão perdendo tempo com seus pensamentos profundos. O que querem dizer é: "Procure o que fazer! Há uma montanha a ser escalada. Vamos lá". Líderes maduros, entretanto, compreendem que pessoas contemplativas precisam passar um tempo considerável a sós, fora da corrente principal de atividades. Precisam proteger sua vida de meditação. Com o tempo, suas reflexões levarão a algo maravilhoso que vai abençoar toda a igreja.

Líderes cujo principal caminho é o contemplativo precisam dar a si próprios uma medida extra de graça. Precisam conceder a si mesmos, passar longas horas de tranqüila reflexão, ainda que os outros vejam essa atitude como imprópria e estranha, porque, para elas, essa é a porta que leva a presença de Deus.

O CAMINHO ATIVISTA

AO CONTRÁRIO DOS CONTEMPLATIVOS, os ativistas estão em seu melhor momento quando estão a todo vapor. Ficam mais felizes quando estão esfalfados, arfando. Por causa de suas aptidões, precisam — na verdade, se deleitam — de um ambiente altamente desafiador, que os leve ao limite do seu potencial. É exatamente quando estão nesse limite que se sentem mais próximos de Deus. Na verdade, se sentem tão próximos de Deus, que invocam seu nome com grande sinceridade: "Ó Deus!".

Outras pessoas tendem a temer pelos que estão no caminho ativista. É como se estivessem, sistematicamente, mordendo mais do trabalho do Reino de Deus do que podem mastigar. Observadores casuais chegam a sentir pena deles. Podem até mesmo tentar salvá-los até perceberem que os ativistas gostam de viver dessa forma.

Ativistas cristãos escolhem um ritmo veloz. Ninguém consegue detê-los. Ninguém pôs um foguete em sua roupa e acendeu o pavio. Eles não são vítimas. Amam cavalgar foguetes. Ponha-os em um carro blindado, e acharão uma forma de dobrar a velocidade.

Você acha que Deus cometeu um erro, quando deu a alguns líderes, tendências como essa? Tenha cuidado. A igreja de Jesus Cristo não seria o que é hoje sem algumas dessas personagens em seu passado. Leia sobre John Wesley. O homem era um maníaco ministerial. Aprenda sobre George Whitefield. Ele pregou até quase a exaustão durante toda a sua vida. E então há D. L. Moody, que manteve seus associados especulando sobre como uma pessoa pode fazer tudo o que ele fez.

Um grande número de homens e mulheres como esses receberam um chamado de Deus, arrancaram com toda a força e correram a toda velocidade desde o dia em que receberam as suas ordens até o dia em que tombaram e morreram. Pelo caminho, iniciaram todos os tipos de atividades no Reino de Deus. Pergunte aos ativistas quando eles se sentem mais próximos de Deus e vão responder: "Quando estou pendurado em um galho de fé, balançando ao sabor da brisa. Quando a batalha contra o mal está o mais feroz possível e a única esperança de vitória é uma intervenção divina". Ativistas gostam de dizer: "O momento em que me sinto mais próximo de Deus é quando já torci a última gota do meu potencial físico, espiritual e emocional por uma digna causa do Reino de Deus. Ou quando desmorono no travesseiro, à noite, e digo: 'É, Deus, me dei por inteiro, o melhor de mim, minha última gota".

Para os ativistas, melhor que isso, impossível. Sei um pouco sobre isso porque esse é o meu caminho principal. (Surpresa!) Acredite, não estou defendendo a insanidade. Passei por isso. É valorizado em demasia. Mas alguns ativistas se sentem culpados pela extraordinária energia com que atacam o ministério. O meu conselho para eles é: aceitem que Deus os fez dessa forma e trilhem o seu caminho. Venha para a presença de Deus — mesmo que seu cabelo esteja em chamas. Ele conhece o nosso tipo e nos aprecia tal como somos. Verdade!

O caminho da criação

Agora, vamos examinar as pessoas que tendem a crescer melhor e a se relacionar mais intimamente com Deus quando cercadas pela natureza. Essas pessoas são os naturalistas, os abraçadores de árvores, os crentes-verdes. Elas se reanimam dos pés a cabeça sempre que estão cercadas pelo esplendor da natureza, sejam montanhas, desertos, planícies, florestas, oceanos ou praias.

Para essas pessoas, estar em um ambiente natural, aumenta dramaticamente sua percepção de Deus. Freqüentemente, extraem diretamente da natureza seu sentido espiritual. Pessoas que amam montanhas, por exemplo, vêem nas maciças formações rochosas, um reflexo da fidelidade de Deus, ou uma manifestação de seu caráter imutável. Pessoas que amam desertos podem caminhar sob o calor do sol do meio-dia até um oásis que ofereça sombra, água e refrigério. Lá, acham conforto espiritual e refrigério porque são lembrados da promessa de Deus de restaurar nossa alma seca e empoeirada.

Pergunte às pessoas firmadas no caminho da criação quando se sentem mais próximas de Deus e não terão de pensar para responder. Pergunte-as onde prefeririam adorar a Deus; onde gostariam de estar com um grupo menor de irmãos e irmãs, onde gostariam de refletir um pouco sobre sua vida, e responderão: "Próximo da natureza". Não deveríamos achar isso tão surpreendente, uma vez que Deus criou o homem e a mulher e os pôs em um jardim. Logo, para essas pessoas, trata-se apenas de voltar às raízes.

Imagine o que aconteceria se alguém, com essa tendência, realmente montasse um plano de formação espiritual que lhe permitisse triplicar o tempo que passa na natureza. E se essas pessoas se mudassem para algum local, onde pudessem viver mais próximas do mundo natural que Deus criou? E se elas incluíssem a natureza em seus planos de férias, cientes de que, agindo assim, não descansariam e revigorariam apenas o corpo, mas também a alma? Acredito que um plano assim iria quase garantir às pessoas que trilham o caminho da criação, maior percepção da presença de Deus em sua vida.

O CAMINHO DA ADORAÇÃO

NOS ÚLTIMOS ANOS, tornei-me amigo de um líder empresarial de outro estado. Embora ele fosse cristão desde a infância, realmente não havia compreendido o que é adoração até uns poucos anos atrás. Ele havia freqüentado a mesma igreja na maior parte da sua vida adulta, mas toda essa experiência de vinte anos o havia deixado se sentindo vazio. Crescera em conhecimento mediante os ensinamentos da igreja, mas apesar de ter a cabeça cheia, possuía o coração vazio.

Num sábado, um amigo o convidou para visitar uma igreja do outro lado da cidade. A igreja de seu amigo era uma das que adoravam "em espírito". Na verdade, adoravam com *muito* espírito! Meu empedernido amigo empresário experimentou um estranho fenômeno naquela igreja. Nas primeiras semanas, ele chorava como um bebê durante todo o culto de adoração. Não tinha nenhuma pista do que estava lhe acontecendo. Pensou que talvez estivesse em alguma crise de meia-idade.

Mas, no fim, tudo começou a fazer sentido para ele. Concluiu que o seu coração estava tão faminto por adorar a Deus, que quando ele finalmente experimentou isso, foi como uma represa arrebentando dentro de si, e uma nova onda da energia do Espírito Santo inundou a sua vida.

Com o tempo, juntou-se a uma igreja como a que ele tinha visitado com o seu amigo. Teve de fazê-lo. E, atualmente, sempre que ele sente saudades de sentir a presença de Deus; sempre que está diante de uma grande decisão de mercado e quer ter certeza de que entendeu tudo; ou sempre que seu coração está cheio e quer deixá-lo fluir em louvor a Deus, pega meia dúzia de CDs e dá uma longa volta com o seu carro. De vez em quando, acaba parando no acostamento, porque a presença de Deus lhe inunda tão completamente que não consegue continuar a dirigir. A adoração é, sem dúvida, para ele, o principal caminho para Deus.

Penso que poderia demonstrar o argumento segundo o qual Davi, o autor da maioria dos salmos, foi alguém cujo principal caminho para Deus era a adoração. Lembra-se do que ele escreveu?

> Bendiga o SENHOR a minha alma! Bendiga o SENHOR todo o meu ser! Bendiga o SENHOR a minha alma! Não esqueça nenhuma de suas bênçãos!

É ele que perdoa todos os seus pecados e cura todas as suas doenças,

Que resgata a sua vida da sepultura e o coroa de bondade e compaixão,

Que enche de bens a sua existência,

Bendigam o Senhor, vocês, seus anjos poderosos, que obedecem a sua palavra.

Bendigam o Senhor todos os seus exércitos, vocês, seus servos, que cumprem a sua vontade.

Bendigam o Senhor todas as suas obras em todos os lugares do seu domínio. Bendiga o Senhor a minha alma!

Tudo que tem vida louve ao Senhor! Aleluia! (Sl 103.1-5,20,21; 150.6).

Creio que Davi se sentia mais perto de Deus, e mais completamente vivo quando estava adorando. Muitos líderes de igrejas, como Davi, trilham esse caminho da adoração. Se forem sábios, vão fazer um planejamento de formação espiritual que lhes permita se aprofundar freqüentemente no espírito de adoração.

Agora que você possui algumas idéias sobre caminhos espirituais, o que você pode fazer para percorrer de modo mais consistente o seu caminho?

Primeiro: identifique seu caminho

Listei sete caminhos, mas essa lista é mais representativa que abrangente. Gary Thomas lista várias outras em seu livro, *Sacred pathways* [*caminhos sagrados*], e também trata de várias sutilezas dos caminhos que mencionei, que poderão ser úteis a alguns leitores. Meu palpite é que você, provavelmente, tem tentado identificar o caminho espiritual que mais bem se adapta a você. Certamente, é possível se sentir inclinado a adotar mais de um, mas a maioria das pessoas possui um caminho principal. De qualquer forma, uma palavra de cautela: resista a tentação de comparar seu caminho com o das outras pessoas. Também resista a tentação de identificar o caminho que você queria fosse verdade a seu respeito. Chamo isso "inveja do caminho".

Quando li o livro de Thomas pela primeira vez, soube que o caminho ativista me descrevia facilmente. Mas, em vez de ficar satisfeito, fiquei decepcionado. Como muitas pessoas ao longo dos séculos, considerei os contemplativos os pesos pesados do Reino de Deus. São aqueles que pensam e escrevem com profundidade. Pensei: "Vou ter de passar o resto da minha vida amontoado com os malucos do Reino de Deus. Por que não poderiam ser mais parecidos com os caras realmente espirituais — Henri Nouwen, Thomas Merton e João da Cruz? (Sei sobre esses caras, porque a minha esposa, contemplativa, lê as obras deles o tempo todo.)

Todavia, quanto mais pensava sobre isso, mais sentia Deus me dizer: "Pare de pensar assim, Bill. Se quisesse que você tivesse inclinação para ser um contemplativo clássico, eu o teria feito dessa forma. Mas não fiz". Bem no fundo, sabia disso. Não sou nenhum monge. Jamais me tornaria um ermitão. Prefiro voar sobre o deserto numa máquina veloz, chegar ao meu destino e desafiar os líderes de igreja a sair do banco e a liderar.

Em seguida, quero voar de volta para a Willow e desafiar os visitantes a sair do banco e a vir para o Reino de Deus. E depois, quero desafiar os fiéis a sair do banco e a partir para a ação. Esse desafio também se destina a mim, afinal, não sou nenhum monge.

Pois é, é assim que sou. E você é exatamente quem você é. Então, vamos fazer um trato de não nos compararmos uns com os outros, e de não nos forçarmos em moldes preconcebidos. Vamos apenas aceitar o caminho que traz cada um de nós mais para perto de Deus e sermos gratos por isso.

SEGUNDO: TRILHE SEU CAMINHO

EXPERIMENTE-O. PROVE-O. Se o caminho relacional lhe introduz em novos níveis de crescimento espiritual, vá em frente. Preencha a sua vida com o tipo de relacionamento e atividade que o ajudará a crescer.

Se trabalhar vai lhe ajudar a se sentir mais próximo de Deus, se estímulos intelectuais alimentam a sua alma ou se qualquer um dos outros caminhos lhe ajudará a se concentrar mais claramente em Deus — pratique-o! Ao fazê-lo, você estabelecerá e manterá um caminhar com Deus, mais profundo que jamais conheceu.

Terceiro: aprecie todos os caminhos

Experimente, de vez em quando, todos os caminho embora alguns sejam desgastantes para você. Por quê? Porque todos oferecem oportunidades de crescimento. Pessoas que trilham o caminho do trabalho deveriam periodicamente ler materiais intelectualmente estimulantes pois isso aumenta a compreensão de Deus. Tipos ativistas deveriam se acalmar e tentar a abordagem contemplativa de tempos em tempos. Por mais estranho que tenha sido para mim da primeira vez, beneficiei-me enormemente desse caminho. Os contemplativos deveriam, ocasionalmente, sair do canto, relacionar-se e trabalhar com os que trilham o caminho relacional. Eles lhe recepcionariam de braços abertos. A fim de maximizar o seu crescimento espiritual, pegue o caminho que mais lhe aprouver para se achegar a Deus; só depois disso, então, comece a experimentar cada um dos outros.

Ajude outros a identificar seus caminhos

Os líderes podem assumir um papel vital, ao ajudar as pessoas de suas equipes e igrejas a identificar seus caminhos. Quando aqueles que você lidera começarem a compreender que há ao menos um caminho, que lhes possibilitará um relacionamento mais íntimo com Cristo, eles lhe agradecerão pelo resto da vida.

E imagine que diferença faria se todas as suas equipes de liderança, bem como voluntários, fossem conduzidas por pessoas intimamente unidas com Jesus Cristo. Imagine os frutos que dariam, a criatividade que brotaria e o poder que seria liberado se todos estivéssemos acessando regularmente a presença e o poder de Deus por meio do caminho que ele nos designou. A igreja verdadeiramente se tornaria uma força perante a qual os portões do inferno não poderiam se sustentar.

CAPÍTULO DOZE

DESENVOLVENDO UM ESPÍRITO RESISTENTE

Mantendo o curso

"SE VOCÊ PUDESSE OBTER, com um passe de mágica, uma sólida resposta para sua única e mais urgente pergunta — qual seria ela?" Foi assim que recentemente iniciei uma sessão de orientação com cinco pastores-presidentes altamente eficientes.

Surpreendi-me com as respostas. Pensei que esses experimentados líderes de igreja fossem propor questões sobre a montagem de equipes, o aprimoramento da pregação e do ensino, o esclarecimento da missão e dos valores ou o levantamento de fundos.

Entretanto, a mais premente questão de todos esses pastores estava relacionada com a resistência. Um perguntou: "Como vou achar força para seguir em frente, dado o peso das pressões que me assolam na igreja?". Outro perguntou: "A minha vida no ministério é sustentável muito tempo? Posso continuar a fazer o que faço por mais 29 anos?". Um deles brincou a respeito de cronometrar o seu desgaste antes de ter um esgotamento nervoso.

Esses líderes, no apogeu da carreira ministerial, com anos de sucesso em seus trabalhos nas igrejas, estavam todos lutando com a mesma questão: "Vou conseguir sobreviver ao meu chamado? Vou conseguir alcançar a linha de chegada?".

Suponho que não deveria ter ficado surpreso com a preocupação que todos carregavam. Nos primeiros dezoito ou dezenove anos da Willow, a continuidade também foi uma das mais prementes preocupações da minha vida. Cheguei bem perto de cair fora do trabalho da igreja, por muitas vezes, porque sabia, do fundo do coração, que não conseguiria continuar a viver da forma que estava vivendo até o fim das minhas funções. O que fez isso pior foi não saber como modificar meu ministério para que ele funcionasse — nem mesmo se tinha como funcionar.

Lembro-me de pensar comigo mesmo: "Por que continuar com isso? Quero dizer, se vou ter um colapso algum dia, por que não agora? Se esperar, o colapso só vai ficar mais espetacular. E quanto mais espetacular, mais pessoas vão se machucar no final. Assim, por que continuar com essa loucura?".

COMPREENDENDO REALIDADES CONFLITANTES

QUANDO ERA GAROTO, meus amigos e eu arrancávamos as rodas metálicas de patins, que já não serviam e as colocávamos em finas madeiras de compensado. Depois, púnhamos esses "*skates*" caseiros sobre os ombros, subíamos até o topo do maior monte da nossa cidade, respirávamos fundo e descíamos em cima deles.

As primeiras dezenas de metros, montanha abaixo, não tinham como ser melhores para garotos da nossa idade. Os berros e gritos de guerra ecoavam por toda a vizinhança. Daí, começávamos a ganhar velocidade, e as coisas ficavam de repente muito quietas. Não podíamos mais ignorar a verdade aterradora: *skates* não possuem freios. O que estava para vir era inevitável, e todos sabíamos disso. Para não morrer, tínhamos de saltar da prancha. A grande dúvida era onde íamos aterrizar — em um canteiro de grama ou em um quadrado de asfalto?

Você consegue se identificar com nosso dilema pré-adolescente?

Ansiávamos pelo efeito da adrenalina ao irmos cada vez mais rápido montanha abaixo, mas éramos assombrados pelo conhecimento de que quanto maior a velocidade mais dolorida a queda. Por todo o caminho, ao longo da montanha, ficávamos oscilando entre duas realidades conflitantes: "Velocidade é legal! Ossos quebrados não é nada bom!".

Alguns de nós fizeram escolhas mais sábias que outros.

Líderes eclesiásticos possuem boa compreensão sobre realidades conflitantes. Um pastor arregaça as suas mangas e começa a construir uma igreja. Visitantes começam a aceitar a Cristo e logo estão crescendo. As pessoas começam a formar grupos menores, a descobrir seus dons espirituais e começam a dar assistência aos pobres. Todos os gráficos são ascendentes e isso é bom, estimulante e inspirador. Mas então os orçamentos e os prédios começam a crescer, e o ritmo começa a aumentar, e as pressões, as responsabilidades e o nível de estresse começam a subir, subir e subir.

E você começa a temer que sua vida esteja saindo do controle. Se a velocidade continuar a aumentar, você terá de pular. E a sua aterrissagem poderá não ser muito elegante. A fórmula para bater e pegar fogo está ficando clara para você: quanto mais rápido você vai mais espetacular o colapso. E um colapso mais espetacular significa mais gente machucada.

Se a velocidade na sua vida aumentou a ponto de a emoção de servir a Cristo ter sido substituída por uma sensação de morte iminente, então, junte-se a multidão. Quase todos os líderes eclesiásticos que conheci, que levavam Deus realmente a sério, eram plenamente conscientes das realidades do céu e do inferno, tinham um autêntico amor pela igreja de Cristo e realmente acreditavam que a igreja local é a esperança do mundo. Também, já se perguntaram quanto tempo poderiam resistir antes que "algo horrível" acontecesse inevitavelmente.

Alguns líderes eclesiásticos se tornam tão perturbados por um sentimento de apreensão a respeito do futuro que por fim fazem a pergunta crucial: "É possível sobreviver aos rigores de se edificar uma igreja vencedora?".

A minha resposta, a qualquer líder de igreja que fizer perguntas sobre a continuidade no ministério, é um sonoro SIM! Se fizer a coisa certa, pode resistir. Na verdade, pode até prosperar. Mesmo você. Mesmo na sua situação.

A PÓS-GRADUAÇÃO DA RESISTÊNCIA

EU NÃO PODERIA TER RESPONDIDO perguntas sobre resistência com tanta confiança há dez anos ou mesmo há cinco anos. Mas posso berrá-las do topo das montanhas hoje em dia. Estou completamente convencido de que Deus é perfeitamente capaz de ajudar cada um de nós a terminar o que ele nos chamou para fazer. E creio firmemente que ele vai nos conduzir além da resistência até o deleite e além da sobrevivência até prevalecermos. Tudo isso se estivermos dispostos a aprender um pouco.

Por essa razão, deixe-me matriculá-lo na pós-graduação da resistência.

PRIMEIRO CURSO: CERTIFIQUE-SE DO SEU CHAMADO E MANTENHA-SE CONCENTRADO.

CERTIFICAR-SE DO SEU CHAMADO é uma matéria básica, mas se quiser ir até o fim, deve dominar o assunto dessa matéria. O objetivo da matéria é ajudá-lo a decidir o que, exatamente, Deus lhe pediu que fizesse neste mundo. Esse currículo é baseado em 2Timóteo 4.5, onde o apóstolo Paulo fala: "... cumpra plenamente o seu ministério".

Cumpra o *seu* ministério — nada mais, nada menos.

O que Paulo quer dizer quando fala "cumpra plenamente o seu ministério"? Ele se refere a cumprir o exato ministério que Deus *deu a você.* Não o ministério com o qual você sonhou num ataque de megalomania; não aquele que o faz se sentir responsável pela salvação do mundo inteiro; não aquele que lhe força para além das tendências básicas que Deus lhe deu; não aquele que lhe pressiona tão além da sua medida de fé, no qual o medo e a ansiedade passam a dominar sua vida diária.

Cumpra o *seu* ministério. Aquele que escoa para fora de um sincero espírito de humildade e submissão; aquele que se encaixa perfeitamente no papel que Deus lhe atribuiu, no enredo mundial da redenção; aquele que corresponde aos seus verdadeiros dons espirituais, paixões e talentos; aquele que é proporcional à medida de fé que Deus lhe deu.

Cumpra o *seu* ministério.

Os líderes cristãos com quem tenho conversado que fielmente envergaram o manto do ministério por vinte, trinta e, às vezes, quarenta anos, freqüentemente atribuem sua longevidade, não a algo em particular que tenham feito, mas às muitas coisas que *não fizeram.* Quando os felicito por terem realizado tanto, rapidamente me lembram de tudo que *não realizaram.* "Bem", dizem, "se você soubesse de todas as oportunidades ministeriais que rejeitei, provavelmente não estaria me cumprimentando!".

Mas aqueles líderes são alguns dos mais sábios que conheço. Eles compreendem que a chave para a sobrevivência na liderança é a objetividade. Sabem que o bem mais valioso que os líderes possuem é o poderoso músculo NÃO. E sabem que esse músculo precisa ser flexionado, todas as vezes que uma oportunidade, não importa quão nobre seja a causa, ameaça seduzi-lo para tirar-lhe a tarefa à qual Deus lhe destinou. Eles têm aprendido como dizer: "Não, esse não é o meu chamado. Não foi isso que me foi determinado. Tenho certeza de que os céus instruíram alguém a fazer isso, mas não sou eu".

Durante uma era de muitas tentativas, quando estava lutando para não ficar assoberbado de trabalho, pus uma famosa frase na minha porta: "Qual parte da palavra NÃO você não compreende?". Durante todo o ano, sempre que alguém atravessava a minha porta e anunciava "Bill, você precisa fazer isso, você precisa fazer aquilo...", eu somente apontava para a minha porta e dizia: "Vê aquele aviso? Leia. O meu chamado fundamental é ser pastor de uma igreja local. Caso você esteja me perguntando se estou empenhado em erguer uma comunidade que funcione biblicamente em South Barrington, Illinois, a resposta é sim. Qualquer outra pergunta, a resposta é não".

Nos últimos anos, senti-me chamado para tentar ajudar outras igrejas. Meu chamado suplementar, então, é servir a Willow Creek Association. Mas, além disso, a minha resposta-padrão para a maioria dos convites é NÃO. Não promovo jantares executivos. Não falo em corporações. Não faço retiros para homens, fins de semana de aprimoramento matrimonial, cruzeiros evangelísticos ou viagens à Terra Santa.

Respeitosamente, recuso quase todas as oportunidades que aparecem em meu caminho. Do modo mais educado que puder, explico aos que fazem tais solicitações que o que estão me pedindo, não está de acordo com o meu chamado principal. Se fosse investir energia no que me pedem para fazer, teria de desviar energia do que Deus me pede para fazer. E não estou disposto a agir assim.

Nós, líderes, precisamos nos ater firmemente às promessas de Deus de que se nos mantivermos concentrados e cumprirmos seu chamado, então ele nos dará poder para resistir. Esse é o tipo de Deus que temos. 2Crônicas 16.9 diz: "Pois os olhos do SENHOR estão atentos sobre toda a terra [para fazer o quê?] para fortalecer aqueles que lhe dedicam totalmente o coração". Para mim, esse versículo significa o seguinte: se os líderes forem totalmente obedientes ao chamado que Deus pôs em sua vida, então ele os sustentará poderosamente no cumprimento desse chamado.

Nos meus momentos mais sombrios, quando ficava tentado a tomar uma medida drástica, sempre voltava à minha firme crença de que a atribuição que Deus me deu era sustentável — *se eu a perseguisse corretamente*. Sempre estive absolutamente convencido de que Deus sabe o que está fazendo e não está brincando com a minha vida. Então, quando tinha a sensação de que minha vida estava insustentável, voltava a minha atenção para o que poderia estar fazendo de errado. Logicamente, sempre havia o que melhorar.

Outra razão para não deixar o ministério, mesmo durante os momentos mais difíceis, era que nunca quis trair aquele que me deu vida, salvação e a promessa de eternidade. As palavras de Paulo me assombraram por quase trinta anos. Cumpra o seu ministério. Não fuja. Não desista. Descubra o que você precisa fazer para sustentar a sua vida no ministério porque desistir não é uma opção.

Ao longo dos anos, centenas de líderes cristãos me fizeram perguntas sobre o chamado: "Será que estou no lugar certo? Você acha que estou fazendo a coisa certa? Será que Deus me talhou para isso? Você acha que Deus está me chamando para assumir um novo desafio?". A minha resposta-padrão é: "Por que você está me perguntando? Essa é uma pergunta para o Espírito Santo. Você deve fazer o mesmo que eu para esclarecer esse assunto de chamado: Abra seu coração para o Espírito Santo e diga: 'Deus, conduza a minha vida. O senhor é o oleiro, eu sou o barro. Mostre-me o caminho. Você fala, e eu ouvirei'".

Todo líder deve aprender esse tipo de dependência com o Espírito Santo. Se você o fizer, Deus confirmará seu chamado. E estar seguro do seu chamado lhe trará o poder permanente que você precisa.

SEGUNDO CURSO: RESISTÊNCIA PARA DESENVOLVER A CORAGEM DE MUDAR

ESSE É UM CURSO intermediário da escola de pós-graduação da resistência que vai forçá-lo a crescer de diversas maneiras que normalmente não escolheria. Também terá de enfrentar partes de si mesmo que normalmente não enfrentaria. O currículo para essa matéria é baseado nas palavras de Paulo, em 1Timóteo 4.16: "Atente bem para a sua própria vida e para a doutrina". Eis a minha paráfrase desse versículo: "Examine a si mesmo e examine a sua vida. Então mude tudo o que puder mudar para aliviar a sua carga e ajudá-lo a vencer no seu chamado".

Soa como bom senso, não é mesmo?

Se você conversar com líderes que abandonaram o jogo, um surpreendente número deles vai envergonhadamente admitir: "Devia ter tirado mais folgas, dividido a carga da pregação, ter desenvolvido equipes para me ajudar, pedido um aumento, tido mais treinamento. Também devia ter modificado minha agenda diária, encontrado um mentor, ter me submetido a prestar contas, ter tido algum aconselhamento cristão e ter retomado o golfe".

HISTÓRIAS DOS QUE NÃO MUDARAM

Jamais esquecerei do café da manhã que tomei certa vez com um famoso pastor, que havia acabado numa vala moral. Meu único compromisso era ser um irmão para ele e deixá-lo saber que ainda era importante para Deus.

Naquela manhã, ao sentarmos um de frente para o outro no restaurante, perguntei: "Como você está sustentando a sua família?".

"Bem", ele deu de ombros, com sua voz cheia de tristeza: "Minha família foi embora, você sabe".

"Sinto muito. Não sabia." Eu disse serenamente: "Então, como você está se sustentando atualmente?".

Ele tentou formar as palavras, mas elas foram ficando presas na sua garganta. Por fim, ele suspirou e disse: "Estou vendendo sapatos", e logo depois enterrou o rosto nas mãos, começando a chorar.

Sem querer ofender ninguém que trabalhe com vendas no varejo, mas esse líder do Reino de Deus não havia sido chamado para vender calçados. Por muitos anos havia amado o desafio, o estímulo e a satisfação da liderança eclesiástica. Mas naquela manhã, à mesa do café, soube que jamais assumiria novamente qualquer responsabilidade pastoral. Após recuperar o controle das suas emoções, relatou uma lista completa de modificações que deveria ter incorporado na sua vida e que, provavelmente, teriam levado a uma conclusão totalmente diferente. O que tornava a sua dor ainda mais profunda naquela manhã era saber que havia pensado em fazer algumas daquelas mudanças anos atrás mas não fez.

Quando pergunto a líderes que se desqualificaram para o ministério por que não fizeram as mudanças que teriam tornado sua vida mais sustentável, a resposta mais freqüente é: "Não tive coragem. Não pude reunir a coragem. Não quis irritar ninguém. Sabia que isso derrubaria o *Ibope*. Tive medo de que as pessoas pensassem que não estava comprometido ou que não estava disposto a sofrer ou a sacrifícios. Não queria que pensassem que eu não era membro da equipe".

Quando pergunto a essas mesmas pessoas o que teriam feito de modo diferente se tivessem uma segunda oportunidade, ouço a mesma resposta todas as vezes: "Teria examinado a minha vida e alterado o que quer que fosse necessário alterar para aumentar as minhas oportunidades de continuidade. Deixaria, então, que as aparas caíssem onde quer que fosse. Teria provavelmente desagradado algumas pessoas e sofrido alguma pressão. Mas ao menos ainda estaria no ministério".

Essas pessoas desejariam ter feito as coisas de modo diferente.

Não sei qual o seu sentimento em relação a mim. De longe, devo provavelmente parecer imune a críticas. Mas não sou. Na verdade, sou muito sensível à desaprovação das pessoas. Quase arruinei a minha vida, meu casamento, meu ministério e a minha saúde para não arriscar desagradar as pessoas. Vou tão longe para lhe dizer qual é o meu ponto de maior sensibilidade: fazer qualquer coisa que leve as pessoas a questionar a minha disposição de pagar o preço para ser um comprometido seguidor de Cristo.

A sensibilidade, referente à aparência do meu nível de comprometimento, fez que toda a decisão em prol da continuidade fosse dolorosamente árdua para mim.

MUDANDO O RITMO DA MINHA VIDA

No início da década de 1980, nenhum pastor-presidente, que eu soubesse, tirava férias de verão para estudar. Não havia nenhum termo para isso nos círculos que freqüentava. Mas sabia que precisava de um intervalo. Lembro-me de ter ido até os pastores auxiliares e explicado que os primeiros sete anos da Willow tinham me custado um preço muito alto. Havíamos crescido de um punhado de adolescentes para alguns milhares de pessoas com um orçamento minúsculo em instalações alugadas e com a maioria do nosso *staff* composto por voluntários. O acúmulo de adversidades relacionadas a isso deixaram-me física e emocionalmente exausto. A única forma de recuperação que podia ver era achar um refúgio a algumas horas da igreja, onde pudesse levar a minha família por algumas semanas para me recompor.

Esperava obter apoio instantâneo para meu período de descanso, mas não consegui. Nunca vou esquecer o olhar hesitante no rosto dos pastores. Embora estivessem genuinamente preocupados comigo e com a minha família, também sabiam como a minha liderança era crucial naquela época. Estávamos em meio a um programa de construção multimilionário, o dinheiro estava escasso, e a congregação já estava se sentindo sobrecarregada. A minha ausência só poderia tornar as coisas piores. Mas os pastores sabiam que eu estava a ponto de ter um colapso, então tiveram a sabedoria (e a boa vontade) de me conceder férias de três semanas.

Após ter informado à congregação de meus planos de férias, recebi uma carta mordaz de um homem da igreja: "Quem você pensa que é? Você se levanta diante da congregação e nos desafia a sacrificar, servir e ofertar — então você escapa para a praia mais próxima. Você é exceção à regra do comprometimento? Tenho estado na minha empresa por quinze anos, e você sabe quantos dias de férias tenho por ano? Dez. E isso é tudo! Você é um pastor novo em folha e vai tirar três semanas de férias de verão? Faça-me o favor!". E por aí ele seguia.

Fiquei arrasado. Inclinei-me para trás, na minha estridente cadeira de escritório de terceira mão, e senti náuseas.

Comecei a examinar a idéia de cancelar minhas recém-conseguidas férias. O instinto carnal do macho brotou no meu coração a ponto de pensar em trabalhar intencionalmente até morrer. "Eu vou lhe mostrar!", pensei. "Você quer ver comprometimento? Vou pregar até parar em uma cova ou em um asilo de loucos... o que vier primeiro. Isso irá provar, de uma vez por todas, quem por aqui é realmente comprometido!".

Mas algumas horas mais tarde, prevaleceram as tendências mais saudáveis. Rasguei aquela carta e fui para casa ajudar a minha família a fazer as malas para minhas férias de estudo.

Sem ser melodramático, aquelas três semanas de férias, provavelmente, salvaram a minha família e o meu ministério. Prepararam o caminho para férias de estudo anuais com minha esposa e as crianças. Essas férias têm nos sustentado por mais de vinte anos. Posso honestamente dizer que não teria durado no ministério pastoral sem aquelas férias de verão. Nem a minha família. Mas evocar a coragem necessária para sair naquelas primeiras férias foi uma das coisas mais difíceis que já fiz.

Casualmente, algumas semanas após ter retornado das minhas férias de estudo inaugurais, o homem que havia me escrito aquela carta (ainda penso nele como o Unabomber[1] da Willow) desceu até a frente do púlpito para falar comigo. Ele disse: "Você se lembra daquela carta mesquinha que lhe escrevi? Estava com terrível humor naquele dia. Precisava eliminar um pouco da pressão. Espero que você não a tenha levado a sério. E espero que você tenha tido férias maravilhosas".

Quando dirigia de volta para casa naquele dia, pensei comigo: "Quase arruinei a minha vida por causa de uma única carta, de um homem que nem mesmo queria dizer o que escreveu. É de arrepiar!".

Anos mais tarde, jantei com um ex-pastor e escritor internacionalmente conhecido, cujas escolhas morais o haviam desqualificado para o ministério. A sua história era quase uma cópia da minha, com a exceção de que a pessoa que lhe havia dito para não tirar as férias, havia sido um diácono da sua igreja. Quando a folga que ele havia solicitado foi negada, engatou aquela engrenagem competitiva de "comprometimento", com que eu havia brincado, e manteve aquele ritmo destrutivo para sua própria alma. Acabou se esforçando até a exaustão, que torna o colapso moral quase inevitável.

Que imensa tragédia para todo o Reino de Deus!

[1]Famoso terrorista americano, que espalhou o terror por meio de cartas-bomba, entre 1970 e 1980. (N. do T.)

Mas aquela história não precisava ter terminado daquela forma. Sim, foi necessária muita coragem para tomar as duras decisões que aumentaram a sustentabilidade do ministério. Mas podemos — e devemos — tomar tais decisões.

Mudando a forma de exercer o ministério

Cheguei à iminência de outro colapso no início de 1990. A carga da pregação na Willow estava começando a me esgotar. Estava ensinando em dois cultos durante a semana e em quatro cultos de fim de semana, sem mencionar os cultos de feriados, reuniões com os funcionários, retiros da liderança e conferências para líderes eclesiásticos. Durante quase todo o tempo que estava acordado, ficava estudando para as mensagens, escrevendo as mensagens, orando pelas mensagens, ministrando as mensagens e me recuperando após pregar as mensagens. Comecei a pensar em mim como uma máquina de mensagens. Brincava com os meus filhos: "Preciso de ilustrações. Vá fazer algo que me dê inspiração para uma mensagem. Seja expulso da escola — o que for necessário. Só me traga alguma coisa!".

Mas acabei percebendo que a fábrica de mensagens estava me custando um preço alto demais para que pudesse continuar a ser considerada uma brincadeira. Aquilo estava me esgotando emocional e espiritualmente. Comecei a ficar apreensivo ao simples pensamento de outra pregação. Fantasiava voltar para o mercado e até acalentei algumas ofertas de amigos empresários antes de perceber o que estava me levando a tudo isso: excesso de mensagens.

Deus não tinha mudado o meu chamado. Ainda tinha uma enorme paixão pela igreja local. Ainda estava convencido de que ela era a esperança do mundo. Somente não conseguia suportar a idéia de que, pelo resto da minha vida, só ia ter três dias — no máximo! — em que não precisaria pregar uma mensagem inteiramente nova.

Certo dia, porém, decidi resolver a questão, e orei a Deus por criatividade. Em poucas horas, já havia esboçado uma proposta em torno do conceito de equipe de ensino. A idéia era montar uma equipe de homens e mulheres com o dom do ensino. Então, iria treiná-los, até que o povo da Willow não se importasse com quem estava pregando, em qualquer que fosse o culto. Lideraria a equipe, faria a distribuição das mensagens e ainda faria uma parte da pregação. Mas, dividir a carga, era a única maneira de continuar no ministério.

Discuti a idéia com alguns de meus amigos pastores e consultores de igrejas. Para meu total desalento, quase todos odiaram a idéia. "Isso nunca vai funcionar. Igrejas precisam de um único comunicador, especialmente igrejas de grande porte", avisavam. Outros diziam: "Somente o pastor-presidente deve subir ao púlpito. Dividi-lo trará o desastre". Tive uma reação negativa junto a todas as autoridades eclesiásticas reconhecidas com quem falei. Quando nossos pastores discutiram o conceito, estavam muito desanimados para ouvir as opiniões de especialistas. Mas também estavam abatidos pelo conhecimento de que eu estava afundando rápido e de que não tínhamos outras opções sobre a mesa. Assim, suplicamos pela ajuda de Deus e fomos em frente.

Ao formarmos uma equipe de ensino e começarmos a partilhar a carga, a reação era previsível: "Só tenho ouvido o Bill por quinze anos. Não quero escutar ninguém mais. Quem é o novo rapaz? Por que ele está lá em cima, enquanto Bill está sentado no banco da frente?". As inevitáveis comparações foram feitas, e o comparecimento até caiu quando certos professores apresentaram séries que se estenderam por várias semanas; mas ficamos firmes, continuando a treinar os novos professores e a orar para que Deus amadurecesse a congregação.

Uma década mais tarde, não temos do que nos arrepender a respeito da equipe de ensino. O povo não apenas aceitou a idéia, mas abraçou-a. Duvido que qualquer um na Willow pudesse desejar voltar aos dias de um único pregador.

A questão, novamente, é que a sustentabilidade requer um raciocínio direcionado e intencional e a coragem para manter-se fiel a uma nova abordagem mesmo quando se encontra resistência. O preço parece freqüentemente alto, mas no final vale a pena.

REALIZANDO DIFÍCEIS MUDANÇAS PESSOAIS

Uma das mais duras mudanças que já tive de fazer foi extremamente pessoal. Essa mudança era mais a meu respeito, que a respeito da igreja. Era um ajuste interior. Alguns de meus amigos me encorajavam a consultar um conselheiro cristão profissional, mas resistia a essa idéia. Obviamente, o meu orgulho trazia alguma hesitação, mas além disso, estava preocupado com a reputação da minha família e da igreja. Eu me preocupava com a possibilidade de as pessoas não compreenderem as minhas razões para buscar ajuda.

Mas finalmente decidi ir em frente e, de fato, semanas após minha primeira consulta, meu escritório começou a receber telefonemas de todas as partes do país e de todas as partes do mundo: "É verdade que Bill Hybels está tendo um colapso emocional?". A minha assistente respondia: "Bem, ele está consultando um conselheiro cristão por algumas questões de desenvolvimento pessoal". "Ah", diziam, "ouvimos que ele havia tido um ataque!". Ou: "Ouvimos que seu casamento estava fracassando".

Escutar esses rumores aumentou o já difícil desafio de sentar na sala de espera do consultório de um terapeuta cristão. Mas havia muita coisa em risco. Sabia que não tinha jeito de continuar a liderar, a ensinar, a alimentar e a desenvolver a nossa igreja com tantos pedaços quebrados chacoalhando dentro de mim. Tinha de levar algum tempo remontando o meu interior se eu quisesse permanecer no ministério. Por mais difícil que aquela época tenha sido, sem as idéias que recebi e sem a cura que experimentei por meio do aconselhamento não teria sido capaz de prosseguir em direção ao ministério repleto de alegria que experimentei durante o restante dos anos de 1990 e ao entrar neste milênio.

O ponto que destaco novamente é que cada mudança importante que realizei a fim de assegurar uma vida perdurável no ministério foi complicada, difícil e dolorosa. O risco de receber a desaprovação das pessoas e de prejudicar a igreja era muito real e muito assustador. Mais de uma vez, tive vontade de "apostar a fazenda", em prol da minha saúde.

Deixe-me mencionar mais um exemplo, de um dilema entre o risco e a recompensa. Após meses de consultas, meu conselheiro sugeriu que refletisse sobre todas as formas de lazer em que estava envolvido e determinasse qual era a mais revigorante e por quê.

Eu disse: "Isso não necessita de reflexão. É fácil. Não tenho qualquer tipo de lazer".

Após se recuperar do choque, meu conselheiro simplesmente disse: "Bill, é melhor começar. Imediatamente".

Foi quando comecei a pensar em velejar novamente. Quando criança, tinha saído em pequenos veleiros com o meu pai. Durante a minha adolescência, passava os verões em uma pequena cidade portuária no lago Michigan, onde aprendi a velejar no Ann Gail. Ann Gail era um veleiro de aproximadamente catorze metros, que meu pai havia comprado na Irlanda, e navegado através do oceano. Velejar era, de longe, o lazer mais revigorante que já havia experimentado. Mas abandonei a vela de forma abrupta quando meu pai morreu de um ataque cardíaco, e o Ann Gail foi vendido.

Após tantas semanas me ouvindo partilhar o meu amor pela vela, bem como a minha relutância em retomá-la, meu conselheiro arrancou gentilmente a verdade sobre a minha resistência em retornar a velejar. O que saiu da minha boca surpreendeu até a mim: "Se eu comprasse um veleiro, alguma revista tiraria fotos que o fariam parecer duas vezes maior. Chamariam-no de iate e fariam disso um grande escândalo; e então a Willow, e os líderes de igrejas por toda a parte teriam de lidar com isso, então... esqueça! Meus dias de vela já acabaram".

Ele sacudiu a cabeça e disse: "Parece-me que você está tomando uma decisão baseada no medo. É verdade, algumas pessoas poderiam não concordar que um pastor tivesse um barco. E sim, há até mesmo a possibilidade de reportagens distorcidas na mídia. Mas se você está assim tão preocupado com a opinião dos outros, imagine como você ficaria em uma instituição tricotando panos de prato aos quarenta anos de idade".

"Bill", ele disse, "você precisa programar algum lazer vivificante, regularmente, se você pretende se manter saudável por toda a sua carreira. Deus lhe fez assim. Sugiro que você mude do lado do medo nessa equação, para o lado da fé e comece a procurar por barcos!".

Muitos meses mais tarde, Lynne e eu compramos um barco de, aproximadamente, onze metros, usado e todo estropiado, que trouxe mais alegria à minha vida do que jamais havia imaginado. Ao longo dos anos, todas as vezes que levei alguém da Willow para velejar, ao chegarmos no barco, apontava para ele e dizia: "Veja só aquele pedaço de fibra de vidro. Aquilo salvou meu ministério!". E de certa forma salvou.

Freqüentemente, quando estou velejando sozinho, posso sentir o sorriso de Deus vindo em minha direção. Posso ouvi-lo falando: "Bill, você é mais que uma máquina ministerial para mim. Você é meu filho. Eu o formei amante do vento, da água e do movimento das ondas. Quando você está num barco, sorrindo e amando a sua vida, também sorrio — por todo o céu".

Em retrospectiva, estremeço ao pensar onde estaria hoje se não tivesse me permitido voltar a velejar.

Ao entrar na minha sexta década de vida, com quase trinta anos de ministério atrás de mim, a minha vida parece mais sustentável que em qualquer outro momento. Da minha perspectiva, meu futuro parece brilhante. Meu casamento e meus relacionamentos familiares me trazem grande alegria. Minha energia para o ministério e para a vida vem aumentando. A minha paixão pela igreja de Cristo ao redor do mundo é crescente. O meu amor por Deus, pela adoração e pelas pessoas perdidas se expande a cada ano.

Essa é uma vida que posso sustentar e amar. Esse também é o tipo de vida que anelo que todo o líder eclesiástico experimente. Em João 10.10, Jesus se refere a esse tipo de vida como "vida [...] com abundância" (ARC). Como anseio pelo dia em que pastores e outros líderes de igreja não apenas pregarão essa passagem aos outros, mas tomarão as difíceis decisões administrativas de sua vida que lhes possibilitarão tornar essa passagem uma descrição de suas experiências diárias.

COMO VOCÊ LIDA COM AS COISAS QUE NÃO PODE MUDAR

Sempre que encorajo líderes a mudar tudo o que puderem para tornar sua vida mais sustentável, tenho consciência de que também existem algumas coisas que eles não podem mudar. Fazer o quê? Conheço pastores, cujo chamado os levou a construir igrejas em áreas de tensão racial, miseráveis ou devastadas pela guerra. As circunstâncias que cercam sua vida, provavelmente, levarão anos para mudar. Então, o que fazer? Conheço outros líderes de igrejas, cujas denominações resistem a qualquer mudança e dão ao seu clero ordens rígidas e obsoletas. O que podemos fazer?

O apóstolo Paulo teve uma condição problemática em sua vida, a qual se referia como "espinho". Ele orou a Deus para removê-lo, mas aparentemente nunca foi extirpado. Quanto mais conheço outros líderes cristãos mais me convenço de que quase todos nós temos ao menos uma circunstância problemática que parecemos não poder mudar — um espinho que nos força a nos virar para Deus e dizer: "Conserte isso, Deus. Está doendo hoje de novo. Realmente não compreendo porque o Senhor não remove isso. Mas há uma razão pela qual o Senhor é Deus e eu sou eu. Então, vou confiar no Senhor ao longo de mais um dia".

Como você lida com um espinho? Você conversa com Deus sobre isso. Expressa sua frustração. Geme e chora se precisar. Mas no fim, proclama as palavras de Deus para Paulo: "Minha graça é suficiente para você" (2Co 12.9).

Outra forma de lidar com um espinho é se recusar a olhar para o restante de sua vida, como uma linha cronológica. Em vez disso, você parte a sua vida em pequenos pedaços e ora: "Deus, tudo o que preciso é confiar que o seu poder me sustentará por mais um período de 24 horas. Ajude-me a resistir a esse espinho até que o sol se ponha... e lidaremos com ele amanhã e depois".

Essa abordagem funciona, amigos. Eu a tenho praticado durante anos. Ela edifica a fé e o caráter. Ela contribui para uma confiança radical em Deus (o que é uma boa coisa). E ela aumenta a nossa confiança de que temos a capacidade de resistir ao longo de toda a carreira.

TERCEIRO CURSO: RESISTINDO AO DESCOBRIR PESSOAS DE CONFIANÇA

A PRÓXIMA MATÉRIA é um curso avançado da escola de pós-graduação da resistência, e, falando francamente, é uma parte do currículo que a maioria dos líderes cristãos nunca evitou adotar.

Essa matéria é baseada em Gálatas 6.2: "Levem os fardos pesados uns dos outros e, assim, cumpram a lei de Cristo". Conheço líderes que lideraram apaixonadamente por muito tempo. Normalmente, podem narrar (com vívidos detalhes) o momento em que fizeram a transição de seres auto-suficientes, independentes, para seres que dependem profundamente da comunidade. Descrevem um ponto de ruptura, em que sua frustração chegou ao ponto mais alto e o seu desespero ao ponto mais baixo. Mas no exato momento em que estavam a beira de um colapso, decidem dizer uma palavra de sete letras: Socorro. Disseram a alguém em quem confiavam: "Por favor, me ajude. Isso está arrebentando o meu coração. Não posso suportar isso sozinho. Alguém tem de me ajudar a carregar esse fardo".

Mesmo Jesus, o mais resistente líder que já viveu, disse a um pequeno grupo de amigos, segundo minha paráfrase do texto bíblico: "A minha alma está profundamente triste, numa tristeza mortal. Poderiam alguns de vocês ficar comigo? Vocês ficariam comigo? Vocês me ajudariam?" (Mt 26.38).

Jesus estava voluntariamente admitindo sua necessidade de pessoas de confiança. Com o tempo, todos nós, líderes, teremos que fazer o mesmo. A continuidade exige isso.

Sou o primeiro a admitir que o trabalho na igreja confunde o universo das relações mais que qualquer outra profissão. Como cristãos, supõe-se que amemos uns aos outros, sejamos irmãos e irmãs uns dos outros, oremos uns pelos outros e, via de regra, apoiemos e cuidemos uns dos outros. Mas puxe um líder de igreja para o lado e pergunte: "Você realmente tem alguma pessoa de confiança a quem possa se virar em tempos difíceis? Você tem alguém para quem poderia admitir seus pensamentos de abandonar o ministério? Há alguém a quem você poderia confessar os pecados escapistas que estão novamente se tornando torturantes para você? Existe alguém em quem você confie o suficiente para dizer *qualquer coisa*?".

Faça essas perguntas a uma centena de líderes cristãos e uma alarmantemente alta porcentagem olhará para os próprios sapatos e dirá: NÃO. Eles podem dizer que possuem parceiros de oração ou que participam periodicamente de grupos menores, mas pouquíssimos líderes de igrejas podem mesmo imaginar se relacionar com alguns amigos de forma profundamente íntima.

Isso me causa grande preocupação. Não quero ser profeta de maldições, mas temo que uma grossa camada de líderes de igrejas desapareçam — tragicamente — das listas das lideranças do Reino de Deus, a menos que se comprometam a descobrir pessoas de confiança e a se apoiarem nesses relacionamentos. Nosso coração não foi feito para lidar com as adversidades e com as mágoas do ministério sozinhos. Precisamos nos relacionar com alguns amigos que possam nos ajudar a suportar os pesados fardos da nossa vida.

Recentemente, tomei conhecimento de mais um conhecido líder cristão que foi posto permanentemente de lado por causa de falha moral. Estava com ele, logo antes de seu problema se tornar público. Não tinha conhecimento do que ele estava passando, mas percebi que havia algum problema em sua vida. Fiz algumas perguntas, sondando de forma sutil, para ver se ele se abriria comigo, mas via que ele não estava pronto para isso. Perguntei cautelosamente sobre sua disposição para ver um conselheiro cristão. Ele não acreditava que eu tivesse sugerido algo tão radical.

"Eu estou bem, não é nada", ele disse, fechando a porta para discussões adicionais.

Quando fiquei sabendo da sua queda, sacudi a cabeça e deixei escapar uma palavra que tive de confessar mais tarde. Quantos líderes ainda perderemos, antes de reconhecermos a nossa necessidade de nos apoiarmos em relacionamentos seguros?

Aprendi ao longo dos anos, que não sou forte o suficiente para enfrentar sozinho os rigores do trabalho da igreja. Além do apoio da minha esposa e filhos, preciso do suporte de amigos íntimos, de um pequeno círculo de irmãos e irmãs de confiança com quem possa discutir tentações para que não caia nelas. Preciso de umas poucas pessoas de confiança, com quem possa processar sentimentos e frustrações, de forma que não me torne emocionalmente intoxicado. Preciso de algumas pessoas que reflitam graça sobre mim quando estiver acabado e me sentir inútil.

É algo poderoso, recebermos graça de nossos companheiros humanos. Há muitos anos, aprendi a receber a graça de Deus e não teria sobrevivido ao ministério — ou à vida, de qualquer forma — sem isso. Mas ver a aceitação, em olhos que lhe recebem com graça, de pessoas a quem confessei um pecado horrível é uma experiência igualmente inesquecível. Todo líder precisa disso.

Então, deixe-me lançar o desafio mais uma vez: Líderes, por favor, encontrem pessoas de confiança. Você pode levar anos — foi o quanto levei

— mas não desanime da busca. Continue orando, procurando, crendo que Deus irá prover. Isso poderá fazer toda a diferença entre você resistir ou não.

A matéria final: resistindo com uma perspectiva eterna

Garanto que essa matéria da escola de pós-graduação em resistência não será fácil. Ela se chama: "Aprendendo como viver com uma perspectiva eterna" e tem a ver com a natureza do tempo.

Deixe-me ilustrar: todos os verões, minha equipe de vela e eu temos de levar o meu veleiro pela água a vários portos ao redor dos Great Lakes para as regatas. Se você não é do meio oeste, provavelmente não consegue perceber como o lago Michigan é largo. São mais de 185 mil metros de largura e quase 600 mil metros de norte a sul.

Uma distância de mais de 185 mil metros, a três ou quatros metros por segundo em um veleiro se traduz por doze horas de navegação. Às vezes, dou azar e acabo com o trabalho de entrega. Mais de uma vez, cheguei a fazer um quarto da travessia somente para ter de fugir de raios, trovões e ventos fortíssimos. Normalmente, faço o transporte do barco sozinho, o que prefiro, mas isso sai mais caro quando o tempo fica desagradável. Em mais de uma ocasião, encontrei condições, que me fizeram pensar com meus botões, se conseguiria chegar do outro lado.

Esses momentos são muito intensos. Todavia, cedo ou tarde começo a buscar em minhas lembranças e me recordo de uma outra perspectiva do lago Michigan. É uma perspectiva com a qual sou muito familiarizado, a perspectiva de um piloto. Recebi minha licença de piloto quando era adolescente e voei sobre o lago Michigan em aviões particulares uma centena de vezes.

Um vôo através do lago Michigan, em um assento de piloto, oferece uma perspectiva inteiramente diferente do lago. As distâncias diminuem e o perigo é minimizado. 185 mil e tantos metros de visibilidade é comum em um avião com altitude suficiente, podendo-se ver toda a superfície do lago. Ondas que podem estar espancando violentamente o casco de um barco parecem pequenas e comportadas. Um avião rápido pode transportá-lo de um lado do lago Michigan para o outro, em questão de minutos. Na verdade, os pilotos de jatos executivos, freqüentemente se referem a atravessar o lago Michigan como "pular a lagoa".

Então, quando estou conduzindo um barco através do lago Michigan e me encontro em condições complicadas, tento trazer a perspectiva de piloto para minha situação na navegação. Na minha mente, olho para baixo, para o meu problema, da cabina de um jato particular, passando a mais de sete mil metros de altura. Imagino a visão mais alta e digo para mim mesmo: "Daqui de cima, a outra linha costeira já é visível e as ondas parecem facilmente controláveis".

Acredite ou não, com esse ponto de vista em mente, consigo perseverar. Consigo seguir em frente. Posso começar a acreditar que vou realmente conseguir uma vez que persevere. Mas preciso daquela outra perspectiva para me dar esperança e renovar minha determinação. Você sabe onde quero chegar com isso.

Heróicos líderes cristãos, ao longo da história da redenção, sempre olharam para as dificuldades de suas curtas lutas, contra o pano de fundo da eternidade. O apóstolo Paulo disse em 2Coríntios 4.17: "... pois os nossos sofrimentos leves e momentâneos estão produzindo para nós uma glória eterna que pesa mais do que todos eles". Nessa passagem, Paulo está sugerindo que quando as dificuldades da vida parecem esmagadoras, precisamos pensar mais como pilotos do que como marinheiros. Precisamos olhar para as ondas de *cima* e não de *dentro* delas. É isso que significa olhar para a vida tomando-se por base uma perspectiva eterna.

E, a propósito, quais eram os "sofrimentos leves e momentâneos" que Paulo tinha de olhar, tomando-se por base a perspectiva de um piloto? Nos versos anteriores ele os lista: "Tenho sido pressionado, perplexo, perseguido, constantemente abatido, ameaçado de morte por causa de Cristo". Mas ele diz: "Eu não perderei a coragem" (2Co 4.8,16).

Como Paulo conseguia resistir a essas provas? Ele é feito de um material melhor do que eu ou você? Não necessariamente. O apóstolo Paulo resistiu porque aprendeu como viver sob uma perspectiva eterna. Aprendeu como olhar para as adversidades que vivia, de um ponto de vista mais amplo, que o lembrava que o porto não estava tão longe assim.

Como Paulo, podemos resistir se tivermos a perspectiva correta.

Há mais de vinte anos, adotei como o versículo da minha vida estas palavras compostas pelo apóstolo Paulo: "... mantenham-se firmes, e que nada os abale. Sejam sempre dedicados a obra do Senhor, pois vocês sabem que no Senhor, o trabalho de vocês não será inútil" (1Co 15.58). Parafraseando: não importa quão difícil seja o infortúnio, não importa quanto dure uma tempestade em particular, não importa quão sombria e assustadora fique a situação, não importa quanto os ventos uivem e as ondas arrebentem... Escolha o caminho da coragem. Seja firme. Seja inabalável. Resista.

Paulo está essencialmente dizendo: "Decida antecipadamente que você nunca vai desistir. Decida antecipadamente que você vai prosperar na obra do Senhor, não importando quão alto fique o nível de dor. Decida antecipadamente que você vai continuar a mostrar presença, a confiar, a proclamar o evangelho, a discipular, a apascentar, a liderar e a pregar a visão". Isso é liderança corajosa.

Qual é o pagamento? Saber que "no Senhor, o trabalho de vocês não será inútil".

De uma perspectiva eterna, o porto (os elogios de Deus e o céu) não está assim tão longe!

Algum dia, ficaremos face a face com o Filho de Deus que nunca desistiu de seu chamado redentor. Vamos ficar face a face com o Consumador, que não desistiu quando seus ensinamentos foram criticados; quando seus seguidores de confiança desertaram; quando foi ridicularizado, espancado, e cuspido; quando os pregos foram cravados, através de suas mãos e de seus pés e quando seu sangue expiador foi derramado de suas veias na poeira sob a cruz. Somente quando o ministério de Jesus foi completamente cumprido, quando sua corrida foi completada, ele disse, com autoridade, estas palavras finais: "Está consumado. Meu trabalho acabou. Fiz o que meu Pai me pediu. Perseverei por todo o caminho, até o fim, e cumpri meu ministério".

Quando nos encontrarmos com Cristo, creio que todos seremos impelidos a dizer: "Jesus Cristo, obrigado por cumprir seu ministério e por não ter desistido no caminho para a cruz. Porque você resistiu, comprou o meu perdão, transformou a minha vida, protegeu a minha família, sustentou a minha igreja, mudou o meu mundo e selou o meu destino eterno".

Felizmente, todos nós, líderes, também poderemos acrescentar: "Jesus, por causa do seu exemplo e com a sua ajuda, também terminei o meu ministério".

Como vamos nos regozijar naqueles momentos! Como vamos ficar alegres por não termos desistido.

"Mantenha o curso"

Há alguns meses, uma cruel doença tirou a vida de um dos meus mais íntimos amigos. Este livro é dedicado a ele. Enquanto escrevo estas palavras, estou lutando para conter um rio de lágrimas. Jon Rasmussen era um irmão, um mentor, parceiro de vela, um camarada combatente, um servo, um confidente e, verdadeiramente, um dos homens mais notáveis que já conheci.

Dois dias antes da sua morte, ajoelhei-me ao lado da sua cama e lhe disse uma última vez que o amava com todo o meu coração e que o veria do outro lado. Esforçando-se para se mover, ele pegou um presente que havia preparado para mim. Ao abrir a caixa cuidadosamente embalada, descobri uma bela bússola marítima de prata. Antes que pudesse protestar a sua consideração e generosidade, Jon sussurrou: "Bill, a sua vida deu direção à minha vida. Desde o dia em que nos conhecemos, Deus lhe usou para me mostrar como a minha vida poderia ter propósito e significado, e eu não posso lhe agradecer o suficiente".

"Leia atrás", ele sussurrou. Li as três palavras gravadas na superfície de prata com lágrimas em meus olhos: "Mantenha o curso". Após ler essas palavras, subi em sua cama, e o abracei por alguns momentos. Depois disso, eu orei por ele.

Dois dias depois, Jon morreu. Realizar seu funeral foi uma das coisas mais difíceis que já fiz. Mas vou guardar seu último presente como um tesouro. Como poucas outras posses terrenas que possuo.

Mantenha o curso. Mantenha o curso. Mantenha o curso.

Se todos nós, líderes, o fizermos — eu e vocês — conquistaremos o dia para a glória daquele cujo nome carregamos.

Pelo mesmo autor

Como ser um cristão autêntico (Vida)

Cristão contagiante (Vida)

O Deus que você procura (Vida)

Rede ministerial (Vida)

Série Interações (Vida)

Quem é você quando ninguém está olhando (Betânia)

Fazendo sua vida ser melhor (United Press)

Ocupado demais para deixar de orar (United Press)

WILLOW
Associação Willow Creek

Alcançando os Perdidos - Edificando os Salvos

Este recurso foi criado para auxilia-lo a desenvolver uma igreja local que prevalece!

Desde 1999, a Associação Willow Creek tem buscado servir a pastores e líderes que possuem um espírito inovador, provendo visão estratégica, treinamento e recursos, a fim de que esses possam desenvolver igrejas que prevalecem.

Realizamos **Eventos** com formatos variados com o objetivo de ministrar sobre a igreja (ou uma área específica da mesma), sua liderança e ainda prover os equipamentos necessários para melhor desenvolvê-la.

Desenvolvemos **Recursos** relevantes que, através das mais variadas formas de distribuição, buscam auxiliar pastores e líderes a desenvolver a igreja (ou uma área específica da mesma) e sua liderança.

A Willow Creek Association é um ministério da Igreja Comunitária de Willow Creek, South Barrington, IL - EUA, que hoje se espalha por mais de 13 países buscando dar visão, equipar e encorajar pastores e líderes a desenvolverem igrejas locais que farão uso de todo seu potencial redentor, tornando pessoas descrentes em verdadeiros e frutíferos discípulos de Jesus Cristo. Hoje a Willow Creek Association conta com mais de 9000 igrejas parceiras. Para saber mais, visite o site www.willowcreek.com.

No Brasil, você pode conhecer mais sobre esse ministério através de qualquer uma das formas de contato indicadas a seguir:

www.willowcreek.org.br
willowcreek@willowcreek.org.br
Fone: (85) 3264.9699 - Fax: (85) 3264.9599
Av. Dom Luís, n 300, Sala 812 - Aldeota
CEP: 60.160-230
Fortaleza - Ceará - Brasil

Esta obra foi composta em *Galliard BT* e impressa
por Imprensa da Fé sobre papel *Off set 63* 67 g/m²
para Editora Vida em novembro de 2004.
6ª impressão da 1ª edição - março de 2008